An Blascaod Trí Fhuinneog Na Scoile

ISBN 978 -1-903896-96-9

Foilsíodh le cabhair airgid ó Fhoras na Gaeilge

Dathchlódóirí an Bhreatnaigh a chlóigh

An Blascaod Trí Fhuinneog Na Scoile

Nóra Ní Shéaghdha

In eagar ag

Pádraig Ó Héalaí

AN SAGART
An Díseart
An Daingean
2015

I gcuimhne na ndaoine agus an tsaoil
a fuair Nóra roimpi ar an mBlascaod

CLÁR

Scéalta iontais

Scéalta rómánsacha

Scéalta grinn

Finscéalta stairiúla

Osnádúr

Cráifeacht

Seo siúd

Léaráidí

Brolach

Saolaíodh Nóra Ní Shéaghdha i 1906 i mBaile an Mhúraigh i nGaeltacht Chorca Dhuibhne mar a raibh feirm bheag ag a hathair, Tomás Ó Séaghdha agus a bhean Nearaí (Dan) Ní Shéaghdha ó Bhaile an Loiscthe. D'fhreastail sí ar bhunscoil Chill Chuáin sular aistrigh sí go scoil Chlochar na Toirbhirte sa Daingean agus ina dhiaidh sin arís go scoil Chlochar na Toirbhirte i dTobar Mhaigh Dor, nó Tobar Mhuire mar a thug sí féin air, i dTrá Lí i 1921. Chríochnaigh sí an t-ochtú rang ansin agus mhúin sí mar mhonatóir ann i 1924 tráth ar éirigh léi ceann de Scoláireachtaí an Rí a ghnóthú a chuir ar a cumas dul isteach i gColáiste Oiliúna Mhuire gan Smál i Luimneach i 1925. Cháiligh sí ina bunmhúinteoir ann i 1927 agus í cíocrach chun a haghaidh a thabhairt ar an saol mór mar bhí súil aici ar phost múinteoireachta i dTrá Lí. Ach ní fostaíocht i mbaile mór ná i gcathair shoilseach a bhí i ndán di, óir níor thúisce sa bhaile ón gcoláiste í ná gur chuir an sagart paróiste in iúl dá tuismitheoirí go raibh folúntas i scoil an Bhlascaoid Mhóir. Ba í an cailín ba shine sa chlann í agus bhí beirt deirfiúr níos óige ná í sa bhaile, Neil agus Máire; bhí deartháir léi, Pádraig, imithe go Meiriceá ag freastal ar ghairm sagartóireachta, agus beirt dearthár eile léi sa bhaile, Jack agus Dónall. Toisc nach raibh aon speilp rómhór ar a tuismitheoirí, gan acu ach gabháltas beag, theastaigh uathu go rachadh sí ag múineadh gan mhoill. Dhein sí rud orthu, fiú murar le fonn é, agus i Meán Fómhair 1927, ceapadh í ina Príomhoide i scoil an Bhlascaoid. Tagraíonn an sagart paróiste don deacracht a bhíodh aige múinteoirí a fháil do scoil an Oileáin ina litir go dtí an Roinn Oideachais ag cur in iúl go raibh sí ceaptha:

> Dear Sir,
>
> I beg to inform the National Education Board that I have appointed Miss Honoria O'Shea as Principal Teacher of the Blasket Island N. School [....] The privations of life in this island are so great that it is very difficult to get any trained teacher to apply for the position of teacher there [...] had Miss O'Shea not applied I would have great difficulty in obtaining a trained teacher for this school. Miss O'Shea is a native of this parish. She will be better able to deal with the privations of life in this island than any one foreign to the place. I doubt very much if she would apply except for the circumstances of her own people at home. I have every confidence that Miss O'Shea will give full satisfaction in discharge of her duties...[1]

Tráchtann sí féin ar an athrú meoin a tháinig uirthi maidir le cónaí ar an Oileán, agus conas, de réir a chéile, gur fhás chuici gean ar an áit agus cion ar a phobal. Seacht mbliana geall leis a thug sí ag múineadh scoile ann agus in ainneoin deacrachtaí áirithe, ba thréimhse é sin a d'áirigh sí i gcónaí mar shaibhriú mór ar a saol.

Scríbhinní dá cuid a thugann éachtaint ar a taithí ar an mBlascaod is ábhar don leabhar seo — cuntas mná óige ón míntír ar shaol an Oileáin nuair a bhí dé éigin fós ann. I 1940 d'fhoilsigh An Gúm bailiúchán aistí léi, *Thar Bealach Isteach*, a bhí dírithe, cuid mhór, ar an saol a chleacht sí ar an Oileán, agus ina dhiaidh sin ag trátha éagsúla, scríobh sí píosaí eile a thugann cuntais bhreise ar an saol sin — Aguisíní an fhoilseacháin seo. Thionscain sí tuairisc de shórt eile chomh maith ar phobal an Oileáin le linn di bheith ag múineadh ann, mar chuir sí leanaí na scoile i mbun béaloideas a bhailiú óna muintir — bailiúchán atá ar fáil i gcónaí ach nár cuireadh i gcló go dtí seo. Tá spéis leanúnach á cur i saíocht an

[1] Cartlann Náisiúnta na hÉireann, ED/9/1, 16549 bosca 341.

Bhlascaoid, agus ó tharla *Thar Bealach Isteach* as cló le fada, agus toisc an fhaisnéis bhreise uaithi ar shaol an Oileáin mar aon leis an mbailiúchán béaloidis a bheith gan foilsiú go fóill, is tráthúil anois an t-ábhar seo a thabhairt le chéile in aon fhoilseachán amháin. Ionas gur dílse a chloífeadh ábhar an leabhair seo lena theideal — *An Blascaod trí Fhuinneog na Scoile* — agus ar mhaithe le gluaiseacht réidh na hinsinte, fágadh ar lár roinnt sleachta as *Thar Bealach Isteach* agus cuirtear in iúl na bearnaí seo le [...] sa téacs thíos.

In Aibreán na bliana 1934 d'éirigh Nóra as a post i scoil an Bhlascaoid nuair a ceapadh í ina múinteoir i Scoil Naomh Eirc i gcóngar an tí inar tógadh í, i mBaile an Mhúraigh. Tar éis di lonnú sa bhaile, bhí sí an-leanúnach ar chairde léi ón Oileán a bhí curtha fúthu ina haice ar an míntír, go háirithe Lís (Mhicil) Ní Shúilleabháin a bhí pósta ar Sheán Ó Criomhthain, Lís Ní Chatháin a bhí pósta ar a duine muinteartha Peaitsín Ó Laoithe, agus a leathbádóir, Cáit Uí Dhuinnshléibhe, a bhíodh ag múineadh ina teannta i scoil an Bhlascaoid. Bhí lúb isitgh ag Nóra san Oileán fad a mhair sí, agus dá chomhartha sin, bhí ainm pluaise ar an mBlascaod, 'Scairt Phiarais', mar ainm aici ar an dtigh a chuir sí á thógaint di féin ar an bhFeothanaigh. Ba bhreá léi aon teagmháil a bhíodh aici le Blascaodaigh, go háirithe an chuid acu a mhúin sí, agus ba mhil ar a croí tamall comhrá faoin seansaol ar an Oileán.

Lean Nóra agus í ar ais sa bhaile le nós na scríbhneoireachta a tharraing sí chuici nuair a bhí sí ar an mBlascaod. Chríochnaigh sí leabhar eile a bhí tosaithe aici ar an mBlascaod, aithris a chuir sí roimpi a dhéanamh, a dúirt sí in agallamh le Risteard Ó Glaisne in *Inniu* (22/6/1973), ar 'na *novels*' a mbíodh éileamh ag daoine orthu — úrscéalta de chineál Mills and Boon a bhí i gceist aici, is dócha. Ghlac An Gúm leis ar aon chaoi agus cuireadh i gcló é faoin teideal *Peats na Baintreabhaighe* i 1945.

Mhínigh sí féin san agallamh céanna sin gur bheag an aird a bhí aici ar chúrsaí scríbhneoireachta agus í gafa le hobair scoile agus tógaint chlainne, ach mar sin féin, chuir sí píosaí beaga ar fáil ó am go chéile d'fhoilseacháin éagsúla. Scríobh sí dráma trí ghníomh, *Dún an Óir,* a chóirigh Seán Mac Réamoinn don raidió, agus a chraol Raidió Éireann ar 2 Feabhra 1960. D'aistrigh sí leathdhosaen éigin dráma ó Bhéarla go Gaeilge do chompántais éagsúla — Aisteoirí Bhréanainn, Tralee Drama Group agus Brosna Players — a raibh an tAth. Tomás Ó hIceadha i mbun léirithe leo. Níor foilsíodh aon cheann díobh seo, áfach, agus ar an drochuair, níl fáil ar aon téacs díobh anois.

Bhí deis pinn níos fearr aici nuair a d'éirigh sí as an múinteoireacht i 1970. Scríobh sí alt ar nósanna pósta agus cleamhnais in M. Ó Cíosáin, eag., *Céad Bliain*, (1973), agus is sa tréimhse seo leis a bhreac sí na míreanna breise faisnéise ar shaol an Oileáin atá i gcló in Aguisíní an leabhair seo. Foilsíodh sraith alt léi ar Bhláithín (faoina hainm pósta, Bn. Uí Éalaithe) in *Agus* (Márta–Meitheamh 1973) — trascríobh ar chaint a thug sí ar Raidió na Gaeltachta — agus sraith eile léi ar Thomás Ó Criomhthain in *Inniu* (24 Bealtaine - 26 Iúil 1974). Tá sleachta as na haltanna sin ar an gCriomhthanach athfhoilsithe in B. Ó Conaire, eag., *Tomás an Bhlascaoid* (1992), mar aon le sliocht léi ar a bhás in *Scéala Éireann,* 12 Márta 1937. Foilsíodh sraith eile alt léi ar Pheig Sayers in *Inniu* (8 Márta 1974-26 Aibreán 1974) agus tá sleachta as na haltanna sin i gcló thíos in Aguisíní: 12.

Thug sí léi chomh maith óna taithí múinteoireachta ar an mBlascaod an tuiscint gurbh ionmholta spéis sa traidisiún logánta a spreagadh i ndaltaí scoile agus eolas ina thaobh a chur ina láthair. Is cinnte gur chothaigh an blas a d'fhaigheadh leanaí an Oileáin ar fhilíocht agus eachtraí Phiarais Feiritéar an tuairim sin inti. Ba gheall le bunphrionsabal ina cur chuige teagaisc é borradh a chur faoi fhéinmhuinín na leanaí trí aitheantas a thabhairt sa scoil don rud a bhain lena ndúchas baile. Tá gnéithe eile dá fealsúnacht creidimh agus teagaisc, go háirithe an fiúntas oideachasúil a mhothaigh sí san ealaín bhéil — filíocht, seanfhocail, tomhais, nathanna cainte — léirithe ina bhfuil scríofa thíos aici ar a taithí le leanaí scoile an Bhlascaoid.

Sa bhliain 1938 phós Nóra Dónall Ó hÉalaithe ó Chill Gharbháin i gCiarraí Theas a bhí ag obair san uachtarlann nuabhunaithe ar an bhFeothanaigh. Thóg siad triúr clainne, Eibhlín nach maireann, Mary agus Pádraig. I nóta dá cuid scríobh Nóra gur chuir Tomás Ó Criomhthain mar ghuí léi agus í ag fágaint an Bhlascaoid: 'Sonas rafar séimh ar a bhfuil romhat de do shaol.' Dhealródh go raibh sé d'ádh uirthi gur fíoradh, cuid mhaith, guí sin an Chriomhthanaigh, agus ag druidim le deireadh a saoil, níor léir aon aiféala ná aon mhíshástacht uirthi faoi aon ghné de. Fuair sí bás 20 Iúil 1975, agus tá sí curtha ina teampall dúchais i gCill Mhaoilchéadair mar a bhfuil, ar a hiarratas féin, aghaidh a huaighe le muir — díreach mar a cóiríodh uaigh a cara ón mBlascaod, Eilís Ní Shúilleabháin, blianta beaga roimhe sin.

Faoi shuaimhneas síoraí go raibh sí anois agus go mbuanaí an saothar seo a cuimhne!

Eagarthóireacht

Is é is mó a bhí i gceist leis an eagarthóireacht ar na téacsanna ná an litriú a thabhairt chun réitigh, cuid mhór, le gnáthlitriú an lae inniu. Beartaíodh ar sin a dhéanamh mar áis don léitheoir ach tuigeadh chomh maith gur cheart glacadh le sciar de bhlas canúnach na mbunscríbhinní ionas nárbh aduain le pobal na canúna sin cló a dteanga sa leabhar. Measadh nár mhiste foirmeacha canúnacha a scríobh go mór mór nuair a bhí siad aitheanta in *Foclóir Gaeilge Béarla* (Ó Dónaill). Ar na príomhghnéithe canúnacha atá léirithe sa téacs thíos tá:

> foirmeacha táite agus roinnt foirmeacha eile den bhriathar;
> an mhír bhriathartha dhiúltach *ná* in áit *nach* (+ urú);
> athruithe tosaigh an ainmfhocail: urú tar éis an ailt sa tabharthach uathu ar ainmfhocal firinscneach a thosaíonn ar *d* nó *t*; urú ar an ainmfhocal tar éis *den, don;* *t* roimh ainmfhocal firinscneach a thosaíonn ar *s + guta, nó l-, n-, r-* tar éis *sa, aon* agus *céad;* séimhiú ar *d-* agus *t-* tar éis na réimíre treise *an-* ;
> cáilíocht consan in ainmfhocail áirithe;
> foirmeacha réamhfhocal ach léiríodh an t-idirdhealú stairiúil idir *de* agus *do*.

Nuair a chinntear gan cloí go docht leis an gcaighdeán oifigiúil leanann suibiachtúlacht áirithe cibé córas eagarthóireachta a úsáidtear, agus is é guí an eagarthóra nach gcuirfidh an socrú atá ar an téacs seo as rómhór don léitheoir.

Deineadh roinnt athruithe ar phoncaíocht agus ar dheighilt alt sna scríbhinní, agus leasaíodh os íseal nithe a measadh gur sciorradh pinn ba bhun leo. Cuireadh idir lúibíní cearnógacha aon fhocal nó focail a sholáthraigh an t-eagarthóir, agus ar mhaithe le gluaiseacht agus soiléire na hinsinte, athraíodh i bhfo-áit ord na gcaibidilí, na n-alt agus na bhfocal. Is leis an bhfear eagair na fonótaí. Tugtar aitheantas i gclo iodálach d'fhoinse gach léaráide nárbh é an t-eagarthóir féin a sholáthraigh.

Buíochas

Táim faoi chomaoin mhór ag na daoine seo a leanas as cúnamh a thabhairt i slite éagsúla maidir leis an bhfoilseachán seo: An Mons. Pádraig Ó Fiannachta, An Sagart; Mícheál de Mórdha, Stiúrthóir Ionad Oidhreachta an Bhlascaoid agus a mhac Dáithí; Micheál Ó Domhnaill, Acadamh na hOllscolaíochta Gaeilge; Críostóir Mac Cárthaigh, Cnuasach Bhéaloideas Éireann; An tOllamh Bo Almqvist nach maireann; na hOllúna *emeriti* Cathal Ó Háinle agus Seán Ó Coileáin; Roibeard Ó Cathasaigh, Coláiste Mhuire gan Smál; Máirín (Ní Dhuinnshléibhe) Uí Bheoláin agus a hiníon Eithne; Máirín (Ní Laoithe) Uí Shé; Cáit (Ní Laoithe) Uí Bheaglaoi; Frances Uí Chinnéide; An tSr Goretti Ní Ghrífín; Catherine Jelinek; fahyfoto.com; Tom Fox. Tá buíochas ar leith ag dul don Ollamh Ríonach uí Ógáin, Stiúrthóir Chnuasach Bhéaloideas Éireann, as a cúnamh agus arís as cead a thabhairt ábhar ón gCnuasach a fhoilsiú anseo agus freisin do Charoline Ní Lúing as an dúthracht a chaith sí ag réiteach an leabhair seo.

Pádraig Ó Héalaí
Eanáir 2015

Thar Bealach Isteach

Réamhrá

'Déarfainn go scríofá leabhar,' arsa an tAthair Nioclás de Brún liom lá anuraidh is sinn araon ag cur an tsaoil trí chéile. Ba é rud a tharraing anuas an scríbhneoireacht in aon chor ná leabhartha an Oileáin. Dheineas gáire fé. Bhuail an tAthair Ó Conaill liom. 'Cad ina thaobh ná tugann tú fé leabhar?' ar sé. 'Tá am do dhóthain ansúd istigh agat.' Gháireas fé seo arís. Gan dabht is fé mo shimplíocht féin a gháirinn i gan fhios d'éinne — mise ag scríobh leabhair! Mhuise, nár chuire Dia aon droch-chló orainn!

D'fhágas na sagairt. 'Is breá bog a thagann an saol oraibhse, sagairt,' arsa mise nuair a fuaireas an áit fúm féin. 'Dreoilín spóirt ar fad a bheartódh sibhse araon a dhéanamh díom.'

Breithiúnachas obann ní maith í. D'fhilleas ar an mBlascaod Mór. Bhíodh comhrá na sagart ag rith trí m'aigne. Thuigeas mé féin. Cá bhfios dom ná go ndéanfainn rud éigin le mo pheann dá mbeadh misneach agam?

Tháinig tráthnóna ná raibh fonn léitheoireachta ná fonn fuála orm — 'ag obair leat, a phinn,' arsa mé, ag breith air, agus b'shiúd liom ag ropadh síos gach ráiméis mar thagadh chugam. Thugas cead bóthair do mo pheann is do mo smaointe. Ba bhreá liom mar chaitheamh aimsire sa deireadh, stiall den dtráthnóna nó den oíche a chaitheamh ag breacadh. Uaireanta bhíodh an diabhal féin de leisce orm tar éis an lae, agus dá bhfaighinn Éire, ní fhéadfainn mé féin a shocrú chun scríbhneoireachta — de réir mar ritheadh an lá liom, is dócha.

Thosnaíos go neafaiseach ar na haistí seo a scríobh, agus ba é an cuimhneamh ba shia siar i mo cheann dealramh leabhair a chur orthu. Ach ní neart go cur le chéile. Gheall an tAthair Ó Conaill a chabhair in aon tslí a d'oirfeadh sí dom. Duine galánta a dhéanfadh a leithéid, agus cé eile ach fear galánta a ghluaisfeadh

> 'ón ráibfhuil do b'fhearr ar bith a síoladh
> Ó Conaill geal Ceárnach caomh.'

Buíochas mo chroí a bheirimse don Athair Ó Conaill; dhein sé go maith dom is dá mbeinn le mo shaol ag scríobh, ag moladh is ag maíomh, ní bhfaigheadh sé a bhfuil tuillte aige. Planda fíor den nGael-fhuil atá ann ó bhonn go baithis.

Tá moladh ag dul uaim don Athair Nioclás de Brún chomh maith. Ba é a chéadghríosaigh mé. Bhíodh sé de shíor ag giobaireacht orm toisc ná cuirinn aon dealramh scríbhneoireachta orm féin.

Agus cad mar gheall ar an Athair Ó Conchubhair? Ní bhfuaireas aithne air nó go dtug sé ábhar i gcomhair mo phinn dom. Ón méid aithne atá agam air déarfainn ná beadh leisce air cabhair a thabhairt do dhuine, dá dtéadh de. Fad saoil chucu go léir. Is iad ár sciath iad in iarthar Éireann.

Ní fheadair éinne ó inniu go dtí amáireach — is beag an choinne bhí agam go bhfaighinn caoi amach as an Oileán sara mbeadh na haistí seo as mo láimh. Bíodh buíochas agam ar an sagart paróiste ina thaobh san leis. Ón uair ná raibh na haistí curtha chun bóthair agam níor dheineas faic ach gearrchuntas a thabhairt don bpobal, ní i mo thaobh féin, ach ar shaol múinteora (lasmuigh de ghnóthaí scoile) sa Bhlascaod Mór a léiriú. Gan dabht bíonn a shlí féin ag gach file is a chaint féin ag gach bard. Ní deirim gur mar chaitheas-sa mo shaol ann a dhéanfadh duine eile é.

Gheobhad duine éigin a déarfaidh conas a mhair an caonaí bocht úd san Oileán Tiar? Ach mhaireas. Thugas gean don áit is do na daoine nádúrtha a bhí ann, cé gur mhinic a bhíodh orm cur suas le nithe neamhthaitneamhacha. Pé aird de thalamh an domhain a sheolfar mé, ní baol go n-imeoidh cuimhne na laethanta geala a chaitheas san Oileán uaim; ní baol go ndéanfad dearmad ar na daoine ann idir chailíní is gharsúin óga, seanmhná is seandaoine. Rud eile leis, is é mo shúil go raibh croí geal ag na daoine go léir dom, agus má dheineas aon rud as an tslí ina súile, guím ná beidh siad á agairt orm aon uair a luaitear m'ainm. Go rachad síos i dtalamh Dé, ní ligfead as mo chuimhne sibh, a mhuintir an Bhlascaoid.

Thug an fear uasal Gaelach, Cearbhall Ó Dálaigh, eagarthóir Gaeilge *Scéala Éireann* cead dom an aiste 'Teachtairí Dé san Oileán' a athfhoilsiú. Bheirim buíochas mo chroí dó agus dá chuallacht uile ina thaobh, chomh maith leis an Athair Ó Conaill a chomhairligh agus a chuir ar mo leas mé le mo chuid scríbhneoireachta, agus a chuir oiread bráca air féin is gur cheartaigh sé roinnt de mo chuid oibre. Dhein an fear eile a chion féin ina shlí féin leis.

Fad saoil chun an uile dhuine a dhein aon mhaitheas dom agus a chaith aon phioc aimsire liom. Gan a fhad san de luíochán bliana ar éinne acu.

Nóra Ní Shéaghdha
Samhradh 1933

Glaotar Orm Siar Is Ní Binn Liom An Glór

'An té go mbíonn an ainnise ar maidin air bíonn sé um thráthnóna air, agus tá daoine ar an saol go leanfaidh an ainnise don chill iad.' B'shin iad na bréithre a labhras liom féin, is mé ag cur an staighre díom go trom righin 'gan aire ar raon mo shiúil' i gColáiste Mhuire gan Smál i Luimneach. Tráthnóna Bealtaine ba ea é. Bhí cantain na n-éan ar na crannaibh fíorghlasa lasmuigh ag gluaiseacht san aer trí na fuinneoga agus na cailíní laistigh ag baint aoibhneasa as. Bhí na litreacha tabhartha amach agus fuaireas ceann ó mo mháthair. Ba iad súd na litreacha go mbíodh sceimhle inár gcroíthe ina gcomhair — litreacha a thugadh teachtaireacht áthais chun daoine, teachtaireacht bhróin chun daoine eile. Tuilleadh, nuair ba mhó a bhíodh sciobadh orthu chun litreach, ná faigheadh dada — chuirtí i vaighid iad. Agus dá bhfeicfeá an aghaidh a bhíodh ar na hainniseoirí sin, dar go deimhin go stopfadh sé clog duit — cuma an tormais dáiríre. Is minic a bhíodh púic mhaith orm féin — gearradh brád agam á dhéanamh fé m'fhiacla ar a mbíodh ag scríobh chugam nuair a bhíodh am na litreach suas is gan í tagtha [...]

****

Cheapas is mé i gColáiste Luimnigh ná raibh aon bhogaireacht ag baint leis mar shaol. Ní raibh taithí agam ar a bheith i mo lóistín istigh i scoil. Conas a bheadh? Is ó Chlochar Thobar Mhuire i dTrá Lí a chuas ann. Níor scoil chónaithe í siúd. Ach moladh gach éinne an t-ádh mar a gheobhaidh, caithfeadsa a admháil gur dhein lucht stiúrtha na scoile sin breis is a gceart dom féin. Bhíos dall ar shlite na mbailte móra nuair a thánag chucu. Chomhairlíodar mé, stiúraíodar mé, bhíodar ag gabháil dom riamh is choíche nó go ráinig leo mé a chur isteach fén scrúdú a thug ceadúnachas dom dul go coláiste oiliúna. Is ó lucht Chlochair Thobar Mhuire, le cabhair ó Choláiste Luimnigh, a fuaireas mo shlí bheatha. Mo bheannacht dóibh!

Ach trí mo bhóithreoireacht is trí mo chuid scoileanna, ní thabharfainn na blianta a chaitheas ag dul ar scoil i gCill Chuáin, ar aon cheann díobh. Na daoine a thug an chéad oiliúint dom, táid 'a dtaisí san úir, go cúng fé luí na leac.' Táid. Tá Parthalán Ó Cinnéide is a mháthair ag tabhairt an fhéir, na daoine a chéadghríosaigh mé chun staidéir agus léinn. Bhíos i mo scoláire leis tamall ag Pádraig Ó Ceallacháin, ach ní fada é. Ach dá laghad é an aimsir, chonac sárthréithe an fhir sin. B'ionann é i mórán slite is Mac Uí Chinnéide agus is beag an t-ionadh má d'oibríodar fé aon díon amháin ar nós beirt dearthár. Is maith is cuimhin liom an lá a d'fhágas an tseanscoil tuaithe ná fuil anois ach 'ina fothrach folamh gan aird.' Cuimhneod go deo air. Bhriseas mo chroí ag gol, ach bhíos óg an uair sin agus eagla orm roimh an saol, pé ní is mar a dhéanfainn inniu, agus níorbh ionadh mo chroí bheith dubhach.

Bhíos ag fágaint slán go deo leis an seantheach léinn go raibh cion mo chroí agam air is a raibh ann — bhíos ag tabhairt mo dhrom leis an áit gurbh ionad pléisiúir riamh dom é. Nach mó gáire maith a bhaininn féin is mo chomhdhaltaí amach as ár gcuid amadántachta féin. Nach mó plean gan dochar gan díobháil a bhíodh á imirt againn ar a chéile agus ar na seanmhná a bhíodh ina gcónaí timpeall na scoile. Mo shlán beo leis na laetheanta geala úd! Mo shlán beo lena raibh riamh i mo chuideachta sa scoil! Gurb ard é an suíochán agus gur caithréimeach, atá ag mo chéad mhúinteoirí i bflaitheas Dé.

Maidir le mo shaol i gColáiste Mhuire gan Smál, cheapas ar dtúis fé mar a luas cheana, ná déanfainn an bheart go deo ann. An chéad mhaidin a d'éiríos, thánag trasna ar a lán cailíní, mo chomhghleacaithe féin — duine acu níor aithníos. Ní fheadar ar cheart dom gáire a dhéanamh nó féachaint ar an dtalamh is mé ag gabháil tharstu. I gcaitheamh an lae chínn bean rialta ina seasamh ar gach cúinne — súile géara acu á chur trí gach éinne. Ghabhadh cuid de na cailíní tharstu go mómharach luathchosach, a gceannaibh san aer acu — ba dhóigh le duine orthu gurb ann a bhíodar riamh. Is orm a bhíodh an formad leo! Bhíodh cuma 'glas' na tuaithe orm féin ag cur díom.

Tuigtí dom go n-aithníodh gach éinne gur ón nGaeltacht a thánag. Ní bheadh aon phioc iontais orm dá ndéarfaidís ná raibh puinn taithí agam ar ghalántacht sa bhaile mar cuireadh mo chrúibíní os mo chionn os comhair lán na háite, an chéad uair a thugas fé shiúl trí halla mór i mbarr an tí. Is ea mhuis, d'éiríos agus bhraitheas an fhuil ag rith suas i mo phlaosc le náire. D'fhéachas ar bhonnaibh mo bhróg, cheapas gur cheart do chraiceann oráiste nó do rud éigin sleamhain a bheith ceangailte ann. Ní raibh. Ní call dom a lua cad a shín mé. Dá ghaireacht aimsire ó shin, ní théann puinn i gcoláistí anois gan a fhios bheith acu go gcuirtear céir fé na hurláir a dhéanann chomh sleamhain le gloine iad. Fuaireas-sa amach leis cén chúis a bhí le mo mhí-ádh, mar is minic ina dhiaidh sin a chínn daoine agus na géaga stractha go maith astu ag iarraidh é a chur suas. Nach cáiréiseach a bhítear sna háiteanna so!

B'ait liom an stróinséarthacht go léir an chéad uair. Na cloigíní a mharaíodh mé — cheapas ná tiocfainn isteach go deo orthu ná ar na háiteanna inar cheart dom m'aghaidh a thabhairt nuair a chloisinn iad. Bhíos glic go leor; théinn sa mhórshiúl i dteannta na coda eile. Nuair a thaithíos an áit tháinig cion mo chroí agam air. Ba bhreá liom an ragairne is an rírá sa deireadh. Na hollúna ann, bhíodar go deas báúil linn go léir. B'shin tréith de na tréithe a thugas fé ndeara i measc na n-ollúna — tréith a thaitin go mór liom, mar bhí sé i mo cheann is mé ag dul ann go mbeinn i mo dhreoilín spóirt ina measc.

Nóra Ní Shéaghdha (ar an imeall deas chun tosaigh) le grúpa mac léinn i gColáiste Mhuire gan Smál, Luimneach 1927

Thagadh oiread eile de chroí dom nuair a thagadh am na ranganna Gaolainne. Tuigtí dom gur sa bhaile do bhínn nuair a chloisinn mo theanga dhúchais á spalpadh ó cheann go ceann den rang. Bhí cuid de seo leis ar an ollamh Gaolainne. Bean uasal ó mhullach a cinn go lúidín a coise ba ea í — Iníon Ní Mhurchadha. Bhí spiorad fíorGhaelach inti. [2] Chaith sí féin is deirfiúr di scaitheamh sa Bhlascaod an chéad samhradh a bhíos ann. Thaispeáineadar an braon uasal a bhí iontu agus an spiorad Gaelach

[2] Tá nóta cuimhneacháin ó Nóra Ní Shéaghdha ar bhás Eibhlís Ní Mhurchú in *Mary Immaculate Training College Annual* 30 (1957), 46.

a bhí ginte sa chnámh acu an fhaid is a bhíodar inár measc — éinne amháin ba ea iad féin is na daoine sa Bhlascaod — agus tar éis imeachta dóibh shocraíodar lena gcairde ar ábhar béile a chur chun na bpáistí scoile an geimhreadh sin. B'shin beart galánta ó bheirt ró-uasal [...]

****

Ach is baolach go bhfuilim leadránach. Nílim ag scríobh cuntas mo bheatha fós; ach scéal a tharraingíonn scéal eile. Cá bhfuil mo litir anois? Is ea, bhí sí i mo phóca. Thógas amach arís í agus léas nuair a bhí an staighre curtha agam díom. Bhíos i ngaireacht cúpla mí do bheith i mo mhúinteoir rite, agus toisc gan mo mhuintir a bheith róghustalach, agus pinginí a bheith caite acu liomsa chun mé a choimeád ar scoil, bhíodar ag faire amach d'áit dom, scoil go bhféadfainn preabadh isteach inti chomh luath is a bheadh mo shála glanta agam ón gcoláiste. Bhí an ceart acu. Nárbh é mo dhualgas cuimhneamh ar an arán a bhí ite agam agus fóirthin a dhéanamh orthu tar éis a raibh caite acu liom?

Is ea, bhí tuairisc ar scoil sa litir. Scoil an Bhlascaoid Mhóir a bhí in airde — príomhoide a bhí ag teastáil ann. Ní raibh aon tuairim ná aon eolas agam ar an mBlascaod ach oiread is a bhí agam ar an Afraic. Bhí a fhios agam go raibh a leithéid d'oileán ann; go raibh sé gairid do Dhún Chaoin agus go bhfeicfeá é ar chasadh Chinn Sléibhe duit. Chloisinn trácht is mé i mo ghearrchaile scoile ar na daoine aite a bhí san oileán san; b'shin uile. Níor luigh m'aigne leis an áit den gcéad iarracht. Anois tá fios a mhalairt agam — dá mbeadh ciall an lae inniu i mo ghliogaire plaoisc an uair úd, bheadh a fhios agam gurbh ionad é

Ná raibh tuairisc le fáil in aon áit ar an mBéarla,
Ach duanaireacht bhreá ar amhráin seanGhaeilge;
Do bhí rince ann go hard ar cheann cláir agus scéalta,
'Ge buachaillí sásta is mná lena chéile.

Chuas abhaile i ndeireadh an téarma. Cuireadh an scoil fé mo bhráid arís. Bhí buille ar an gcat is buille ar an madra agam. Chuireas suas stailc. Dúrt ná rachainn go scoil an Oileáin — b'fhearr liom m'aghaidh a thabhairt ar *Orangemen* íochtar na hÉireann. Bhí mo mháthair ag iarraidh an scéal a mhíniú dom, á rá liom go mb'fhearr dom aon áit ar feadh tamaill ná bheith sa chúinne díomhaoin. Bhí an óige ag gabháil dom, agus dúil in aeríocht agam, rud a bhí beartaithe i m'aigne ar a bheith agam, chomh luath in Éirinn is a bheadh airgead póca agam féin.

Nearaí (Dan) Ní Shéaghdha, máthair Nóra

'Ó mhuise,' arsa mise is mé clipithe, dar liom, 'nach breá do na cailíní eile a bhí i mo theannta i Luimneach! Cailíní ná fuil a bhac orthu tamall a thabhairt díomhaoin is gan drochshá a thabhairt dóibh féin in aon áit.'

Tabhair do d'athair is do do mháthair onóir, a deireann an ceathrú haithne. Chuireas mo thoil le toil Dé, is dheineas rud ar mo mhuintir. Níl aon phioc dá aithreachas san inniu orm, cé gur leasc liom a dtoil a dhéanamh an uair úd. Bhí scoileanna tearc agus is maith leis na mná dealbha an bhláthach. Bhí fiche bliain glan agam. Ní rabhas riamh i nDún Chaoin. Ní fhaca riamh Ceann Sléibhe, fé bhun é a fheiscint i bpictiúir. D'fhágas slán acu sa bhaile agus thugas fén Oileán le cead ón sagart paróiste, an tAthair de Brún. Níor mheasa liom bheith ag imeacht go Meiriceá, bhí an oiread san dubhach orm. Bhí an dúil riamh sa bhfarraige agam agus in imeacht i naomhóga, agus féach go bhfuaireas mo shá díobh.[3]

Thánag don Oileán. Lá gaoithe aduaidh féin ba ea é, agus ní raibh an aimsir róshuaimhneasach — cheapas ná raibh, pé scéal é. B'fhéidir gur tuigeadh dom gur cheart do gach rud a bheith ar míghléas toisc m'aigne féin a bheith amhlaidh. Níor thógas mo dhá shúil den áit ó chuireas lár bá díom. Cheapas ná beadh sé de sheans ar aon tigh a ghreim a choimeád san áit ina raibh na tithe ansúd, bhí oiread san fánaidh leis an áit is leis an dtalamh. 'Is dócha,' arsa mise liom féin, 'nach aon néal codlata a dhéanfair ann ag fuaim na caise ag caoineadh ar an dtráigh. Dia linn,' a deirinn, 'cad a dhéanfad má bhuailim amach aon tráthnóna is má chastar na hógánaigh fiaine atá istigh ann liom. Is dócha gurb iad a bheidh mar shagart uachta orm.' Bhíos ag faire orm féin agus ní le mo bhreáthacht é.

Smaointe mar seo a bhí á thaibhreamh dom. Ní raibh a fhios ar faic agam nuair a bhíomar istigh sa chaladh. Thánag as an

[3] Féach thíos Aguisíní: 1 'Ag Dul don Oileán'.

naomhóg, agus nuair a bhuaileas mo chos ar an tslip, is nuair d'fhéachas timpeall orm — nó d'fhéachas uaim in airde ba cheart a rá — is é rud a dúrt, is a bhí le clos ag na daoine i mo thimpeall: 'Muise nach cúng a bhí Éire orm is teacht sa stacán mara so.' B'shin iad na chéad bhréithre a labhras sa Bhlascaod Mór. Ach níorbh fhocail mar siúd a labhras ag imeacht — i bhfad uaidh — b'fhearr dom gurbh iad, ní bheadh mo chroí chomh briste á fhágaint. Bhíos gach aon stróc chomh holc leis an bhfear a dúirt: 'Bhí brón ar m'aigne a dhaoine, a chuirfeadh na mílte don chré.'

Bhí mo chroí ar mo bhais agam san am is gur bhaineas mo lóistín amach agus ardán an domhain i mo choinne, a dhuine. Thugas turas ar an scoil. Bhí an mháistreás eile ann, [Cáit Uí Dhuinnshléibhe], agus an scoil caite suas uirthi ó d'fhág an príomhoide deireanach. Luíomar chun cainte. Ba dhiail an t-ádh dom a leithéid a bheith romham mar is minic ar feadh mo chéad bhliain san Oileán a scaipeadh sí an ceo is an brón a bhíodh de shíor luite ar mo chroí. Ó, bhíodh go deimhin! Bhíos glan bliain sa Bhlascaod sular dheineas gáire ceart ann. Bhíos glan bliain ann sular dheineas síos ná suas le héinne ann. Ach i ndiaidh a chéile a thógtar na caisleáin; i ndiaidh a chéile thánag isteach ar na daoine, go dtí sa deireadh go rabhas i mo Rómhánach leo; mar a chéile liom bheith ina measc is a bheith sa bhaile.

An mháistreás eile, bean ghrámhar mhuinteartha fháiltiúil fhial a bhí inti. Bhí sí chomh maith dom is a bheadh mo mháthair féin. Bean ba ea í go mbeadh tuiscint aici do dhuine, pé rud a bheadh ag déanamh buartha dó, pé acu cúrsaí áthais, cúrsaí bróin, nó cúrsaí grá. Is mó comhairle mhaith a thug sí dom an téarma deiridh a thugas ina fochair; is í a bhí oilte go maith chuige. Táim beartaithe ar dhéanamh dá réir — mura ndéanaim ní uirthi a bheidh an locht.

Cáit Uí Dhuinnshléibhe
(Máirín Uí Bheoláin)

Deireadh na bliana a bhí ann, mí Deireadh Fómhair, nuair a thánag don Oileán ar dtúis. Bhíodh gach éinne ag iarraidh bheith go deas liom ach bhíos féin coimhthíoch neamhchuileachtúil i dtosach. Tráthnóintí théinn ag siúl i m'aonar chun na trá nó go barr na bhfaillteacha agus thuigtí dom go gcuirfeadh an t-uaigneas deireadh liom. Gach aon áit chomh ciúin! Ní lú orm an sioc ná an t-uaigneas ó shin — fuaireas an iomad de in éineacht. Is minic a shuínn ar bharr na trá agus leabhar agam, b'fhéidir. Chaithinn uaim an leabhar. Seo liom ag smaoineamh. Thagadh focail Ghuistí chugam, agus thosnaínn i mo chaoineadh féin — nár ordaigh an file dúinn so a dhéanamh nuair a dúirt sé: 'Caoin tú féin a dhuine bhoicht.'[4] Is ea, cad a bhí chun mé stop ó mo chaoineadh. Ní fheadair éinne ach an bogadh a d'fhaighinn nuair a deirinn:

> Le luí na hoíche do dhearcas an fhaoileann,
> Is aniar do stríoc sí go dtí'n bpríosún nua;
> Do shuigh sí taoibh liom, mar dhéanfadh síbhean,
> Is do chrom mé ar chaoineadh is ar shileadh deor.

Cheapas go mbíodh trua ag gach neach corpartha dom, ní chuirfeadh faic as mo cheann ná go rabhas i bpríosún. Ní dhéanfad dearmhad go deo ar an gcuma bhanúil fhearúil ina mbíodh na buachaillí ag iarraidh gáire a bhaint asam. Caithfead pardún a iarraidh orthu, toisc an drochtheist a bhí i mo cheann ina dtaobh i dtosach na dála. Ba iad an dream iad ba chuileachtúla dár bhuail riamh liom ná a bhuailfidh go deo. Nuair a thánag isteach ar na daoine, dhéanainn amach dom féin ar fud an Oileáin. Ní raibh aon eagla agam roimh éinne feasta, agus is mó san gáire breá leathan a dhéanainn amach ó mo chroí nuair a bhuaileadh cuileachta liom ann. Níorbh fhearr liom duine go mbeadh tamall seoigh agam air ná seanMhicil. Is minic a d'fhiafraínn de chun é chur chun seanma,

[4] An file, Mícheál Ó Conchúir, 'Guistí an Mhachaire', atá i gceist anseo; féach S. Ó Dubhda, *An Duanaire Duibhneach*, Baile Átha Cliath 1933, 85-90; is as dán dá chuid, 'Amhrán Ghuistí i bPríosún Thráighlí' an rann 'Le luí na hoíche 7rl'.

'An bhfaca tú mo bhuachaill in aon áit, a Mhicil?' Is minic a deireadh sé liom, 'Is é buachaill na fuaire atá ag brath ort.' Is mó focal eile a bhí idir mé féin is Micil ná beidh a fhios ag éinne go deo.

Nuair ná rabhas luite leis an Oileán, nuair a bhíodh cos liom istigh is cos liom amuigh, thugainn turas ar thigh mo mhuintire go minic. Bhí sé suas le dosaen míle ó Dhún Chaoin. Uaireanta nuair b'fhonn liom teacht Dé Domhnaigh, bheireadh amuigh orm, agus ós ar an bhfírinne is cóir an rath a bheith, ba chuma liom cé acu, an chéad bhliain. Ach am briathar gur tháinig ciall dom, osclaíodh mo shúile. Ó mo chéad bhliain ann chaitheas m'ancaire amach san Oileán agus ní bhíodh oiread den mbóithreoireacht á thaibhreamh dom. Luíos leis an áthas a bhí agam.[5]

Ba é an t-aon athrú amháin a bhí inár saol san Oileán ó cheann go ceann den tseachtain ná laethanta an phoist. Gach Máirt agus Aoine a ritheadh sé. Bhínn i reachtaibh mé a cheangal, aon lá a rachadh ina choinne, ach bhí taca maith istigh liom — an aimsir. Ní fhéadfainn aon tsásamh a bhaint amach. Bhíodh sceitimíní orm i gcomhair an phoist — an scéal céanna i ngach aird de réir dealraimh. B'fhada liom go mbíodh Seán ar a chorraghiob ag 'roinnt amach an phaca'. Leis an méid a bhíodh timpeall air, ní bhíodh sé féin le feiscint in aon chor, agus is láidir ná múchtaí an duine chroí istigh le hanáil na ndaoine. Thugadh sé amach na litreacha.

'An bhfuil aon cheann eile ann, a Sheáin?' arsa mé féin lá go raibh mo shúil in airde le litir nár tháinig.

'Tá sé chomh folamh le Iób,' ar sé, ag iompó a bhéal fé. B'shin é an chuma a chuireadh sé in iúl i gcónaí go raibh críoch curtha ar na litreacha uile.

---

[5] Féach thíos Aguisíní: 2 'Cuairteanna ar an mBaile'.

De réir mar a bhíos ag lonnú san Oileán is ea ba mhó a mhéadaigh mo ghrá dó, ach mar sin féin, thuigeas nár thaitneamhach é mar áit chun mo shaol ar fad a chaitheamh ann. Luath nó mall chaithfinn slán a fhágaint aige. Is minic a deirtí liom go raibh an-dhrochsheans ar fad liom mura bhfaighinn áit mhaith as, mar ná raibh múinteoir riamh ann ná fuair. Cheapas ná tiocfadh an lá san orm féin go deo; tuigeadh dom i gcónaí ná raibh aon rud cóir i ndán dom. Ach tagann gach aon rud ach foighne a chaitheamh leis. Fé mar is toil le Dia a bheimid; caithfeam gabháil trí a bhfuil gearrtha amach aige dúinn, pé acu maith nó olc é. Tháinig mo lá-sa leis. Tháinig sé gan choinne.

Ar An dTaobh Eile De Bhealach

Oileáinín beag iargúlta neamhspéisiúil gan puinn trácht ba ea an Blascaod Mór go dtí le déanaí. Ní raibh blas ná dath ar a lucht áitribh. Cad chuige go mbeadh? Níor ghá dóibh dul rófhada ó bhaile nuair a chuirfí in iúl dóibh ná raibh iontu ach dras, ná raibh tuiscint ar a gcuid gibris cainte, agus go rabhadar deighilte amach ó scoth na ndaoine. Ach bíonn an roth ag iompó. Tá an Ghaolainn fé ghradam inniu, agus is é an cleite is airde i gcaipíní mhuintir an Oileáin í a bheith mar theanga dhúchais acu.

Ar chasadh Chinn Sléibhe duit chífeá uait isteach an Blascaod. Áit álainn go maith a déarfadh duine dá ráineodh an lá go ciúin. Ach le radharc a fháil ar an Oileán, lá garbh fiain i lár an gheimhridh, ní luífeadh do chroí chomh tapaidh sin leis mar áit chónaithe. Sin é an uair a bhaineann an diamhracht leis an Oileán, nuair a bhíonn an fharraige mhór ag bascadh ar gach taobh de agus ag cur sáile is cúráin bháin go béal na ndoirse ag na daoine. Uaireanta ní féidir an cosán a shiúl gan gaineamh na Trá Báine bheith á stealladh san aghaidh ort. Ar m'fhocal, ná beadh aon choinne le d'anam agat san am is go mbeadh an tigh bainte amach — gaineamh ag dul fé do shúile agus an fhaid a bheifeá ag iarraidh í a bhaint amach, bheadh lán do bhoilg slogtha agat di.

Féach ar an mBealach! Tá gach orlach de réabtha ó Ghob go Liúir, agus níl banc farraige idir an tOileán agus an míntír ná fuil briste, chomh craosach feargach le cráin bhuile. Cuireann na hOileánaigh suas leis an aimsir seo. Bíd buíoch de Dhia bheith istigh ón síon is an tsláinte a bheith acu. Ach dá mbeadh duine tinn nó breoite i dtigh, níorbh ionadh dá gcasfadh a bputóga ar a chéile nó dá dteipfeadh a misneach glan orthu nuair a chuimhneoidís go raibh an fharraige dhiamhair idir iad agus aon chabhair Dé. Ach ní dhearmhadann an té is fearr an caonaí is lú dá chlann. Má chíonn sé aon ghreim mór ag bhreith ar na hOileánaigh, bogann sé dóibh é, agus nuair is mó a bhíonn gá acu le farraige íseal, ní dhúnann Dia a shúil orthu. Bogann an aimsir anuas go breá dóibh.

Níor choimeád an drochaimsir an sagart ó aon Oileánach riamh le linn báis. Agus rud eile, dúirt fear an phoist liom lá dá rabhas ag dul trasna ina bhád — lá ná raibh róbhreá ba ea é, agus dála na mban ar fad, chuireas in iúl gur mhó áit eile go mb'fhearr liom a bheith seachas an paiste ina rabhas. Pé scéal é, chuir sé ardmhisneach orm nuair a dúirt sé: 'Fastaím — ná fuil a fhios agat nár bháigh Dia éinne riamh ar an gcosán san fós?'

'Nár dhéana leis,' arsa mise.

Talamh cruaidh cnocach is mó atá sa Bhlascaod Mór. Tá sé timpeall trí mhíle ar fhaid ón nGob go Ceann Dubh, agus míle go leith ar leithead. Is é an Cró an pointe is airde san Oileán; tá san suas le hocht gcéad troigh os cionn leibhéal na farraige. Bíonn caoirigh ar an gCró chomh maith leis an gcuid eile den Oileán. Seo ceist a bhaineann leis an áit, ceist go bhfuaireas dua mo dhóthain uaithi is gur chuaigh díom í a réiteach: 'An reithe sa chró, is a thóin san oighean.'

Thiar sa tsliabh, timpeall le dhá mhíle ó na tithe a fhaightear an mhóin, agus ní cás a rá ná go bhfuil mianach an ghuail sa mhóin chruaidh stóinsithe sin nuair a bhíonn sí sábhálta sa cheart. Chomh luath is a bhíonn an chéad rian de shioc an earraigh imithe, tosnaíonn na daoine ar an móin a bhaint. Ní bhíonn meitheal ag na hOileánaigh fé mar a bhíonn ar an míntír — gach líon tí ag déanamh dóibh féin — ach gan dabht, dá bhfeicfí duine leathlámhach, rachfaí chun cabhartha leis. Le rámhainn a bhainid an mhóin, agus dar go deimhm, bíonn an fód chomh cóireach, chomh déanta is dá mba le sleán a bhainfí é. Dar le seandaoine na háite seo, níl sa tsleán ach ráiméis — a thuilleadh de na nithe gan dealramh a thagann fé lámha na ndaoine.

Na fir a dhéanann an bhaint sa tsaol atá inniu ann. Ní beag leo san, i dteannta í a chur i gcruach. Fágaid an saothrú agus an tarrac abhaile fé na mná agus fé sna stócaigh scoile. Bíonn móin ar an dtalamh íseal leis agus ní imíonn sí i vásta mar baintear í, agus is minic a thugann sí sin cabhair Dé chun na daoine; bíonn blianta go rithid gearr sula mbíonn móin an tsléibhe saothraithe acu.

Úmacha a dhéanann gnó na cairte do mhuintir an Oileáin. Gluaiseann an t-asal fén úim go maorga; ní chuireann mórán spéise sna clocha reatha a bhíonn ar an gcosán roimis, cé go mbíonn air an chrúb lom a thabhairt don mbóthar. Cuireann sé de go suaimhneasach i gcoinne aird an chnoic. Ní baol go dtógfaidh béic gluaisteáin a chroí; ní baol go gcaithfear ceirt a chasadh ar a shúile ó thraein; ní baol dó a leithéid — aon mhairg níl ag an saol á chur air nó go mbraitheann sé an bata is an glam uaibhreach, 'hath-amach'.

Asail faoi úimeacha ar an mBlascaod
(*Ionad Oidhreachta an Bhlascaoid*)

Tógann sé timpeall le huair an chloig dul ó na tithe go dtí an sliabh. Is gá breis aimsire sa tsamhradh mar ní haon deifir leis na daoine óga suí síos go seascair dóibh féin, na hasail a scaoileadh ar a gcraodó agus cúrsaí an Oileáin chomh maith le gnóthaí taobh amuigh de a chur trí chéile. Agus cé a thógfadh orthu é? Cá bhfuil an duine ná cuirfeadh an radharc a bheadh os a gcomhair amach luí suain air? An bhá ghorm fé do bhun síos, gan corraí aici á dhéanamh, í macánta go maith inniu; Ceann Sléibhe go maorga mómharach á thaispeáint féin is ag iarraidh a rá go bhfuil a shéasúr féin tagtha sa deireadh. Siar uait tá Inis Mhic Aoibhleáin agus Inis na Bró — dhá cheann de ghearrcaigh an Oileáin Mhóir — iad féin ag féachaint go gleoite féna gcótaí samhraidh; cnoic agus gleannta Uíbh Ráthach ag bagairt go muinteartha ort ón dtaobh eile de bhá; na héin ag imeacht tharat ina scuainte agus iad i reachtaibh tú a chaochadh le neart mire. Tá áilleacht ag baint leis mar radharc; tá, agus diamhracht agus uaigneas i bhfuaim na taoide ag briseadh isteach in aghaidh charraigeacha na bhfaillteacha.

Fé mar ná beathaíonn na bréithre na bráithre, ní lú mar a bheathaíonn an t-aer na hOileánaigh. Go mall righin, cos thar an gcois eile go minic, a thugann lucht na móna fén gcnoc. Baineann gach éinne a chruach féin amach agus nuair a bhíonn an t-ualach lán ar an asal, buailid i dteannta a chéile an bóthar abhaile arís.

Bíonn an bolg ag cur ar ainmhithe is ar dhaoine fén dtráth so, sa tslí is nach gá puinn mealladh a dhéanamh ar cheachtar acu chun an bóthar abhaile a chiorrú chomh tapaidh is tá ina gcosa. Bíonn na daoine miangasach go maith chun an bhídh agus ampla an domhain orthu nuair a shuíd chuige. Faigheann an t-asal a chion féin — sceanairt brúite trí dhorn mine, ansan bata is bóthar go dtí an lá amáireach arís.

An chraobh a fhásann go flúirseach ar an gcnoc, tá sí an-mhear chun tine. Bíonn sí go diail ar fad aon mhaidin go mbeadh deabhadh leis an gciteal, nó aon uair a thiocfadh dúil ag duine i mbolgam tae — ní bheadh ach spiora craoibhe a shá isteach fén gciteal agus bhí sé chugat. Siúltar paiste maith den gcnoc chun beart de speathánach a fháil. Fáisctear téadán timpeall air agus buaileann fear a bhainte aniar ar a dhrom é. Ní hobair gan dua an damhas. Bíonn buille saothair ar na daoine de bharr an ualaigh seo, agus ar a slí abhaile dóibh, is minic a bhuailid uathu é agus luíd síos chun a scíth a ligean.

Caitheann na mná is na páistí go bhfuil aon scrothaíocht iontu an mhóin a shaothrú sa tsamhradh nuair a bhíonn a mhalairt de chúram ar na fearaibh — cúram a fhóireann orthu, agus a choimeádann greim ina mbéal go ceann bliana arís. Tar éis biaiste na ngliomach, déanann na fearaibh farasbarr na móna a tharrac ón gcruach go dtí an seomra.

Tá an tOileán Tiar inniu ar bheagán daoine, ach ní raibh san le rá ina thaobh tamall — bhí na daoine chomh flúirseach leis na seangáin ann agus gan aon easpa ar éinne ann ach an oiread. Dosaen bliain ó shin bhí leathchéad páiste ag déanamh ar thigh na scoile. Tá sé ar leath an méid sin inniu; an lá ná beidh an páiste ann, beidh an Blascaod gan ábhar fir ná mná.

Tá na tithe sa Bhlascaod Mór cnuasta le chéile ar thaobh na fothana. Tá aghaidh chuid acu ag féachaint ó dheas; ba chuma leis an seanthreibh ach cúl an tí a bheith sa tsíon agus níorbh fhada ón gceart iad. Tháinig breis misnigh do na daoine, áfach, mar na tithe is déanaí a tógadh, tá a gcúl le cnoc is radharc breá acu ar Chruach Mhárthain agus as san ó thuaidh go Ceann Sraithe. Chomh maith leis na héin nuair a chuirtear isteach orthu, d'fhuathaigh cuid de na hOileánaigh a dtithe le déanaí. Bhí an saol is an aimsir rómhaith dóibh, b'éigean dóib teitheadh as go dtí fairsinge na míntíre, áit ina mbeadh flúirse na ndaoine chun cabhartha leo dá gcruafadh an saol níos measa orthu. Níl san Oileán inniu ach seacht dtithe fichead. Na ceannaibh a fuathaíodh, níl iontu ach tithe préachán, 'fothraigh folamha gan áird'. Go deimhin, is baolach go bhfeicfear a thuilleadh tithe préachán sa Bhlascaod leis an aimsir. Tá fo-thigh inniu ná fuil iontu ach seanóir críonna caite go bhfuil cos leis ar an uaigh is cos eile ar a bruach. Níl éinne a bhaineas leo chun seilbh a thógaint ina ndiaidh mar tá scaipeadh na mionéan ar a gclann.

Tithe an Bhlascaoid
(*Ionad Oidhreachta an Bhlascaoid*)

Bheadh coinne ag éinne le laghdú sna daoine nuair a chuaigh lucht na dtithe le fuacht is le fán. Níl na sé fichid slán inniu san Oileán. Tamall den tsaol, bhí rí ar na hOileánaigh. Fear mór groí láidir, ábalta ar é fhéin a iompar i ngach saghas slí, agus ábalta agus pras go maith ar chaint agus eolas thabhairt d'aon stróinséir a ghabhadh ina threo. Ba é siúd Pádraig Ó Catháin. Is beag a déarfadh go leagfadh an bás chomh tapaidh sin é, ach bhí an téarma caite; fuair sé bás an t-aonú lá déag de Mheitheamh sa bhliain míle naoi gcéad naoi is fiche.[6] Bhí báid an bhaile ina shochraid agus slua mór roimh an gcomhrainn ar ché Dhún Chaoin. Beannacht dílis Dé lena anam agus le gach anam bocht atá ina ghátar.

Rí an Oileáin, Pádraig Ó Catháin
(*Ionad Oidhreachta an Bhlascaoid*)

[6] Féach thíos Aguisíní: 3 'Ar Thórramh Rí an Oileáin'.

Tá mac an rí, Seán an Rí, pósta ar an Oileán agus a mhuirear éirithe suas chuige. Ba dhual athar do Sheán a bheith go maith; tá leis — níor fhág sé duine riamh ar an bport cé gur minic a bíodh a bháidín doimhin go maith. I nDún Chaoin atá duine d'iníonacha an rí pósta agus bean eile acu sa Bhlascaod. Ní bhacann na hOileánaigh le rí níos mó. Tá an tonn chun neamhspleáchais á mbualadh dála na dtíortha eile ar dhroim an domhain.

Bhí ardtheist ar mhuintir an Oileáin riamh mar gheall ar a bhféile is ar a bhflaithiúlacht. Ní féidir an cháil sin a bhaint díobh inniu ach an oiread. Pé athrú eile a tháinig orthu leis an aimsir, níor athraigh an croí acu; dá mba go maródh duine acu ar maidin tú, thabarfadh sé a léine tráthnóna duit. Tá siad marbh ag an nádúr, fé mar a deireann na stócaigh i dtaobh Mhicil.

Ag tarrac ar leathchéad bliain ó shin thosnaigh Gearaltach ó cheantar an Daingin ar an Oileán a chur fé chois. Thug sé fé bheith ag steallmhagadh fúthu ann agus scaoil fúthu le rann filíochta:

Níl san Oileán fáltas, beatha ná bia,
Ach scata creachán ag fás trí fheamnaigh bhuí,
Ag imeacht lena mbáid gach lá 'on Daingean so síos,
Is mura bfaighid min ar cairde beidh a bpáistí 'screadaigh cheal bídh.

Ach níor scaoil Seán Ó Duinnshléibhe, file an Oileáin, a bhí ag éisteacht leis an nGearaltach leis é. Chuir an chaint a chuid fola ar fiuchadh. Thaispeáin sé don nGearaltach ná déanfadh sé an gnó dó a cheapadh ná raibh aige ach a theanga a bhualadh ar a charbad chun an tOileán is a raibh ann a chur sa lathaigh. Scaoil sé fé go faghartha:

A Ghearaltaigh Sheáin, ní mheáim go bhfuileann tú fíor,
Mar tá na hOileánaigh fial fáilteach flaithiúil 'na gcroí;
Nuair shéid an gála naoi mbád ó bhur gcaladh 'nár dtír,
I gceann an naoú lá níor hiarradh orthu pingin a dhíol.

Bhí Ó Duinnshléibe an tráth san sa Bhlascaod chun a dhaoine a choimeád fé chlú is fé cháil. Chuirfeadh sé corc i nduine go tapaidh mar a dhéanann an file i gcónaí. Ach tá deireadh go deo leis siúd. Ní labarfaidh Ó Duinnshléibhe go Lá an Luain. Ní fhágann san go bhfuil an Blascaod gann inniu ar dhaoine a bheadh maith a ndóthain sa teanga d'aon chaonaí a mhaslódh a nOileáinín dúchais. Tá filí, fáithe is fearaibh feasa fós inár measc.

An tAthrú Mór

'Anois táim ag ceapadh fíorathrach saoil,
is ní ghlacfad le reacaireacht feasta mar scéal.'

Níl tír, contae, baile mór ná beag, ná go gceaptar fíorathrach saoil dóibh ach ní deireann san go ndiúltaíonn siad don reacaireacht — ag éirí chun reacaireachta atá dream an lae inniu. Ní taise sin don mBlascaod Mór, dá iargúlta é; d'athraigh a chrot, d'athraigh na daoine ann agus d'athraigh a meon chun maireachtaint. Tuairim is daichead bliain ó shin, bhí an tOileán fé a naoi nó a deich de mhuirearacha. Bhíodh trí cinn de bha ag cuid acu, dhá cheann ag cuid eile, agus stracdhuine ar fháltas aon bhó amháin. Bhíodh bainne géar agus leamhnacht chomh maith le bláthach go flúirseach ag gach líon tí. Dhéanaidís a gcuid ime féin; an méid ná hití de sa láthair, dhéantaí é a leasú agus a chur i bhfeircíní, agus bhíodh an farasbarr san mar anlann acu i gcomhair an earraigh.

Pé ní is mar a dhéanfadh an lá inniu, ní raibh puinn de thalamh an Oileáin imithe i ndíomailt an uair sin; an méid de a bhí insaothraithe bhíodh sé fé churadóireacht. Níor ghá do dhuine ach turas a thabhairt ar an dtalamh garbh inniu agus chífidh sé rian na riastála agus rian na rámhainne fós ann. Feirmeoirí ba ea na hOileánaigh an uair sin cé go rabhadar ar bhruach na farraige. Níorbh fhiú biorán a gcuiridís de spéis san iascach. Cad chuige go gcuirfidís? Dá mbeidís ag brath ar an iascach chun aon ábhar teaspaigh a chur orthu an uair úd, is fada go dtiocfadh aon éirí croí ná meidhréis orthu. Níor thógtha ar an iasc é ná ar lucht a mharaithe, ach ar na ceannaitheoirí.

Ó Shasana a thagadh bád go tráigh an Oileáin ag ceannach na ngliomach, agus tar éis na gliomaigh a bheith sna potaí stóir ar feadh mí fhada díreach ag feitheamh léi, ní fhaigheadh na hiascairí bochta ach coróin an dosaen orthu. Chaithfidís a bheith sásta agus nára maith acu. Cé de go mbainfidís sásamh? Bhíodar i lúb na gceannaitheoirí — an té a bhíonn síos luítear cos air. Bheadh na hOileánaigh ag broic ar shlí éigin leis an airgead a d'fhaighdís ar a gcuid éisc, ach rud ní ba sheacht measa ná san, agus rud a chuir an caipín ar fad ar a gcuid donais, bhíodh formhór an éisc marbh lofa sna potaí orthu tar éis a gcuid dua agus a gcuid sclábhaíochta ar fad. Gaimbín gan éifeacht a bhíodh acu de bharr a gcuid oibre agus leasmháthair a thógfadh orthu gan bheith ró-thugtha don iascach.

Bíonn an roth ag iompó. Tagann a lá féin ar gach aon rud — síos seal, suas seal. I bhfaid na haimsire, tháinig árthaí ón bhFrainc ar thráigh an Oileáin ar thóir na ngliomach. Níor cheannaitheoirí mar mhagadh iad súd — thugaidís deich scillinge ar gach dosaen. Ba mhór an chabhair Dé é sin. Agus ní imíodh an t-iasc gan mhaith sna potaí mar thagadh an t-árthach fé bhráid an éisc laistigh de choicíos. Thagadh biaistí go mbíodh na báid ag rith lena chéile ag éileamh na ngliomach.

An rud atá ginte sa chine daonna, níor fágadh muintir an Bhlascaoid gan smut de. Bhuail an tsaint chun airgid iad. Bíonn gach éinne ag iarraidh an lab a bheith aige. B'sheo leis na fearaibh is na slatairí ag déanamh potaí ar stealladh na ngrást, agus á gcaitheamh i bhfarraige gach samhradh. Ní bhíodh a gcuid saothair in aisce acu ansan.

Bhíodar chomh tugtha san don iascach sa deireadh ná faighfí fear a d'fhanfadh sa bhaile chun gort a rómhar ná chun práta ná meacan a chur. D'imigh an talamh ina bhán. Bhí mná maithe láidre ann an uair sin, áfach, pé ní is mar a dhéanfadh mná an lae inniu, agus dhéanaidís beagán éigin curadóireachta. Ach mo ghraidhinse an dream a bhí ag brath ar scata ban chun rud a bhaint as an dtalamh! Is dócha gur mhinicí a bhíodh a lorga dubh ag an rámhainn ná mar a bhíodh sciolltáin sáite i dtalamh léi. Ach b'fhearr aon tsaghas sceolmhairtí prátaí ná bheith ar an scrimh ar fad. Ba iad na mná leis a bhaineadh an mhóin is a dhéanadh í a tharrac abhaile i dteannta obair an tí a dhéanamh. Is é a deireann na fearaibh atá inniu san Oileán gur mharaigh a n-aithreacha rompu na mná a bhí acu.

Fén dtráth seo ní raibh aon éad ag muintir an Oileáin leis an bhfear ab uaisle agus ab airde réim sa tír. Ní lú mar atá inniu, buíochas le Dia. An t-aon rud amháin atá ag déanamh mearbhaill dóibh, gan cead a gcos a bheith acu gach lá a d'iarrfaidís é. Is mór na beannachtaí a gheobhadh Uachtarán na hÉireann dá bpriocfadh aon rud é agus airgead a chailliúint leis, agus cosán de shórt éigin — oiread is go siúlfadh cat air — a dhéanamh trasna ón nDún go Gob.

A Uachtaráin, tóg uaimse é go mbeadh geataí na bhflaitheas ar bheagán boltaí ná glas romhat dá ndéanfá é seo. Thiocfadh cloig ar ár nglúine ó bheith ag guí ar do shon. Ach cén chabhair a bheith ag allagar ar rud ná feicfear go deo? Mar a mhair tú riamh is ea a mhairfidh tú choíche, a Oileánaigh. Is í an fharraige fhiain 'go dtéann de na lachain ann snámh', do bhóthar. Tá aon tsuáilceas amháin agat — ní gá duit aon cháin bóthair a dhíol, pé scéal é.

Is ea, caithimis uainn go Luan é, fé mar a déarfadh an seanduine. San am is go raibh ré órga an iascaigh san Oileán Tiar, bhí a lucht áitrithe chomh sásta le diúic. Cad chuige ná beidís? Iasc geall leis ag teacht ar na poirt le racht flúirsí, airgead maith air, agus piúnt leanna le fáil ar an mbaile acu, nuair a bhíodh na scairteacha ina ghátar.

****

A bhuachaill beir buartha go bpósfair,
Is an uair úd beir buartha do dhóthain.

Na slatairí óga a bhí ag fás suas san Oileán um an dtaca san, ghéilleadar don gcéad chuid den reacaireacht thuas: 'Bímis ag fáil amach fírinne na coda eile i ndiaidh a chéile,' arsa iad san leo féin. Is ea, thóg gach éinne acu bean mar chúram air féin. Níor fhéad fanacht i dtigh an athar ach an mac ba chríonna i ngach cás. Má bhí fonn pósta ar níos mó ná an t-aon mhac, chaithfeadh sé a chip is a mheanaithe a chur le chéile, agus saghas éigin botháin tí a chur suas dó féin.

Is minic a bhíodh triúr nó ceathrar dearthár ann. Má fhágadh an t-athair na macaibh ab óige gan cúinne dá thigh, ní baol go bhfágadh sé iad gan smut éigin den dtalamh. Chomhroinneadh sé eatarthu é agus bhíodh a stráice féin ag gach mac. Do laghdaigh san an stoc. Ní chothódh leath nó trian na talún oiread is a chothódh an fheirm iomlán. Ba ghearr go raibh formhór na dtithe ar aon bhó amháin; cuid acu ná cuirfeadh oiread dua orthu féin is go gcoimeádfaidís bó, ach ag tnúthán le braon bainne a fháil thall nó abhus. Bhí a gceacht foghlamtha ag na slatairí a thóg cúram mná orthu féin chomh fonnmhar san. Is olc an chearc ná scríobann di féin. Ní feadaíl a dhéanfadh bean is clann a choimeád le chéile; b'fhíor don bhfile é — 'an uair sin beir buartha do dhóthain.'

Dála a lán áiteanna eile, nuair a bhailíonn an iomad daoine i liomatáiste ná bíonn fairsinge is scóp chun oibre ann ná slí chun airgid a dhéanamh, tá a fhios ag an saol braonach nach feabhas a thagann as. Bhrúigh na daoine isteach ar a chéile sa Bhlascaod Mór. Ní fhéadfaidís go léir déanamh amach ann fé mar ba mhaith leo. Thit an saol chun ainnise agus chun bochtaineachta. Ach níorbh í ainnise agus dealús na gcathrach a bhí acu san Oileán. Níor chuaigh leanbh riamh a chodladh fé ocras, ní fhaca éinne riamh ann na mná is na páistí ag bailiú seanscolb, caoráin mhóna nó cré thirim chun tine. Ábhar maíte dóibh é bheith le rá acu go bhfuil siad dall ar an mbrí cheart atá leis an bhfocal dealús.

Mar sin féin, bhain an fhlúirse daoine a bhí san áit, an teaspach de chuid acu — d'íslíodar céim. Ní fhéadfadh so gan bheith i gceist. D'oirfeadh sé dóibh seo úsáid a dhéanamh de bhréithre an taoisigh, Piaras Feiritéar, nuair a scaoil sé uaidh:

> Ní hí an bhochtaineacht ba mheasa liom ná bheith síos go deo,
> Ach an tarcaisne a leanann é, ná leigheasfadh na leoin.[7]

Ach ní haon achasán é bheith le casadh le duine go raibh sé bocht: 'Is aoibhinn dá bhfuil bocht ina spioraid féin mar is leo san Ríocht na bhFlaitheas.' Ar aon tslí, níorbh fhiú d'fhear an Oileáin bheith ag cáiseamh. Tá an saol ag priocadh suas arís. Is gearr go mbeidh gach éinne ann is a mhuirear tógtha is curtha chun treafa acu. Go dtuga Dia dóibh an chuid eile dá saol a chaitheamh go compordach suáilceach agus nár thaga an lá go deo orthu go dtiocfaidh gorta ná plá chun na ndoirse acu!

Ní dócha go ndéanfar athbheochan choíche ar an seanshaol san Oileán. Ní fearr so a dhéanamh ar a lán slite, mar bhí nósanna aite greannmhara go maith ag ár sinsir. Ach ba mhór an fhlúirse san áit inniu na ba is bainne a bhíodh ann daichead bliain ó shin. Ba mhór an neart is an smoirt a chuirfeadh sé sa ladhar leanbh atá fágtha ann — dríodar an chrúiscín is eagal liom — na leanaí sin ná blaiseann a bhformhór braon bainne ó cheann ceann na bliana; cuid

---

[7] Is ar an bhfile Eoghan Rua Ó Súilleabhain is gnáthaí a leagtar na línte seo, cf. T. Ó Rathaile, *Búrdúin Bheaga. Pithy Irish Quatrains*, Dublin 1925, §58, lgh12, 49.

acu ná feiceann a dhath ar a gcuid tae ó Shamhain go Lá Fhéile Bríde.

Ach is mór í luach na foighne. Níor chuala éinne riamh leanaí an Bhlascaoid ag cnáimhseán ná ag tormas i dtaobh an cheal so. Tagann gach cabhair i ndiaidh a chéile. Sheol Dia flúirse bainne chun na leanbh so le déanaí. Tá a ndúil bainte go maith anois as mar níl geimhreadh ná go mbíonn bainne is arán bán mar ábhar béile acu ar scoil. Tá an tseancharthanacht i gcroíthe na ndaoine fós — taispeántar í i ndiaidh a chéile. B'fhurasta do dhuine muirear óg a thógaint san Oileán inniu. Níorbh aon trua leanbh go mbeadh béile breá blasta aige um nóin, ba chuma dó cad a gheobhadh sé ar feadh an chuid eile den lá.

Agus is sásta suáilceach a bhíonn na páistí ag caitheamh a mbéile. Ní bhíonn duine bocht ar a gcine. Tháinig an-dhrochmhisneach orthu, áfach, lá dár ghabh gaige fir an treo a dúirt: 'Tá an saol go maith agaibh a scoláirí mura déirc a dheireadh daoibh.' Nár chaillte an duine é! Nár bheag an mhuinín a bhí as an té is fearr aige. Ba chóir go mbeadh a fhios ag an ropaire nár cheap Dia béal riamh ná gur cheap sé rud le cur ann. Ná bacaigí san a leanaí an Bhlascaoid, tá bhur lá ag teacht — tá bhur gcuid bídh beirithe sa deireadh. Ná fuil sé in am agaibh taispeántas éigin a fháil agus an smúit is an ceo atá os bhur gcionn le fada a scaipeadh go glan d'aon tseáp amháin.

Tá an lá geal ag teacht. Tá na scamaill á réabadh cheana — na scamaill bhróin úd a bíodh ar thuismitheoirí dealbha na hÉireann uile nuair d'fhágaidís slán is beannacht ag a leanaí, agus iad ag tabhairt a n-aighthe ar thíortha iasachta, an scarúint úd ba ghaire do scarúint an bháis. Is cruaidh é scéal an Oileánaigh ag scaradh lena mhuintir — mo chráiteacht is mo chumha ná tráfaidh. Chreidfinn gur mó oíche dheorach dhólásach a chaithfidh sé i dtíortha iasachta ag smaoineamh ar an mbaile. Níorbh ionadh dá gcloistí leis an ngaoith aniar glór a ghutha ag rá:

Slán feasta don mbaile úd thiar imeasc na dtonn,
Is ann atá mo tharraingt go luath agus go mall;
Is iomaí eanach fliuch salach agus bóithrín cam,
Ag gabháil idir mé is an baile ina bhfuil mo stóirín ann.

Cad Fáth an Ainm Blascaod?

I gcónaí riamh, gan trácht ar an lá atá inniu ann, chuirtí spéis agus suim i mbrí na logainmneacha. Níor tugadh an ainm Blascaod Mór ar oileán sceirdiúil in iarthar na hÉireann gan a fhios cad ina thaobh. Cloistear a gcóiriú féin ag lucht eolais agus a scaothaireacht féin ag dream aineolgaiseach i dtaobh an bhun atá leis an ainm sin, agus dála a lán nithe eile, an rud a théann i mbéal na ndaoine ní féidir srian a chur leis.

Dealraíonn an scéal go bhfuil éifeacht agus doimhneas thar barr sa chaint seo a leanas — caint a thaispeáineann go soiléir nach gan bonn a tugadh a ainm ar an Oileán. Pé ar domhan é, tháinig na bréithre ó fhear staidéartha tuisceanach go maith an lá a scaoil Muiris óna béal iad. An té go mbíonn teist na mochóirí air, ní cás dó codladh go headartha. Pé rud a thiocfadh uaidh siúd, bheadh sé ina dhlí. Fear mór trasnaíola is ea Muiris — is minic a deirinn leis gurb é an Dáil an paiste a bhí oiriúnach dó. Ach bíodh is go bhfuil sé ciotrúnta a dhóthain uaireanta, tá maitheas ina chuid trasnaíola, mar i dteannta eolas a bhailiú chuige féin lena chuid cainte, scaipeann sé ábhar di i measc a luct éisteachta chomh maith. Seo é cóiriú catha Mhuiris i dtaobh na hainme:

'Timpeall ar an Oileán so, tá a lán Éireann scrogaill chaola neafaiseacha uisce, a thuilleadh acu mór ramhar go maith. Ainm eile ar bhealach is ea blosc. De bharr an oiread san bloscanna a bheith timpeall agus i gcóngar na háite, tugadh Bloscad air.'[8]

Ní haon an-mharc na bloscanna so atá timpeall ar an Oileán, agus níl seanduine san áit ná cuirfeadh crith cos is lámh ort, dá

---

[8] Tá an tuairimíocht éagsúil faoi shanasaíocht an fhocail Blascaod curtha i láthair in M. de Mórdha, *Scéal agus Dán Oileáin,* Baile Átha Cliath 2012, 93-100.

dtosnóidís ar eachtraí duit ar an scanradh a rug orthu i mbealach éigin acu so. Tá bealach nó blosc idir an Gob nó an Garrán san Oileán agus Ceann an Dúin Mhóir — Bealach an Oileáin nó Bealach an tSeanduine, a thugtar air. Bíonn sruth gránna láidir anso — sruth a chuireann in iúl don mbádóir go gcaithfidh sé a thuilleadh smoirt a chur ina ghéaga chun í chur de, agus faraoir, sruth a chuireann dochma agus sceimhle go minic i gcroíthe na mban. Tá sruth an Bhealaigh chomh coitianta i mbéal na ndaoine san Oileán, is tá srúil Ghallarais i mbéal lucht taistil thrá na Muirí.

Ar an mBealach céanna tá an charraig ar a dtugtar an Seanduine. Dar go deimhin, ní rómhaith an taibhse í siúd, san am is ná bíonn le feiscint ach an caipín, a béal fén uisce agus í ag cur cúráin bháin go féar; í go cíocrach ag iarraidh duine a alpadh ó aon taobh. A sheanduine shaolta, deineadh ardéagóir ort an lá a dealraíodh leis an gcarraig mhéiscreach seo thú — ní hé do nádúr go coitianta a bheith mar siúd. Is mó d'oirfeadh an ainm Seanchailleach go mór. Is iad na seanchailleacha is gnáthaí a bhíonn guairneánach cnáimhseálach. Ach baisteadh Seanduine ort mar charraig, agus i do Sheanduine a fhanfair in intinn na ndaoine nó go mbeir chomh mionaithe le gaineamh na trá ag an saol is ag an aimsir.

Ní dhéanfadh sé an gnó aon mheascán mearaí a bheith ar chaptaen árthaigh nó báid ag stiúradh a árais trí Bhealach an tSeanduine. Geallaimse duit nár mhór dó gan aon leibideacht a bheith air agus a bheith oilte go maith sna comharthaí cuain. Is sa Ród is líonmhaire atá bealaigh. Cnuasach stacán agus carraigeacha is ea an Ród ar an dtaobh thoir thuaidh den Oileán. Is í Carraig Bhallach an stacán is sia ó thuaidh acu so, ach fochais Mhary Frances ar leithrigh. Bíonn an ceann deiridh seo fé uisce nó go dtránn uirthi. Ní raibh puinn trácht ina taobh nó gur chuir sí í féin in iúl — bhuail árthach ó Oileán Mhanainn, an *Mary Frances,* ina coinne agus ó shin i leith, tá an ainm fochais Mhary Frances i mbéal na nOileánach.

Idir Charraig Bhallach agus an Caol Bhraghdach, tá Bealach Charraig Bhallach. Is mó ballach agus iasc garbh séasúrtha a mharaigh Micil riamh anso agus a chuaigh ina ghoile. Níorbh ionadh dá ndéarfadh sé inniu gur mó braon ramhar dá chuid allais a d'fhág sé ar Bhealach Charraig Bhallach. Ní théann sé ina ghaire ná ina ghaobhar anois. Tá drom a lámh tugtha ag an seanduine bocht dó mar áit. Dóthanach go maith a bhíodh sé de go minic nuair a shroiseadh sé an baile tráthnóna ceoigh fómhair, a sheanthreabhsar paistithe ag an sileadh mhaol bháite, a lóipíní stocaí i ngátar iad a fháscadh agus na seanliataisí bróg ag leaghadh as a chéile le barr fliucháin. Níorbh é Micil an t-aon fhear amháin go mbeireadh an ainnise sin air. Is mó iascaire bocht nach é a chaitheann a aghaidh is a ucht a thabhairt don scríob is don síon an fhaid is a bhíonn daoine eile — lucht teaspaigh, daoine gur dhóigh leat orthu nuair a labharfaidís go mbeadh seacht gcúramaí an tsléibhe orthu — suite ar a gcúilín seamhrach ar shuíocháin bhoga a bhíonn ag titim is ag éirí leo, ag téamh a rúitíní le gríosaigh.

Idir an dá Fhaobhar, dhá charraig, tá Bealach na bhFaobhar. Cuireann an áit seo scanradh maith ar mhairnéalaigh, agus má tá an tOileán Tiar ar an mapa, tá [leis] na fochaisí, an Feo is na Faobhair. Tá fochais bheag ar a dtugtar fochais Charraig Bhallach idir na Faobhair agus an Chaol Bhraghdach. Ní thaispeáineann an fhochais a baithis nó go dtránn uaithi. Ag leanúint duit siar, tá Bealach an *Daggry* idir an Chaol Bhraghdach agus Carraig Stuaicín. Ciall cheannaithe leis a fuair an *Daggry* — árthach ba ea í siúd a scaoil go fuadrach fé cheann de na stacáin. Tharraingeodh sí siar gan aon tathant nuair a bhí sé ródhéanach aici. Ní ag scumhadh gheitirí di a bheadh an Charraig — breitheamh ceart cothrom is ea í chomh maith leis an mbás.

Bolg Liúrach an charraig is gaire do Charraig Stuaicín, eatarthu atá Bealach Bholg Liúrach. Siar uathu so a luadh, tá na stacáin seo is a gceannaibh go mustrach maorga aníos thar uisce acu ag beannú dúinn. Tá siad macánta go leor ach gan a shúile a bheith iata ar fad ag duine — seachain an dainséar — Stacán an Róin, na Fochaisí Beaga, na Scairbhí, Ceann Charraig Fhada. Ag deighilt Charraig Fhada ó Oilean Buí tá An Bealach Salach, agus is é an Bealach Caol a ritheann idir Oileán Buí agus Oileán na mBan. Is dócha go bhfuil gach léitheoir leamh díobh fén dtráth so mar bhealaigh, ach ní hé deireadh fós é. Is minic a théann naomhóga ón Oileán Mór go dtí Inis Mhic Aoibhleáin nó go dtí Inis na Bró, agus an lá is breátha a tháinig riamh bíonn sruth taoide sa Bhealach Mór idir Ceann Dubh an Bhlascaoid Mhóir agus Inis na Bró. An Bealach Caol a thugtar ar an scrogall uisce idir Inis Mhic Aoibhleáin agus Inis na Bró. Timpeall ar an Inis tá bealaigh bheaga eile a fhaigheann a n-ainmneacha ó na stacáin i ngaireacht dóibh; seo iad Bealach Oileáin na Leamhan, Bealach Rí na bhFaoileann, Bealach Mhicí *the Peeler* agus Bealach na Toirní.

Níl Tuile Ná Tránn Ach Tuile Na nGrás

[...] Cé ná fuil sáipéal ar an mBlascaod Mór, cé ná fuil cros ná rian ar chosán chun a chur in iúl do na daoine gur Caitlicigh iad, mar sin féin, ní dhearmhadann siad choíche go bhfuil Dia na Glóire os a gcionn. In am an ghátair is é a gcabhair é, in am na lúcháire bheireann siad buíochas leis. Éinne a bhí riamh seal ar an Oileán, tuigfidh sé cad é an ghleithearáil a bhíonn ar an slip maidin Domhnaigh. Go Dún Caoin a théann na hOileánaigh chun aifrinn. Chuirfeadh sé oiread eile de chroí ionat bualadh síos chun na slipe maidin bhreá Dhomhnaigh.

Rachadh duine amach ar chlár bán nuair a bhíonn an fharraige ina báinté, bolaith beag gaoithe anoir ann chun córach amach, agus scéimh an uain ar an spéir ghlan ghorm in airde. Bíonn cead a gcos ag muintir an Bhlascaoid lá mar seo; bíonn an glas bainte anuas. Tríd an samhradh ar fad bíonn cuid mhór naomhóga ag dul trasna gach Domhnach — a seacht nó a hocht de cheannaibh — agus ní hannamh a bhíonn cóir acu. Is breá an radharc na báid bheaga chlóchaiseacha a fheiscint fé lántseol trasna an Bhealaigh.

Nuair ná freagraíonn an ghaoth, rámhaíonn na fearaibh agus na slatairí go fonnmhar gealgháireatach trasna na trí mhíle d'fharraige idir iad is cé Dhún Chaoin. Is gnách leis na slatairí óga bheith ag faire ar a chéile chun dul in aon bhád amháin. Ní réitíonn sé leo bheith i dteannta na seandaoine má fhéadann siad in aon chor é. A gcomhaoistí féin a bhíonn uathu agus tugtar faid a dtéide dóibh.

Ní hé gach duine ar an Oileán a théann chun an aifrinn Dé Domhnaigh nó lá saoire. Cé a thógfadh orthu é ? Níl aon dlí chomh cruaidh sin go n-ordódh sé do sheanduine sé mhíle d'fharraige a chur de gach seachtain. Tá Dia trócaireach. Maidir leis na mná, tá a bhformhór lán de neirbhís. Dá mbeidís siúd i ndeireadh naomhóige, agus cuilithíní bána a fheiscint ar bharra na farraige, nó aon phuth gaoithe sa mbreis a theacht ar an seol, ní mór ná go léimfidís i bhfarraige le racht scannraidh. Dá bhrí sin dá mbeadh bean ag cuimhneamh ar dhul go dtí an aifreann, ní hionadh dá ndéarfadh a fear léi: 'Fan sa bhaile agus abair do phaidir duit féin, is ná bí ag dúiseacht ainmhithe na seolta le do chuid béicíola.'

Tá cailíní óga san Oileán. Téann siad go dtí an sáipéal fo-uair. Nuair a théid, ní i ngan fhios dóibh féin é. Breoiteacht fharraige a bhíonn ag cur orthu siúd. Bíonn gach a mbíonn sa bhád ag fonóid is ag magadh fúthu. Ní bréag a rá go mbíonn náire ar na cailíní bochta. Pé scéal é, cé gur ar bhruach na farraige a tógadh iad, ní rómhaith a réitíonn sí leo. Bíonn an spiorad toilteanach le dul go dtí an aifreann, ach cén mhaith é nuair a theipeann an misneach? Bíonn eagla ar an té a dóitear, agus a dhuine, má tá aon tuairim agat de bhreoiteacht fharraige, déarfainn ná tógfá ar na cailíní seo fanacht ón aifreann.

Ní i gcónaí a bhíonn Dónall Buí á phósadh ná cóir aige chuige. Ní hé gach aon lá a bhíonn oiriúnaíocht ag na hOileánaigh ar dhul go dtí an aifreann. Is mó Domhnach a thagann idir dhá cheann na bliana nár deineadh an t-árthach a sheasódh an fharraige, chun a rá go dtabharfadh naomhóigín fíneálta, ná beadh inti ach ar nós coirc ar bharr an uisce, fé amach. Coimeádann na daoine an fód a bhíonn acu lá den tsórt san. Níl ann ach seasamh ar mhaide lofa dóibh, bheith ag brath ar a mbáid bheaga chun farraige lá stoirmeach stuacach.

Uair sa mbliain a bhíonn aifreann ag timpeall dhá dtrian de mhuintir an Bhlascaoid Mhóir. Ag tarrac ar mhí na Bealtaine i gcónaí bíonn stáisiún ar an Oileán. Téann dhá bhád amach ag triall ar dhá shagart Bhaile an Fheirtéaraigh agus an cléireach. Bíonn criú na mbád ar céalacan, agus iad amuigh ar ché Dhún Chaoin ar a hocht a chlog. Sula mbíd thar n-ais san Oileán bíonn sé ag tarrac suas ar a naoi. Is mór an ghleithearáil is an dul trí chéile a bhíonn sna tithe maidin na sagart. Gach éinne, ón leanbh trí bliana suas, á shocrú is á fheistiú féin i gcomhair an aifrinn.

Is breá leis na leanaí an lá so — bíonn saghas lá saoire sa scoil acu, agus bíonn bollóg mhilis acu i gcomhair bricfeasta. Ábhar mórtais do na cailíní beaga is ea bheith ábalta ar a ngúnaí, a mbibeanna, a muincí, agus a ribíní ioldathacha a thaispeáint don mbaile, agus is mór é a mustar nuair a fhiafríonn an mháistreás díobh, 'Cé thug é seo duit?' nó 'Cé chuir chugat é siúd?'

Ní bhíonn smaointe dá sórt san ag na buachaillí. Is cuma leo súd cé thugann fé ndeara a mbalcaisí — is cuma go deimhin. Nach fearr dóibh go mór dul i dtreo ailp éigin mhaith a chuirfidís isteach ina bputóga ná bheith ag iarraidh ceisteanna briolla bhrealla a réiteach. Is í an scoil a bhíonn mar sháipéal sa Bhlascaod Mór. Tá sí mór go maith anois do a bhfuil de dhaoine ann, ach bhí tamall go mbíodh sí múchta brúite go leor. Is mór an sásamh agus an t-áthas a bhíonn ar na seanmhná an lá so. Ba dhóigh leat gur cheart do na flaithis oscailt ar a dhúthrachtaí is a chuirid suas a n-achainí. 'Paidreacha is éagóir!' a deireann na daoine óga leo, ach is ag Dia, moladh go hard is go honórach leis, atá a fhios gur paidreacha dáiríre a bhíonn acu.

Is gnách leis na sagairt na páistí scoile a cheistiú i dteagasc Críostaí nuair a bhíonn gach ní feistithe fálta acu. Lá dá rabhadar ag ceistiú, ráinigh an tAthair Ó Loingsigh a bhí ina shagart óg tamall i mBaile an Fheirtéaraigh, ann. Cheistigh sé na ranganna arda agus ba mhaith an sás chuige é; is minic a bhaineadh sé gáire maith as na páistí. Go deimhin, aon tsagart a shiúlaigh riamh ar an scoil ar feadh mo thréimhse ann bhíodar uile go léir, idir 'shagairt shamhraidh' agus sagairt cheantair, go lách sibhialta leis na páistí.

Pé scéal é, an lá áirithe seo, tarraingíodh anuas baiste agus baiste urláir. Is ó thuaidh go dtí Baile an Fheirtéaraigh a bheirtear gach leanbh ón Oileán chun é a bhaisteadh. Nach dóigh leat ná gur maith luath a bhíonn tamall bádóireachta fachta ag na páistí ann! Níl aon umar baistí i nDún Chaoin. Chuir an tAthair Ó Loingsigh ceist:

'Cathain a thabharfaí baiste urláir ar leanbh?' B'shiúd na lámha in airde. 'Is ea, a gharsúin,' arsa an sagart le Pádraig Ó Guithín.

'Dá mba dhóigh liom ná déanfadh sé an t-*action* ó thuaidh,' arsa Pádraig go faghartha.

Thit an sagart fuar marbh ag gáirí fé; níor fhéad sé é shárú. Bhuaigh an freagra san ar a gcuala sé riamh. Cheap Peaidí, fé mar a thugtar sa bhaile air, gur ó thuaidh a théadh gach naoineán chun baistí, pé aird den ndomhan a saolaítí iad. Tá Peaidí ina fhear inniu. Tagann lasadh ina ghrua nuair a shamhlaítear 'an t-*action* ó thuaidh' leis. Tá a fhios agam ná beidh aon cheist air i dtaobh an méid seo a lua ina thaobh — ba dheacair d'éinne a cheann a shá eadrainn.

Bíonn sé ag tarrac suas ar mheánlae san am is go mbíonn na sagairt réidh chun filleadh ar Éirinn. Bíonn deabhadh ar chriú an bháid leo uaireanta nuair ná feicid an uain a bheith ar fónamh ná aon dea-fhuadar fén lá. Níor mhaith leo an sáile a ghabháil lastuas de na sagairt. Ní haon eagla bháite a bhíonn orthu — conas a bheadh is teachtairí Dé sa bhád acu?

Tháinig lá stáisiúin cúpla bliain ó shin ná raibh rótheaspúil maidir le breáthacht. Dhein na sagairt deabhadh maith lena gcuid oibre. Bhíos ag gabháilt suas an gleann. D'iompaíos agus stadas ag féachaint ar bhád na sagart. Ghabh Cáit Ní Briain chugam, seanbhean an-dhiagaithe ar fad ba ea í siúd. Bhí an dá bhád ag déanamh ar Fhoghail an tSeanduine, agus ní thugas fé ndeara Cáit go raibh sí suas liom, bhíos chomh tógtha suas san leis na naomhóga.

'An aon rud a chíonn tú a chroí?' ar sise.

'Chím mo lándhóthain,' arsa mise, gan mo shúile a bhogadh den áit ina rabhadar dírithe. 'Tuigtear dom, a Cháit, gur cheart do bhád den dá bhád san amach, fanacht fé uisce le ceann éigin de na hólaithe diamhara a chuireann siad díobh. Níor mhaith liom bheith i mbróga na sagart anois ach go háirithe.'

'Taoide rabharta fé ndeara na cnapáin farraige sin anois. Níor chaill Foghail an tSeanduine riamh é,' arsa Cáit. 'Rud eile, níor chás duit bheith ina mbróga súd. Cheap an té is fearr an lá inniu do na sagairt chun teacht don Oileán is ní baol dóibh an anaithe le cúnamh Dé; is é sin, mura bhfuil sé ceapaithe ar fad dóibh. Tá a fhios agat go ndúradar san araon paidir na mara, sular chuireadar cos in aon bhád.'

'Mo náire mé,' arsa mise, 'caithfead a admháil, a Cháit, nár chuala riamh an phaidir sin. Abair dom í, is go gcuire Dia an rath ort.'

'Dhéanfainn níos mó ná san duit,' arsa an tseanbhean fhial, 'ach nár chuire Dia ina gátar sinne nó aon duine a ghoilfeadh ná a d'fhóirfeadh orainn.'

Thosnaigh sí i nGaolainn bhinn bhlasta agus scaoil sí chugam:

'Ag gabháilt anonn dom go doimhin,
A Rí na foighne tóg mo lámh;
Le heagla na tuile tréan,
A Íosa féach, agus tabhair sinn slán.'

'Is breá oiriúnach an phaidir í do lucht na farraige,' arsa mise, á rá nó go raibh sí agam.

'Agus an ndeireann tú liom nár airís an phaidir sin riamh?' ar sí arís. 'Cheapas go raibh sí ag gach éinne.'

'B'fhearrde don tír é go mbeadh ní hamháin an phaidir sin, ach a lán eile dá bhfuil agat i mbéal na ndaoine,' a dúrt léi. 'Ní ag gach éinne a gheofá paidir mar sin. Chuirfinn punt leat ná raibh sí ag na sagairt.'

'B'fhéidir duit an fhírinne a bheith agat, a chroí,' arsa Cáit. 'Tuigtear do mo sheancheann liathsa gur ceart rud a bheadh agam féin a bheith ag an saol braonach; is gránna é ceal na foghlama. B'iontuigthe d'éinne ná beadh an phaidir sin ag na sagairt, daoine aníos ó íochtar na hÉireann, nár chuir an fharraige riamh de chaduaic orthu ach pé méid bráca a fuaireadar ó léann éigin a fhoghlaim ina taobh. Ach sa mhagadh san is uile,' ar sí, ag cur bunúis ar a cuid cainte, 'pé sagart a sheolfaí go Baile an Fheirtéaraigh, ba é an chéad rud ba cheart dó a dhéanamh ná an phaidir bheag san a fháil. D'fhéadfaidís í tharrac chucu is í a rá aon uair a bhéarfadh an anaithe ar an bhfarraige orthu. Ní fheadair éinne cén t-am é sin. An bhfuil a fhios agat gur minic as an spéir ghorm a thagann stoirm is mórchith?'

'An-chomhairle,' arsa mise, 'glacaim léi go brách arís, a Cháit, agus tá súil agam go bhfaghair a luach ó Dhia as í a mhúineadh dom — gan a fhaid sin de luíochán bliana ort. Ní shuífead go sásta compordach sa naomhóg as so amach, nó go mbeidh an achainí sin curtha chun na bhflaitheas agam. Go bhfága Dia do shláinte agat agus lúth do chos chun teacht fé bhráid na sagart bliain ó inniu. Nár chloisead go deo uait scéal ná duain níos measa ná scéal an lae inniu. Táim siúrálta má fhaigheann na sagairt greim ar an bpaidir sin go mbeid sásta glacadh léi.'

'Tá bonn le do chuid cainte,' arsa an tseanbhean. D'imigh Cáit suas an gleann; d'imigh báid na sagart ar aghaidh chomh maith. Shroiseadar caladh Dhún Chaoin go slán folláin.

Tugann an sagart paróiste seanmóin uaidh i gcónaí lá na stáisiún. Sin a mbíonn de sheanmóintí le clos ag formhór na nOileánach ó cheann ceann na bliana. Conas ná himíd i gcoinne ghrásta Dé? Tá greim ródhaingean ar chreideamh Phádraig acu. Chaillfidís an t-anam sula gcuimhneoidís ar é a thréigean. Na daoine a bhíonn ag siúl ar an aifreann gach Domhnach bíd níos fearr as maidir le teagasc a chlos. Is maith an ceann dílleachtaí Dia, agus más maith, is maith an taca é os cionn mhuintir an Oileáin. Is minic a bheidís le fuacht is le fán le mídhóchas mura mbeadh a muinín a chur as. Go bhfága Dia mar sin na daoine — nár thaga go deo aon scannal os cionn an Bhlascaoid a thabharfadh aon náire don áit i láthair Dé ná duine.[9]

Aon Domhnach láidir nuair nach féidir leis na hOileánaigh dul go Dún Chaoin chun aifrinn deireann gach líon tí an paidrín páirteach. Ag gabháil thar bhéal na ndoirse ar an nDomhnach chloisfeá na paidreacha á rá go dúthrachtach. Ní dhearmhadann an tseanmháthair paidir an Domhnaigh. Cuireann sé áthas croí is compord anama ar éinne a chloiseann í ag éamh go hard is ag rá:

'Réir Dé go ndéanaimid,
Beatha na naomh go bhfaighmid,
Solas na bhflaitheas go bhfeicimid.
An Leanbh Íosa ina luí linn sa leabaidh;
An tUan trócaireach ag éirí linn aisti;
An Mhaighdean ghlórmhar go sólásach ár nglacadh;
Mícheál Naofa mar mhaor ar ár n-anam.

---

[9] Féach thíos Aguisíní: 4 'Stáisiúin agus Creideamh'.

A Mhuire mheidhreach, is a Mhaighdean ghlórmhar
Tabhair dúinn radharc ar do theaghlach ró-onórach,
Solas na soilse, is radharc na Tríonóide,
Is grásta na foighne in aghaidh na héagóra.'

Tá creideamh, dóchas is grá chomh meascaithe sa bpaidir seo, agus ná habradh éinne ná go bhfuil na suáilcí sin go láidir in aon dream daoine a deireann í.

Chun a gceart féin a thabhairt do gach éinne, téann na múinteoirí amach chun an aifrinn nuair a fhaigheann siad an chaoi. Aon Domhnach nó lá saoire ná ritheann leo, bailíonn na leanaí go léir ar scoil agus cuirid chun Dé an paidrín páirteach le cabhair a chéile. [10]

---

[10] Nóra Ní Shéaghdha, 'Agallamh 5', in P. Tyers, eag., *Leoithne Aniar*, Baile an Fheirtéaraigh 1982, 144: An Domhnach a bhíodh stoirmiúil agus ná féadfainn dul go dtí an t-aifreann bhailíodh na páistí chugam isteach sa scoil, agus le chéile, chuirimis an choróin chun Dé dúinn go léir. Bhíodh sé ráite agam leo ar an Aoine, agus bheadh a fhios acu go maith, mura raghadh an naomhóg amach. Ní bhíodh aon duine acu in easnamh riamh mar chuireadh a máithreacha ann iad cé go mbíodh an choróin acu ag baile chomh maith. Bhíodh a máithreacha ar a nglúine ag baile agus sinne ar ár nglúine ar scoil.

Bhí sé ráite agam leo, dá mbeadh aon phaidir dheas ag baile acu, í a thabhairt leo agus go mbeinn an-sásta. Agus is cuimhin liom go maith an Domhnach seo, thug Eibhlín Ní Chearnaigh — tá sí pósta thall i Springfield anois — thug sí chugam píosa páipéir agus dúirt sí: 'Thug mo mham duit é sin agus dúirt sí go mb'fhéidir gur mhaith leat é a rá inár dteannta.' Agus is í an phaidir a bhí ann ná paidir an Domhnaigh, agus as sin amach deirimis paidir an Domhnaigh.

Na Stróinséirí

Bhí tamall den tsaol agus ní rófhada ó shin é go deimhin, go mb'fhearr le duine a mhéar a scríobadh de chloich ná cuimhneamh ar aga bheag laethanta saoire a chaitheamh ar an mBlascaod Mór. Níorbh ionadh é sin leis. Bhí drochtheist ar an áit. Cad a bhí ann? Níorbh fhiú biorán a raibh de thábhacht ag baint leis; ní raibh ann ach oileáinín mara, faillteacha fuara feannaideacha ar gach taobh de, gan faic le feiscint ach an fharraige mhór ag réabadh ó phort go port. Ní raibh gíocs le clos ach teanga gharbhghlórach na Gaeilge. Bhí na daoine ann ar bheagán fáltais agus rud ní ba sheacht measa ná san, an lucht áitribh chomh fiain, chomh dána leis an ngabhar atá imithe dó féin in Inis Mhic Aoibhleáin inniu.

Is ea, b'shin é an Blascaod Mór. B'shin mar a bhí 'Oileáinín fíorGhaelach na hÉireann' fé mar a thug an tAthair Ó Conaill air, deilbhithe in intinn na nGael. Ní bheadh Dia in airde, céad moladh is onóir dá ainm, mura dtiocfadh an lá nuair a chuirfí in iúl do na sluaite go bhfuil níos mó san Oileán ná 'bairnigh, sleaidí is clúimhín, is scata creachán ag fás trí fheamnaigh bhuí.'

Dála aon áit eile cois farraige is i ráithe an tsamhraidh a thugann na cuairteoirí nó na 'lá breá*s*' fén Oileán. Tráthnóna thiar, nó le luí na hoíche go minic a shroisid an caladh, mar san am is go mbíonn siad curtha díobh ón nDaingean tar éis na traenach a theacht isteach, bíonn an lá meilte go maith acu. Is é an scéal is gnáthaí, agus an scéal is ciallmhaire, ná go mbíonn beirt nó triúr stróinséirí le chéile de ghnáth ag teacht.

Uaireanta gluaiseann duine aonair. Is é siúd an trua Mhuire más rud é nár bhuail sé a chos ar thalamh an Oileáin riamh roimhe sin. Is é siúd an t-amadán murar chuaigh sé ag lorg eolais ar dhuine eolgaiseach éigin i dtaobh na háite sular lig sé ina chroí teacht ann.

An duine a thagann is ná tuigfidh meon na nOileánach, beidh sé ina phúca ina measc ar feadh cúpla lá, ag imeacht timpeall is a mhéar ina bhéal aige, fonn air labhairt leis an bhfear thall nó leis an bhfear abhus, ach ná ligfeadh na béasa dó é — níl aithne aige air, mar dhea. A dhuine gan chéill, tabhair aire do do phlaosc; cuir uait do nósa arda anso. Fág cuid d'uaisleacht na cathrach i dtóin do mhála bóthair agus ná bain le spéir an Bhlascaoid Mhóir a thaispeáint dó. Ní oireann siad don áit ná ní lú a oireann an áit dóibh.

Ach is fíorbheagán a thagann go dtí an áit anois agus iad dall amach air. Bíonn na súile oscailte dóibh sula dtagann siad. Bíonn an t-ubh préacháin ólta acu. Agus is é an ceart é, mar trua Mhuire is ea fear na cathrach i measc scoláirí tuaithe. Déanann siad amadán ar a dhá chois de. Seoltar daoine go dtí an tOileán ó gach aird d'Éirinn. Tagann fodhuine ó Shasana. An fear uasal úd, 'An Bláithín', chaitheadh sé féin, a bhean, is a chlann trí seachtaine as a chéile sa Bhlascaod, agus cé gur i gcathair Londain a tógadh iad súd, shuífidís duit ar fhód móna nó ar stóilín beag cois tine sa chúinne. Dhein 'An Bláithín' a lán maitheasa do na hOileánaigh. Tá a rian air, ní dhearmhadann siad é; tá siad go léir lán d'urraim agus de chion inniu air. [11]

Ní haon nath daoine a theacht ó Éirinn, ná fós ó Shasana, ach tá daoine chomh fada ó láimh le Chicago a thug cuairt ar an Oileán Tiar. Cuairt reatha a thug fear uasal ón gcathair mhór sin orainn. Dhein sé trácht ar an mBlascaod i bpáipéar na dúthaí sin tar éis dul abhaile. Timpeall le leathbhliain díreach sular cailleadh an rí is ea a tháinig sé. Ba é an rí a stiúraigh ar fud na háite é. Ghabh an fear céanna chugainn i mbliana. Léan a dhóthain a bhí air nuair a chuala

---

[11] Tá cuntas níos iomláine ar Bhláithin ag Nóra Ní Shéaghdha (faoina hainm pósta, Bn. Uí Éalaithe) sa tsraith alt léi ' "Bláithín" — Robin Flower' in *Agus*, Márta — Meitheamh 1973.

sé go raibh rí an Oileáin tar éis bháis — go raibh a cheann fén dtráth seo is gan ann ach ionad na súl.[12]

Cuairteoir eile ó chathair Chicago, bean uasal a ghabh an treo. D'fhan sí siúd laethanta éigin — níorbh fhada é go deimhin. Ní raibh focal Gaolainne aici. B'fhéidir nárbh fhearr í a fhanacht rófhada mar is gearr go gcloisfí srónaíocht na bPoncán ag briseadh amach trí Ghaolainn an Oileáin. Focal an údair i mbéal an amadáin. Líonann an tOileán le stróinséirí gach samhradh. Bíonn mná stróinséartha ag ráthaíocht ann, fé mar a deireann na buachaillí óga — lagú thar barr i gcuid acu, iad teann téagartha deaschainteach cuileachtúil, ábalta ar a mbabhta rince a dhéanamh go pras tar éis tamaill, cé ná bíonn siad ach ag máinneáil trí na seiteanna an chéad uair.

Ach de réir na mbuachaillí, ní bhíonn lagú sna cailíní go léir. Gabhann cuid acu aníos an tslí agus iad seirgthe go maith. Ní bhíonn an chos féin fúthu, agus éirigh as an mnaoi ná feicfir an chos fúithi — caol i mbéal na bróige, agus ag leathnú léi suas. Ach ní hiad súd na mná céanna nuair a bhíonn trí nó ceathair de sheachtainí caite acu ag sú isteach aer breá folláin na mara móire, ag ithe fo-ailp de bhagún méith agus caoireoil saille, nó fós gliomach breá téagartha céarach. Am basa, nár mhór duit an leabhar a fháil air gurb iad, bíonn lán *nobby* iontu ag imeacht.

Ní hionadh dá mb'uaigneach leis na 'lá breá*s*' an tOileán, mar bain barr na cluaise díomsa, go bhfuil ciúnas uaigneach draíochta ag baint leis mar áit. Níorbh ionadh go spalpfaidís agus iad an chéad oíche ann: 'Tá uaigneas ar m'anam is is fada liom an oíche.' Ach ón gcéad chúpla lá amach croitheann siad an t-uaigneas díobh féin; faigheann siad amach ná fuilid i bpríosún chomh mór is

---

[12] Níor aimsíodh aon fhaisnéis ar chuntas an chuairteora seo.

a cheapadar. Tá sú éigin san áit is sna daoine go mbraitheann stróinséir é féin sa bhaile ina measc.

Níl halla rinnce ná teach pictiúirí sa dúthaigh seo. Ní fearr iad a bheith is dócha — sin é a deireann na cuairteoirí ach go háirithe — cé go bhfuil a mhalairt de thuairim ag cuid de na hOileánaigh. Athrú spóirt agus caitheamh aimsire a bhíonn ó na 'lá breá*s*,' agus faigheann siad an t-athrú san go láidir anso. Níl éinne a chaith scaitheamh saoire ar an mBlascaod Mór ná beidh cuimhne aige ar an nduimhche. Paiste mór leathan báin é seo ar bharr na trá thiar, claí beag íseal ag a cheann chun suite air, agus rian na mbróg nó na gcos go maith ar phaiste anso is ansúd. Siod é ionad an rince sna tráthnóintí samhraidh, agus ní cás a rá ná go bhfuil aeraíocht ag baint leis mar áit.

Is cruaidh dubh an croí ná corródh an ceol, pé tráth a chloistear é, ach bíonn meidhréis agus aoibhneas níos mó ag baint leis ar é chlos ag gluaiseacht ar aer na hoíche, comh-mheasctha le fuaim na trá nó le holagóin na rón. Ní fheadar an gcloiseann na héisc é? Má chloisid, is láidir ná briseann siad dlí na nádúra, agus tabhairt fén dtalamh. Cá bhfios d'éinne ná gurb é an ceol céanna a chuir an ruaig ar na maicréil ó chóstaí an Oileáin? Ach ní chreidfinn go scanródh ceoltóirí an Bhlascaoid chomh mór san iad — táid ró-oilte i gceol chuige sin.

Ar chiúnas na hoíche, agus ag breith bua ar airde an cheoil, tagann an glam: 'Tá an ceol ag imeacht i vásta, a gharsúna; amach libh agus lomaigí níos fearr an duimhche. Ní i gcónaí a bheam óg; is mó lá is oíche a bheam sínte ar thaobh an teampaill is gan leath ár ndóthain smúite bainte againn as an saol.'

Bhí an clog buailte. Amach leo, stróinséirí is eile; seo an damhas sa tsiúl, agus ar mo lúidín chéasta, ná déanfadh sé an gnó do chailín daitheacha a bheith ina cnámha ansúd. Suathfar is casfar go maith í, sa tslí is go mbeidh gá maith le suaimhneas aici, san am is go mbíonn deireadh leis an rancás.

Ainnis go maith a bhíonn an oíche ná tugtar fén nduimhche chun na scléipe seo. Nuair a bhíonn an aimsir ag imirt rómhór ina gcoinne, bíonn lucht an damhais fé mar a bheadh a méara i bpoll tráthair. Is deacair ceart a bhaint díobh an oíche sin agus ní maíte ar aon tigh go ngabhann siad chuige. Bíonn gach áit róchúng dóibh.

Timpeall cúpla uair an chloig a fhanann an scléip sa tsiúl. Bíonn drúcht is déanaí ann fén dtráth so. D'imigh an t-am go mbíodh na púcaí ag faire ar na daoine a mhilleadh dá mbéarfaí amuigh orthu tar éis titim na drúchta. Imeacht gan teacht ar an dtráth san, gan aon olc don ndúthaigh ach go háirithe — athrú maith amháin atá tagtha ar an saol. Ach ní bheadh puinn lámh déanta ag an slua sí orthu sa Bhlascaod Mór, mar ní rófhada a bhíonn an t-aistriú orthu. Ní hé go mbíonn aon chuimhneamh ar an g*kennel* fós. Is don 'Dáil' a théann an slua go léir tar éis an duimhche a fhágaint — ceann de thithe an bhaile gur baisteadh an 'Dáil' air.

I dtosach na hoíche bíonn seandaoine an bhaile bailithe ann agus is minic a théann siad i gcíríní a chéile ag áiteamh agus ag argóint ar phointí áirithe. Cúrsaí polaitíochta is mó a chuireann in earraid le chéile iad. De Valera bocht á shá sa lathaigh ag fear; fear eile agus marbhú an Dúna á fhógairt aige ar thaoiseach lucht Fhine Gael. Dá laghad é an áit seo ní mar a chéile na tuairimí a bhíonn ag daoine ann. Is minic a bhíonn fear sa chuideachta tagtha díreach glan chun na hionga deiridh a choimeád le lucht an áitimh, agus sin é an uair a chloisfeá an chlismirt. Mo léir, ní raibh Dáil riamh chomh te leis. Seo é allagar na Dálach, ceist nua gach oíche; arbh ionadh go dtabharfaí Dáil ar a leithéid de thigh? Ní chónaíonn anois i dtigh na Dálach ach seanbhean, í go brónach tar éis imeacht a clainne thar tairseach i gcéin.

Chuirfeadh Máire bhocht suas go deo leis na seandaoine agus lena gcuid allagair. Ach an dream aerach! Is maith tá a fhios aici nach aon mhaith bheith ag gearán ná ag fuarcháiseamh leo súd. Níl puinn suime acu le cur inti. An óige! Is measa leo a gcuid gleothála agus a gcuid trí chéile féin; ní fheadair siad ann nó as duine aosta. Ach san am gcéanna, bíonn siad ómósach umhal di, cé nach annamh a chítear í agus í suite ar a cúilín seamhrach go talmhaí sa chúinne, ag éirí de gheit agus ag breith ar thlú nó ar thua chun iad a smearadh ar lucht na gcros. Uaireanta bagraíonn sí orthu go cíocrach — bhéarfadh sí féin ar úll píopáin ar an gcéad bhithiúnach eile acu a bhuailfeadh a dhrom lena driosúr!

A sheanbhean bhocht! Caint san aer atá agat; nach leat féin iad san go léir? Dá mbeadh ceann fé nó trioblóid ar neach acu, nach tusa a rachadh go fonnmhar ag déanamh comhbróin leo. Ag cur eagla amach a bhíonn Máire ar an gcuma so. Ar na cailíní óga a bhíonn an milleán go léir aici. Is minic curtha roimpi aici dlí speisialta a tharrac amach — taobh den dtigh a fhágaint ag na mná agus na fearaibh a luí leis an dtaobh eile. Nuair a thagadh an oíche, áfach, is chruinníodh an cleas, théadh idir fear is bean san áit ab ansa leo. Ní chuirtí an bille i bhfeidhm — chás dó! Buann an nádúr i gcónaí.

B'fhéidir, a Mháire, go mbeadh seans agat san a dhéanamh nuair a dhéanfar dlí den bpinsiún a thabhairt do na baintrigh. Ach dar ndóigh, beir chomh mór ar do shástacht an uair sin nach cás don ndream aerach na fraitheacha a bhaint den dtigh lena gcuid gleoidh. Is iontach an chumhacht ag Peaidí Feirtéar é![13] Dhéanfadh an t-

[13] Seans gurb é Pádraig Feirtéar ón mBaile Uachtarach, atá i gceist anseo, bailitheoir béaloidis agus scríobhaí, a bhí an-ghníomhach ar thaobh na dtineontaí beaga i gCogadh na Talún; féach S. Ó Sé, 'Pádraig Feiritéar (1856-1924): A Shaol agus a Shaothar', *Journal of the Kerry Archaeological and*

airgead céanna iontas; chuirfeadh sé bodhaire ar sheanmhnaoi nuair d'oirfeadh san! Ach dá mbeadh Máire ag glamaireacht go Lá na Breithe, nó dá mbeadh sí ag bagairt comhraic chomh tiubh le raithnigh, ní laghdódh na teachtaí ag teacht chun na Dálach. Fé mar a chasann an corp ar an dteampall, casann na hOileánaigh óga agus na stróinséirí go dtí an Dáil fé dheireadh na hoíche.

Níl aon teach pictiúirí in Éirinn ná go ndéantar oiread caitheamh aimsire is greann a bhaint as an nDáil leis. Bíonn seó is cuileachta ann, greann is gáirí ann, gach éinne fé mar a bheidís ar leathéadromacht, Dia idir sinn is an t-olc. Ní bheadh aon ghnó ag duine staidéartha ansúd. Dá rachadh sé ann an chéad oíche, chaillfeadh a mhisneach air an dara hoíche, nó ceann éigin acu, bheadh sé sa chlibirt — rogha é a thaithniúint leis nó gan a dhéanamh.

Cúpla bliain ó shin casadh stróinséirí ar an Oileán. Beirt ba ea iad nár fhan ach dhá oíche. Ní raibh smiog Gaolainne acu; b'fhéidir do 'tá' agus 'níl' a bheith ag fear acu. Pé scéal é, níorbh aon cheal misnigh dóibh é — thugadar fén nDáil. Bhí na buachaillí buíoch go maith díobh. Fuaireadar tarrac ar thobac is toitíní uathu. D'admhaigh an bheirt sin ná facadar a leithéid de dhream ar feadh a siúlta, maidir le gnúis mheidhreach gháireatach chompordach a bheith ar gach n-aon dá raibh sa tigh. Rian an dóláis ní raibh ar bhuachaill ná ar chailín acu; ní raibh an lá amáireach ag déanamh mearbhaill dóibh; bhí a ndóthain le n-ithe acu, leaba bhreá chun codlata acu. Dé chúis gan iad a bheith suáilceach? Agus déarfainn, mura mbeadh acu ach adhairt sheang, tocht lom, agus cnaiste cruaidh ná cloisfí ag cnáimhseán iad. Ní lucht teaspaigh iad ógánaigh an Bhlascaoid; ní lucht ocrais iad, ach san am gcéanna, tá

Historical Society 3 (1970), 116-30, agus an scannán, *An Síogaí Iniúchach*, a stiúraigh Breandán Feiritéar (1999).

siad mínithe ag an saol is ag an aimsir. Tá a gcláirín déanta acu ar an gcruatan is ar an ainnise.

Ag tagairt don mbeirt stróinséirí a dúirt an chaint sin thuas, ghealladar an diabhal is an donas sular fhágadar an tOileán. Cad ná cuirfidís uathu! Breacadh leabhairín le seolta na ndaoine. B'shin a dtáinig as. Tá Seán Pheats fós is a shúil in airde le píp. Chaith sé uaidh bheith ag dul ar an gcaladh fé bhráid fhear an phoist fé mar a dhéanadh sé an chéad choicíos tar éis na scraistí a imeacht. Maidir le Peaidí Ghobnait bocht, bhí cás leabhar socraithe aige siúd i gcomhair na leabhartha éagsúla a chuirfí chuige, agus más é do thoil é, bhí cuid acu geallta don máistreás aige. Mair a chapaill is gheobhair féar. Ní tháinig na hirisleabhair fós — nár imí orainn ach gan iad a theacht, ní mór an spiorad Gaelach a leanann a bhformhór súd.

'Do gheall sé, is do gheall sé,
Is do gheall sé ábhar bibe dom;
Blagaireacht ó Sheán
Is dá mb'áil leis gan í theannadh liom.'

Máire Shéamais a dúirt an chaint seo lá breá, is bád lán d'uaisle ag déanamh ar an gcaladh. Ní ligfeadh náire di aghaidh a thabhairt orthu leis an seanbhib a bhí uirthi. Ní róbhuíoch a bhí sí den stróinséir Seán, mar bhí sí chun fios a ligint ar an mbib don Daingean nó gur buaileadh ina treo é an oíche úd sa Dáil, agus trína chuid scaothaireachta go léir, gheall sé bib di.

'Fear maith a dhéanfadh a leithéid,' arsa Máire, agus í go mustarach aisti féin ag bualadh abhaile an oíche sin. Ach ná bac éinne a théann san aer rómhór. Tháinig bogadh mór ar Mháire leis na laethanta — ní raibh an féirín ag teacht. Is ar éigin a bheir an rabharta ar an mall-mhuir ag an gcailín bocht — ag brath ó lá go lá leis an mbib nua agus an spéir le feiscint tríd an seancheann. Chaith sí a sparán a chroitheadh sa deireadh. Bíodh rud agat féin nó bí á uireasa, a Mháire! Ach is mó fear capaill bháin a gheobhaidh an bóthar sula ndéanfaidh fear siúil an mhála droma leadhb óinsí de Mháire arís. Nach í a thabharfadh an íde béil air anois dá bhfeicfeadh sí é. Mo chráiteacht, is dócha ná feicfear go brách arís iad.

Bíonn dhá insint ar gach scéal. Nuair ná raibh an Ghaolainn acu le tabhairt do na daoine, ní raibh na hOileánaigh róbhladartha leo. Tugadh seoiníní orthu os a gcomhair amach. Níor thaitin san leis na scraistí. Cé a thógfadh orthu ina dhiaidh sin a gcuid bronntanaisí a choimeád ó aon dream a bhí chomh neamhfhiúntach san is seoiníní a thabhairt orthu? Ní ghairmtear seoinín san Oileán ar fhear gan Gaolainn, gairmtear é ar fhear go mbíonn ceal an spioraid Ghaelaigh air.

Ach thuill na buachaillí úd an méid a fuaireadar. Theastaigh uathu Béarla a bhaint as cuid de na cailíní ach focal ní bhfaighdís. Shíleadar ansan náire a chur orthu.

'Nach ait simplí na cailíní sibh,' a deiridís, 'gan focal Béarla agaibh. Tá sibh fiain.'

Tuigeadh go maith iad, tuigeadh go blasta na buachaillí. Ach níor sprioc na bréithre sin chun an Bhéarla na cailíní. Bhíodar glic seanchríonna a ndóthain dóibh. Bhí an t-ubh ólta acu.

'Ní cúis náire dúinn bheith ar bheagán Béarla inniu,' arsa an cailín ba chlóchasaí acu. 'Is é an cleite is airde inár gcaipíní teanga ár ndúthaí féin a bheith againn. Deireann sibhse gur Éireannaigh sibh; más ea, níl puinn dá chuma oraibh. Níl teanga na tíorach agaibh, agus rud níos measa ná san, níl an spiorad Gaelach ionaibh. Níl lán méaracáin d'fhuil Éirinnigh in aon duine den mbeirt agaibh, agus má tá, iarraimid ar Dhia sibh a bheith in bhur nGaeil chearta nuair a chasfar orainn arís sibh. Níl ionaibh ach seoiníní, dream ná réitíonn linn san oileán so.'

Ba mhór an trua nár thuig mo bheirt an chaint sin. Thuigeadar an focal seoinín ar a laghad, ach bhí tuairim acu ó fhaobhar na cainte ná beidís siúd ag scumhadh gheatairí dóibh. Mo bheannacht dóibh. Níl an Blascaod Mór glas ar fad ar na seoiníní seo.

Tagann siad chugainn isteach
Mar smúit ag teacht as an ngréin,
Drochmheas ar dhaoine eile,
Meas mór acu orthu féin.

Cuid de na cuairteoirí so a thagann don Oileán chun fanúint, cuid eile a thugann sciuird Domhnaigh i mbád gluaisteáin — ach ní hiad muintir Uíbh Ráthaigh iad. Is geall le siorcas bheith ag féachaint ar na núdaí nádaí so nuair a shroisid an caladh. Dar leo bíd tagtha san áit inar féidir leo a gcuid eolais a oibriú. Tuigtear dóibh nach cás dóibh a rogha rud a dhéanamh san Oileán. A shloigisc an Bhéarla, ísligí céim! Ghabh Domhnall Ó Buachalla, duine d'fhearaibh thábhachtacha na hÉireann, tríd an Oileán so agus ní fheadair éinne ann nó as é.[14] Níor chuir sé é féin in iúl. Dá gcuirfeadh, gheobhadh sé fáilte is fiche.

Seo chugainn anois na seoiníní. D'fhéadfá gach duine acu a phriocadh amach as an slua; bíonn siad marcálta ina slí féin, fé mar a bhíonn caoirigh an chró. Tosnaíonn siad so ag iarraidh bheith ag

[14] Ceapadh Domhnall Ua Buachalla ina Sheanascal ar Shaorstát Éireann i 1932; féach D. Breathnach agus M. Ní Mhurchú, *Beathaisnéis A Trí*, Baile Átha Cliath 1992, 69-70.

cleith-mhagadh fé mhuintir an Oileáin, ag stealladh a gcuid Béarla breá san aghaidh orthu. Béarla breá ag daoine go bhfuil Gaolainn bhlasta ag a muintir; Béarla breá ag dream go bhfuil a mhalairt acu; Béarla breá ag daoine ná fuil acu ach Béarla briste! Ní chamfadh na seoiníní a mbéal leis an nGaolainn.

Éinne go n-oireann an caipín dó, caitheadh sé é. A leithéidí seo de dhaoine nár cheart scaoileadh in áit Ghaelach ar nós an Bhlascaoid Mhóir. Ní hiad an dream ná fuil an Ghaolainn acu ach na spailpíní gan dealramh gan chrích gan aird, a bhíonn ag ligint orthu gurb iad féin brobh an dúna, agus a théann thar a ndícheall ag iarraidh a chur ina luí ar lucht na Gaeltachta gur cuma dóibh bheith marbh nó beo, an lá ná tuigfidh siad an teanga bhreá Bhéarla. Obair den tsórt so a chuirfidh agus atá ag cur an chéad bhorradh báis fén nGaeilge.

Bíonn ag rith riamh is choíche leis an ngadaí nó go mbeirtear air. Go dtaga an lá, agus nára fada go dtí é, go mbeidh 'dream an áil seo go céasta cráite.' B'fhéidir go bhfuil a ndóthain á fháil cheana acu den scéal. Tá lucht na tuaithe chomh maith leo inniu aon lá.

Tá aon rud amháin le rá i dtaobh formhór na stróinséirí a thagann don Oileán — ní theastaíonn uathu an spiorad Gaelach a ídiú ann. Mura mbíonn acu ach dhá fhocal den nGaolainn, bíonn siad ag casadh leo nó go mbuaileann a thuilleadh iad.

Déanann cuid acu — muintir Bhaile Átha Cliath go mór mhór —dul chomh fada le geansaí*s* ghorma agus bróga tairní a chur orthu féin; gan bacadh lena gceannaibh a lomadh go dtí an gcraiceann, agus an crombéal a stealladh anuas, aon rud a dhéanfadh cuma mhuintir na háite a chur orthu. 'Moltachán mór,' a thug Peig Mhór ar dhuine de na cuairteoirí a thug an íde seo air féin. Táinig sé isteach Dé Máirt chomh gléasta le capall, lena mhothall breá gruaige, a chroméal deas prioctha, ach fé Aoine bhí ceann is pus air chomh lom le drom mo láimhe. Thabharfadh éinne an leabhar gurb é Lomadh an Luain a bhí fachta aige. Gael ina steillbheatha ba ea é siúd agus a lán eile a chastar ar an mBlascaod Mór. Ach tá sé ráite riamh:

An long atá cumtha i gcóir is i gceart,
Imeoidh sí go mear fé sheol;
An rud a gintear sa gcnámh,
Is deacair a bhaint as an bhfeoil.

Níl aon duine a chuireann cos ar chaladh an Oileáin ná go mbíonn a chóiriú catha féin i ndán dó. Saghas caitheamh aimsire gan díobháil é seo, agus is mó sult is greann a baintear as. Go mion minic nuair a bhíonn an ghaoth fhuar nimhneach ag séideadh anoir — fuacht an domhain lasmuigh — nuair is maith an t-ancaire an t-iarta le hais tine bhreá chraorac, bíonn triúr nó ceathrar againn coigilte timpeall na tine ag cur an tsaoil trí chéile. Thosnaíodh Peats Sheáin ar stróinséirí an Bhéarla, agus an lá a dhéanfadh, níor chás duit tú féin a shocrú chun gáire maith. Bhí m'easnaíocha tinn an tráthnóna a d'eachtraigh sé an scéal so:

> Timpeall le fiche bliain ó shin ní bhíodh siúl na gcuairteoirí ar an Oileán chomh mór is tá inniu. Ní raibh tithe socraithe oiriúnach fé mar táid fé láthair, agus ní lú a bhí na mná ábalta ar ullmhú dóibh fé mar táid inniu. Tháinig an post lá. Bhí litir ann do Shéamas Eoghain. I mBéarla a bhí sí scríofa. Is é a bhí ráite inti ná go raibh beirt *ladies* ag teacht chun a thí ar lóistín. Focal an-mhór, an-eaglach, ba ea an ainm *lady* ansúd an tráth san. Ar m'anam gur tháinig ciall do na hOileánaigh ó shin.

'M'anam don diabhal,' arsa Séamas, 'ach ná seasóidh éinne leo. Bheadh an scéal olc go leor ar bheirt bhan mar éinne a theacht, ach beirt *ladies*! Níor chuir riamh ón dtigh sinn ach iad. An bhfuil aon tuairim agatsa do l*ady*?' arsa é sin lena mhnaoi, Síle.

'Mná caola tarraingthe is ea iad,' arsa Síle, 'agus chuirfidís cosa fé chearca lena gcuid aighnis. Ní hé sin, ach thabharfaidís an tuile tharat dá n-éireodh orthu, rud is go ndéanfaid mura bfaighid an freastal ceart.'

Ba é a tuairim siúd go gcaithfeadh bean a bheith caol fáiscthe chun *lady* a ghairm uirthi; is mó *lady* sa tsaol inniu mar sin. Fuarthas ullamh do na *ladies*, is thángadar don tigh. Sin a raibh ann ach nár lig Síle béic nuair a leag sí súil orthu. Is amhlaidh a bhí duine acu is lán na cistine inti, agus an *lady* eile gach re lá léi maidir le toirt, agus slán beo mar a n-instear é agus eachtra an drochscéil i bhfad uainn, coiscéim bhacaí inti.

'An sibhse na *ladies*?' arsa Síle leo, ag breith ar láimh orthu. Smiog ní raibh astu, ach bhí garsún beag lena gcois a d'fhreagair dóibh. Focal Gaolainne níor thuigeadar, ach bhí an leaid beag mar theanga labhartha acu nuair a chruadh an scéal orthu. Ar maidin a bhí chugainn, sháigh duine de na *ladies* a ceann aníos as doras thóin an tí. Bhí cuma ghramhsach go maith uirthi.

'*We want rashers and eggs for breakfast, please*,' ar sise go stóinsithe, ag dúnadh an dorais arís. Tuigeadh na *eggs* thuas maith go leor, ach maidir leis na *rashers*, cén diabhal stuif iad súd?

'Cad a bhíonn ag na *ladies* i dteannta na n-ubh, a chroí?' arsa Síle leis an dteanga labhartha nuair a fuair sí sa chistin é.

'Bíonn,' arsa an garsún, 'feoil rósta.'

'An b'shin iad na *rashers*, a chroí?'

'Is iad,' ar sé agus fáth an gháire ina bhéal.

[...] Iompaíonn an scéal ar stróinséirí fir inniu. Bíonn a rith leo riamh is choíche nó go n-ardaíonn siad leo cailín óg fíorGhaelach ón Oileán, agus cuirid suite ina gcúinne féin í. Beannacht is rath Dé orthu toisc so a dhéanamh. Ní bheidh aithreachas orthu le cúnamh Dé — is fearr bean ná spré aon lá.

A uaisle atá ar intinn dul don Bhlascaod Mór, téir ag lorg comhairle i dtaobh na háite ar an té atá ceangailte le duine ón Oileán. Seo í a gcomhairle duit, tóg nó fág í:

Gabh siar is aniar.
Bain stiall den lá;
Tabhair tamall don bhfuath,
Tabhair tamall don ngrá.[15]

[15] Féach thíos Aguisíní: 5 'Cuairteoirí i dTigh na Scoile'.

Ceo Draíochta

Ní bréag 'Tír na nÓg' a ghairm ar an Oileán Tiar sa tsamhradh — Tír na nÓg, agus talamh an tseoigh. Tagann laethanta ann a chorródh agus a shocródh an croí ba chrua is ba dhuibhe; tagann oícheanta fionnuara boga gealaí ann a thógfadh na mairbh as an uaigh. Oíche de na hoícheanta so, ach gan an gealas a bheith chomh mór ann, is ea a bhí rince is seó, amhráin is cantain i dtigh an Ghuithínigh. Oíche cheoigh ba ea í, oíche bhog mharbh, sa tslí sin duit go raibh sobal allais ar na hógánaigh a bhí ag casadh timpeall le dhá uair a chloig. Bhí fionnuaire bhreá ar an dtaobh amuigh de dhoras agus tar éis a bhabhta a bheith déanta ag gach éinne, bhrúdh sé go béal an dorais chun lán a bhéil a fháil d'aer breá sláintiúil na hoíche.

'Ó, nach diail an scailp cheoigh í,' arsa Páid Thomáis, nuair d'fhéach sé timpeall air lasmuigh de dhoras an tí. 'Tá sé ina bhraon breá allais orm,' arsa é sin arís.

Bhí leis. Bhí ceann allais ar an ngarsún bocht is gan éinne ag iarraidh a sheirbhíse air. Táim siúrálta nach mó ná buíoch a bhí pé cailín a bhí ag rince aige leis — bhí barraíocha a bróg smiotaithe aici ag iarraidh é a chasadh agus gan aon luid de na lúidíní fágtha uirthi ag a sheanbhróga móra tútacha tairní. Ach is dóigh le fear na buile gurb é féin fear na céille. Is mó dá bharr a bhí amuigh ag Páid tar éis an rince. Ba gheall báis leis nó óráid a thabhairt uaidh i lár an tí ar a ghaisce — dhéanfadh dá mba dhóigh leis go dtabharfadh éinne cluas dó. Is ea, do shearr Páid é féin go maith ar an mbuaile amuigh. Bhí speabhraídí an rince air, agus an rancás dulta chomh mór san sa cheann aige go raibh sé ag casadh timpeall is gan duine chuige ná uaidh. Duine leis féin ba ea Páid, ach dá dtuigtí i gceart a mheon, b'fhurasta teacht timpeall air.

Pé gleotháil is casadh a bhí air, ráinig leis súil a thabhairt ar an Ród, agus má ráinig, ní raibh a shúil gan rud a fheiscint agus as go brách leis an scéal ansan — 'rún caillí go hamacháin'.[16]

'Haí,' a ghlaoigh sé amach sa láthair ina raibh sé, ar scata a bhí taobh na binne, 'haí, chonac solas sa Ród. Tá duine éigin le himeacht. Allaíre thuas oraibh,' arsa Páid, ag druidim leo. 'Haí, arís a deirim libh; tá solas thiar sa Ród, pé acu chun maitheasa nó chun olcais a tháinig sé ann.'

Chun aghaidh a chaoraíochta a bhaint díobh agus chun sásamh a dhéanamh ar an simpleoir, fé mar a mheasadar, dhírigh na leaideanna an tsúil ar an Ród. Bhí an drochmhuinín as Páid, sa tslí is ná facadar aon tsolas ar dtúis, nó má chonaic éinne féin é, chás dó é ligint air.

'Caithigí uaim í mar chaint,' arsa duine de na buachaillí sa deireadh. 'Ach níor cheart an bhreith a thabhairt ar éinne; tá an solas ann mhuis, chím é.'

'Ó, chímse leis é,' arsa fear eile. 'Agus mise,' a scairt duine thuas ag barr na binne, 'solas lasáin.'

I gceann neomaite bhí sé le feiscint ag a raibh sa láthair. Bhí sé ann, solaisín beag caol. Bhíodh tamall múchta aige, agus tamall ar lasadh. Uaireanta thaibhsíodh sé ní ba dheirge is ní ba thoirtiúla ná a chéile. Solas ait ba ea é. É oíche Dhomhnaigh i lár an Róid — áit nár chuaigh bád ná árthach riamh, ach ceann a bheadh ar mhíthreoir, agus rud ní ba mheasa ná san, an oíche is an áit chomh dorcha is ná feicfeá méar a chur i do shúil ag ceo.

Gan smiog a labhairt le lucht an rince sa tigh, agus gan smaoineamh ar an spórt a bhí á fhágaint acu, d'fháisc na buachaillí a gcasóga timpeall orthu agus chuireadar díobh sa rás go dtí an caladh.

---

[16] Mínítear ar an nath 'rún caillí go hamacháin' in *Thar Bealach Isteach*, 89, mar seo: *ní choinníonn cailleach rún.*

Toisc an fuinneamh a bheith iontu, is an óige a bheith acu, níor thóg sé i bhfad ó cheathrar naomhóg a thógaint den stáitse, í a bhualadh ag bun an uisce agus í chur ar snámh ar an linn. Phreab an ceathrar isteach inti. Bhí ardú beag déanta ag an gceo.

Ba dhóigh le duine gur fear cloigín a bhí curtha amach — ní raibh an naomhóg ach béal na trá siar nuair a bhí an baile ar barr ithreach, is ní gan chúis é: bhí solas le feiscint thiar sa Ród, áit charraigeach dhainséarach; bhí ceo trom ann i dtosach na hoíche agus ar feadh an tráthnóna, agus bhí dhá bhád ón Oileán imithe ar chomhairí go Ceann Trá tar éis an aifrinn i nDún Chaoin.

Tá sé mar rá ar an gcine daonna gurb é an focal mídhóchasach a bhíonn acu i gcónaí. Níor thaise sin do na hOileánaigh an oíche Dhomhnaigh úd. Ní chreidfidís ón sagart ná gurb amhlaidh a thug lucht na mbád fé sa cheo, agus gur cuireadh as treoir iad toisc gan compás a bheith acu, agus gurb é áit ar dhíríodar air ná ar an Ród. Dá ndéanfaidís a leithéid, bhíodar caillte go deo. In ionad an fharraige a aimsiú ansúd sa doircheacht, is é an áit go dtiocfhaidís air ná ar na stacáin. B'shin deireadh go deo leis an naomhóigín — dhéanfaí smidiríní di fé mar a dhéanfadh tua de chipín briosc.

Is ea, b'shin é an scéal a chuaigh i gceannaibh mhuintir an Bhlascaoid. Maidir leis an solas, bhíodar suite meáite air, gurb amhlaidh a ghreamaigh duine praitinniúil éigin stacán, agus toisc gur ag trá a bhí an t-uisce, choimeádfadh sé an spiara a bhí aige nó go dtiocfadh tosach tuile.

Ach cad as a thiocfadh an solas? Má chuaigh caonaí bocht an stacáin i bhfarraige, fliuchadh a raibh air — conas a d'fhéadfadh sé lasáin thiorma bheith aige — míorúilt! Á, ach ná raibh Mícheál Liam ina measc? Níor choimeád san riamh lasán ina phóca; in airde ina chaipín a chuireadh sé a mbíodh aige acu. Bheidís tirim te ansúd le seans. Is ea, bhí an scéal réitithe: thug na báid fé, chuadar amú, bhuaileadar sa Ród; deineadh cinstear de na báid, agus bhí Mícheál Liam fén dtráth so ar spiara cloiche, ag déanamh comharthaí le súil is go dtiocfadh duine éigin ag fóirithint air. San am is go raibh na fírinní seo go léir curtha os cionn a chéile ag na hOileánaigh a d'fhan ar an bport, bhí sé suas leis an am ag an gcriú a d'fhág a bheith tagtha le scéala éigin, pé acu ar fónamh é nó gan a bheith.

Ba í an fhoighne fhadfhulangach í ag an ndream a bhí ag feitheamh. Ní raibh an bád ag teacht, agus oiread aga caite is go mbeadh sí i nDún Chaoin is thar n-ais. Bhris ar an bhfoighne ag na mná sa deireadh. B'sheo leo, cuid acu amuigh ar na poirt, cuid acu ina dtithe féin ag caoineadh is ag fuarcháiseamh. Caoine dáiríre ba ea é. An dream ná raibh ábhar caointe acu i dtosach, bhí sé acu ansan, mar ná creidfeadh éinne ná gur síos a d'imigh lucht na fóirthinte i dteannta na coda eile. Cá bhfios d'éinne ná gur solas millteach éigin a bhí thiar — solas a bhí ag iarraidh a thuilleadh a bhreith leis, i dteannta a raibh de scrios déanta?

Na seanóirí gur dhóigh leat gur cheart go mbeadh léas éigin meabhrach acu, dhein solas an Róid leathaerach iad. Scaip na mná pé splanc meabhrach bhí acu — idir an gcoirt is an gcraiceann, sánn an bhean í féin isteach. B'sheo le Peig Aindí amach ar an mbuaile, í ag greadadh bas, is ag caoineadh Mhuirisín. Chuala Micil Pheaidí í, is dhruid léi:

'Go bhfága Dia do chiall agat, a bhean,' ar sé, is gan aon fhonn magaidh air.

'Ó, áiméan a Thiarna,' ar sí. 'Cad a phrioc sinn is ligint do na gliogairí úd imeacht go déanach? B'fhurasta aithint dom, go raibh an coileach so thiar ag fógairt rud éigin inné — dhein sé trí ghlao uaibhreach i lár an tí agam. Ó, Dia linn! Nach mór an scrios é, a raibh de gharsúin bhreátha shlachtmhara ar an mbaile slogtha, agus gan teasargan le déanamh orthu. Nach mór an obair nach ceathrar agaibh féin a d'imigh, a Mhicil. Sibh ab fhearr — an seanmhadra don mbóthar fada. Is fearr daoibh dul ar a dtóir fós. Le seans, bhéarfadh sibh ina mbeathaidh orthu.'

'Rachainnse ag déanamh na maitheasa dá bhfaighinn cur liom,' arsa Micil. Bíonn éisteacht ag an gclaí; cé bheadh lastiar de Mhicil ach a bhean, gafa anuas ó bhéal a doiris féin.

'Cad é seo agat á rá?' ar sí. 'Ní chuimhneofá ar a leithéid — dul sa dainséar, is gan éinne leat féin ann. Níl agamsa sa tsaol ach tusa, mo sheanduine bocht agus ní scaoilfead leat. Má ghabhann an dánaíocht lastuas díot, leanfad tú. Ach,' ar sí, ag teacht ar athrú comhairle, 'abhaile leat, abhaile as san leat! Tá an tae fuar ort.'

Fear breá sochma ba ea Micil. Ligeadh sé cead a dteanga leis na mná ach smachtaíodh sé iad ina dhiaidh sin — sonuachar don donuachar a hordaíodh.

'I dteannta a chéile is fearr sinn, a Mháire, a chroí,' ar sé. 'Seo, téanam ort,' ar sé, ag dul ag triall ar a dholaí agus ag bualadh bun an gharraí síos.

Fuair sé triúr seanduine eile ag fuireach leis ann. D'imigh na seanmhadraí i mbád an tráigh siar. Cé go raibh eagla agus faitíos ar gach éinne, bhain an naomhóg úd gáire amach. Bhí laindéar mór ar lasadh, é crochta ar láimh an fhir dheiridh, agus an solas ag titim is ag éirí, de réir mar a bhogadh an naomhóg léi de dhroim na dtonn. Coimeádadh radharc ar bhád an tsolais, nó gur ghlan sí Beiginis. Ansan d'imigh sí as radharc. Nuair a measadh an Ród a bheith sroiste aici ní fhaca éinne solas an laindéir. Ní lú ná mar a bhí an solas draíochta le feiscint an tráth san anois. Ó, Dia go deo linn, lán báid eile imithe gan tásc gan tuairisc!

****

'Cabhair Dé chugainn,' an chéad rud a dúirt gach éinne, 'maireann cuid éigin acu.' Bhí ciúnas na reilige san áit, croí gach éinne ar sciobadh ag fanacht le scéala. Shrois an solas An Bheannaigh, carraig mhór ard idir an tOileán is Beiginis; chualathas amhrán breá Gaolainne casta in airde ag dream an tsolais! Aithníodh na hamhránaithe — na chéad slatairí a d'imigh go fuadrach fé dhéin an Róid. An-dhea-chomhartha ba ea na hamhráin a bheith ag teacht acu — ní raibh corpán ar bord acu pé scéal é.

Bhí oiread san faire is suime i mbád an tseoigh is an tsolais gur shleamhnaigh na seandaoine isteach ar an gcaladh; ní fhaca éinne iad gur chualathas iad ag tarrac na naomhóige aníos. Rith scata síos chucu, agus dheineadar boghaisín ina dtimpeall: 'Eachtraígí dúinn go tapaidh,' ar siad. D'eachtraíodar — bhí na slatairí sa tráigh ar bord báid bhig phléisiúir agus gan aon cheal dí ná toitíní orthu!

D'imigh gach éinne an tslí suas. Cuireadh na seanmhná bochta cráite chun suaimhnis ach bhí codladh na hoíche curtha i vaighid ar chuid acu, mar ní raibh báid na sochraide tagtha, agus é ag tarrac go hard ar a haon déag a chlog san oíche — cuid de mháithreacha na hainnise, gach rud á gclipeadh ó éiríonn siad go luíonn siad!

Níl aon ghaoth ná fóireann ar dhuine éigin! An chéad dream a chuaigh fé dhéin an tsolais, bhí a gcoileach glaoite. Bhí an oíche fén dtor acu de bharr a gcuid saothair. Nuair a shroiseadar an Ród, cad a bheadh, ná bád gléigeal bán istigh i gceartlár na stacán agus dá dtráfadh uathu, bhí an bád ina chipineach acu. Bád ba ea í a chaill a stiúir, gan inti ach beirt fhear agus tóirse beag acu ag coimeád solais dóibh — ábhar na gleithearála go léir.

Chuir criú an Oileáin caint orthu, amach as Gaolainn gan dabht, ach ní fheadair lucht an bháid bháin ná gur ón nDomhan Toir iad, focal níor thuigeadar. Stiall muintir an Oileáin pé graibheasáil Bhéarla a bhí acu leo — dealraíonn an scéal ná rabhadar chomh dona is tá teist orthu, mar thuigeadar féin a chéile go blasta. D'admhaigh na slatairí go raibh an riabhach féin de thine ag lucht an bháid ar a gcuid Béarla, ach is dócha ná beadh sé róchrochta acu san am is go mbainfidís stad as dream ná cloiseann focal Béarla ó cheann ceann den mbliain. Ba é Tadhg an Oileáin an chéad fhear a labhair. Tá an-phiseoga ag baint leis siúd.

'An ó Dhia nó ón ndiabhal tú, a bháid?' ar sé. Aon fhocal níor labhradh. Conas a dhéanfaí?

'An maireann éinne ionat, a bháid?' ar sé. Níor tháinig aon fhreagra arís.

'Bá, bascadh is múchadh ort mar bhád, muran drochmhúinte an dream atá ar bord agat,' ar sé arís.

Leis sin, phléasc an chuid eile de chriú an Oileáin ar gháirí. Ba mhaith an té ná bainfeadh Tadhg gáire as — an gotha a bhí air an uair sin — é ag tomhas an mhaide rámha leis an mbád; geall báis leis nó caint a bhaint as adhmad.

Ba iad na gáirí a dhein caradas idir dream an dá bhád. Thuig lucht an bháid bháin nárbh aon drochdhream a d'fhéadfadh gáire chomh geal-gháireatach a dhéanamh. Bheannaigh na stróinséirí dóibh agus b'sheo garsúin an Oileáin ag stealladh an Bhéarla chucu. Chuaigh díom riamh an comhrá Béarla a bhí eatarthu a chlos, cé gur minic a thriaileas é a phriocadh ó na slatairí. Ní raibh na comharthaí cuain rómhaith ag beirt na válcaereachta; is é an áit a cheapadar go rabhadar ná lastuaidh d'Fhiach an Fheirtéaraigh. Níorbh fhearr dóibh an dainséar ina rabhadar a thuiscint, mar thitfeadh an t-anam astu.

Moladh gach éinne an t-áth mar a gheobhaidh. Níorbh ionadh dá molfaidís siúd go hard na gréine na hOileánaigh tar éis na hoíche úd. D'fhág gach éinne an naomhóg ach duine; cheanglaíodar den mbád gléigeal í; tharraing sí sin a hancaire agus stiúraigh garsúin an Bhlascaoid an Ród amach í, ceann Bheiginis aduaidh nó gur shrois sí béal na Trá Báine, áit shábháilte di chun ancaire a chaitheamh i bhfarraige. Bhí fear na naomhóige ag stiúradh a bháidín féin ina diaidh aniar, í ag déanamh stracadh maith tríd an bhfarraige agus é ag cuimhneamh gur mhaith a d'oirfeadh a leithéid dó i gcónaí — ní bheadh an croí stractha as ag an sclábhaíocht.

Ní raibh a bhac ar gach éinne ansan bheith ag rancás is ag rince leo. Ní thiocfadh aon taoide a bhogfadh an t-ancaire mar is maith a bhí a fhios ag na hOileánaigh cén talamh a bhí oiriúnach chun é a chaitheamh amach ann. Bhí flúirse uisce beatha is gach deoch ní b'fhearr ná a chéile le fáil ag lucht saortha an bháid, agus níorbh ionadh dá mbeadh fonn amhráin is spóirt go maidin orthu tar éis an caladh a bhaint amach. Ní bheadh a fhios ag éinne ar an mbaile cén t-am a d'fhágadar an bád mura mbeadh gur chuireadar féin iad féin in iúl. Thugadar cúrsa an bhaile isteach am mhairbh na hoíche, gan eagla roimh phúca ná póilín orthu, ach gach re amhrán is port acu nó go raibh an baile, ó thigh Sheáin Mhicil go tigh Pheats Tom, ina chíopróp agus gach caonaí ann dúisithe, pé méid suain is mar bhí air.

Dúisíodh mé féin. Is é mo thuairim ná cuirfí aon chaduaic orm agus ná luífeadh mórán den ngleo orm, ach bhí mo dheirfiúr Neil san Oileán an oíche chéanna. Bhean chlis í siúd, is dá scaoilfí léi, bhí sí thiar sa Ród ina dteannta den gcéad iarracht. Is ag bean Mhuiris Eoghain Bháin is fearr atá a fhios cad iad na bóithríní a bhí á thaibhreamh di siúd an oíche Dhomhnaigh sin.

Tá sé ráite riamh go n-aithníonn ciaróg ciaróg eile; aithníonn fear seoigh fear seoigh eile. Tháinig na buachaillí bána fé bhun na fuinneoige; ní rabhadar ag déanamh aon díobhála, faic, ach ag amhrán dóibh féin, amhrán a bhí cumtha acu i dtaobh Neil, agus nár chuala i gceart go dtí an oíche sin. Agus mura raibh fonn acu air, ní lá fós é; níorbh é fonn an bhaile mhóir é leis, ach fonn breá trom duaisiúil. Seo é an t-amhrán; ní déarfad cé chum é — neosfaidh sé féin é:

A Eibhlín Ní Shéaghdha, 'sé mo léan ná faca tú in am,
Dar Muire, ní bréag ná gur tú an péarla is deise sa domhan;
Tá do dhá shúilín gléigeal mar réalta ag taitneamh id cheann,
Is a bhláth na sú chraobh, id dhéidh ní mhairfead go Samhain.

A Eibhlín Ní Shéaghdha, guím faid saoil chugat trasna na bá,
Is gura fada go dté do ghéaga geala fén mbán;
Dá neosainn mo scéal duit, ní baol ná go dtuigfeá mo chás,
Is do leigheasfá ón éag mé, a phéarla an brollaigh ghil bháin.

Is a fhir úd thíos bí mín ciúin cneasta lem ghrá,
Mar is binne lem chroí í ná an fhaoilean ar linn loch ag snámh;
Tagann osna óm chroí nuair chím chomh ceangailte is táim,
Is mura bhfaigheadsa mo mhaoineach, 'sí an chill is leabaidh dom chnámha.

A bhláth na sú chraobh, beir mé féin leat trasna na dtonn,
Mar is follas don tsaol led scléip gur mheallais mo mheabhair;
Níl aon ógbhruinneall séimh deas ar an dtaobh so de Bhaile na nGall,
Ná gur thugais an chraobh uathu, a dhrúichtín meallta na ngleann.

Bhí gá le luí tharstu go lár an lae Dé Luain ag a raibh san Oileán tar éis suaitheadh is airneáin na hoíche roimh ré. Do na garsúin féin ba mheasa é, mar bhí orthu lá iascaigh a chur isteach, agus is dócha nach aon uair amháin a bhí 'bá is bascadh' fachta ag na gliomaigh ó Thadhg, san am is gur tháinig maol an tráthnóna.

Nach bog a thógann daoine óga a muintir. Ní thuigid, cé go mbíd féin slán sábhálta, i gan fhios d'éinne go mbíonn an mháthair bhocht ón gcúinne go dtí an ndoras agus ón ndoras go dtí an mbuaile, agus líonrith ar a croí, ag tnúth lena leanbh, pé acu óg nó aosta, gur chóir dó bheith tagtha ach nár dhorchaigh an doras fós. Tá gach aon tsaol ag athrú, nithe go dtagann feabhas orthu, a thuilleadh rudaí gurb é a mbuaic an sean-nós nó an seanchló a choimeád orthu. Tiocfaidh lá fós ná cuirfidh máithreacha oiread suime ina gclann, lá ná faighid oiread trioblóide uathu is a d'fhaigheadh clann na seanmhuintire.

Éinne a mhaireann, fóireann sé. Tháinig lucht na sochraide. Bhuaileadar isteach chugainn, gan aon náire tríd orthu ar a seacht a chlog ar maidin. Má bhí an oíche istigh caillte acu, bhí oíche chomh maith sa Chom acu. Bhí a rian air, ní thugadar fé ndeara go raibh an ceo scaipthe timpeall a haon déag. Nuair a chuaigh an ceol sna cluasa acu ba dheacair iad a stracadh ón gcuileachta — luíodar leis an áthas a bhí acu.

Bainis i dTigh an tSagairt

Is minic a théinn ag bothántaíocht i dtigh Chití. Bhíodh tine dheas bhrosanta aici, cathaoir shúgáin sa chúinne agus níorbh fhearr liom a bheith sa tigh ósta ab uaisle in Éirinn ná bheith suite ansúd ag comhchaint léi. An-bhean scéalta ba ea Cití. Ní scéalta Fiannaíochta a bhíodh aici — níor ghrás riamh iad — ach scéalta a bhaineas le beatha an duine, scéalta a bhaineadh léi féin agus lena muintir. Mhairfeadh Cití ag eachtraí ar ghrá is ar ghruaim. Is minic a bhaineadh sí an braon ó mo shúil lena scéalta bróin — a cathú féin is dólás a muintire. Ach chomh siúrálta is tá cruit ar leathphingin, dá dtagthá ar mo sheanbhean agus í ag réiteach a dúidín dubh cré i gcomhair a líonta, bhí an tráthnóna fén dtor agat. Gheofá an grá ar a fhaid is ar a leithead; sula bhfágfá leac na tine d'fhéadfá croí agus aigne an té a dúirt na focail seo a thuiscint:

> Fógraim an grá, is mairg do thug é
> Do mhac na mná úd ariamh nár thuig é;
> Mo chroí i mo lár gur fhág sé dubh é,
> Is ní fheicim ar an tsráid ná in áit ar bith é.

Tá cuid mhaith taoidí gafa an Bealach anois ó thosnaigh Cití ar chur síos dom lá, agus clab orm ag éisteacht, ar an anró is an crá croí a bheir ar a máthair féin nuair a bhí sí sna déaga. Chuireas spéis sa scéal an fhaid is bhí sí á insint. Ina dhiaidh sin scaoileas leis an ngaoith é trí mo chluasa. Caithfead iarracht a dhéanamh anois ar na smaointe a chnuasach chugam arís:

Aimsir na hInide a bhí ann. Bhí Micí Sé san Oileán Tiar go guairneánach ag lorg mná. Bhí tonn dá aois tagtha ach ní san a lochtódh é, mar bhí a phóca fé aige. Agus nárbh ait an rud é, cé go raibh flúirse is fairsinge ag Micí, ní raibh na mná — an chuid ab fhearr díobh — rómhór ar a éileamh. An t-aiteas thar barr ar na mná — b'fhearr leo go minic gaige fir gan chrích gan aird ná duine doimhin tuisceanach! Is leis an ngaige is mó a thitfidís i ngrá is ní le fear gasta a chothódh go bog iad. Ach ní raibh fear gan chrích gan aird le fáil riamh san Oileán.

Is ea, go luath san Inid, chuir Micí scéala chun Shiobhán Dhónaill, slataire de bhean bhreá scafánta, agus ba é a hainm é, a bhí ábalta ar a gnó a dhéanamh go slachtmhar. A huncail a thug an chéad tuairisc do Shiobhán go rabhthas ag cur an chleamhnais ar na bioráin; bhí labhartha leis an athair. Ní mór ná gur thit an t-anam aisti nuair a nochtadh an scéal di.

'Nár chuire Dia aon droch-chló orainn,' ar sí, 'má tá Micí Sé in áirithe domsa, fear nár dhein babhta rince riamh i lár a bhfuil de bhuachaillí ar an mbaile; fear nár chaith pingin riamh ar aonach ná ar mhargadh le cailín. Diúltaím dó,' ar sí go searbhasach. 'Ní theastaíonn sé uaim.'

An bhfuil éinne láithreach a thuigeann scéal Shiobhán? Conas a theastódh Micí Sé uaithi, nuair a bhí a croí leagtha le Peats Shéamais. Bhí sí i ngrá leis agus na mionnaí tabhartha ag an mbeirt acu i gan fhios d'éinne ach do Dhia go mbeidís ag a chéile, dá mbeadh is go raghadh an gabhar don teampall [...]

Bhí an buille buailte, is an baile mór dóite. Níor labhair Siobhán smiog. Bhí a fhios aici cén scéal ag a hathair é — an rud a chuirfeadh sé roimis, bhí san déanta. D'éirigh sí go cúthail is chuaigh ina seomra féin. Bhí tocht ar a croí is gan éinne aici chun a scéal a nochtadh dó. Cé go raibh Siobhán os comhair a hathar ag fáil lochtaí ar Mhicí Sé, ina haigne bhí an fear rómhaith di — bhí sé gustalach, tigh breá aige is gan éinne chuige ná uaidh [...]

Cuathas don Daingean lá arna mháireach — Siobhán is eile. Bhí sí cainteach cairdiúil le Micí Sé ar son a hathar. Má bhí brón ar a croí níor thaispeáin sí é; d'fhulaing sí ar son a hathar. Níorbh ionadh go dtabharfadh Dia a luach di, agus thug leis — fuair sí grásta an éagóir a fhulaing go foighneach. Seachtain ó lá an Daingin a beartaíodh ar lá na bainise. Máirt ba ea é. Go moch ar maidin Dé Máirt ghluais bád na lánún amach ón gcaladh. Ní raibh aon chailín ann ach Siobhán is an té a bhí chun seasamh léi; bhí cúigear fear ann is an baitsiléir.

As a gcosa a bhaineadh daoine an uair sin é chun smut de bhóthar a chur díobh. Sula bpósfaí an bheirt chaithfeadh bileog a bheith acu ó shagart an Daingin, agus d'imigh Micí fé dhéin an bhaile mhóir. Lig sé leis an gcuid eile an bóthar ó thuaidh chun an Bhuailtín. Cuireadh na mionnaí air bheith i láthair shagart paróiste an Bhuailtín, thar n-ais in am tráth. Is ea, bhain an dream eile is an bhean óg tigh an tsagairt amach. Shuíodar istigh ag feitheamh le filleadh fhear na bileoige. Bhíodar foighneach go maith mar nár thosnaíodar ar é féin is a bhileog a fhógairt in ainm an diabhail nó go rabhadar a ceathair nó a cúig d'uaireanta an chloig ag brath leis. Bhí maol an tráthnóna ann is gan é ag teacht.

Ní raibh aon dealramh ar bheith ag moilliú níos sia, chaithfeadh na hOileánaigh idir fhearaibh is mhná cúinne éigin a bhaint amach i gcomhair na hoíche. D'éirigh duine de na fearaibh sa deireadh, agus dúirt leis an gcuid eile go raibh sé chomh maith acu bheith ag bogadh leo agus áit éigin a fháil go sínfidís amach a gcosa i gcomhair na hoíche. Chonaic an sagart paróiste fonn imeachta orthu.

'Cá bhfuileann sibh ag dul anois?' ar sé. 'Ní fén Oileán a thabharfaidh sibh agus gan cuing an phósta curtha ar an mnaoi óig seo fós.'

'Caithfimid ár gcosa a shíneadh leis an mbóthar as so go hArd na Caithne, a Athair,' arsa Donncha, an chéad fhear a labhair. Bhaineadh an sagart an-ghreann as an bhfear céanna.

'Ní gá daoibh é sin a dhéanamh,' ar sé; 'tá tigh an tsagairt chomh hoiriúnach le haon áit eile daoibh go maidin.' D'ordaigh sé do na seirbhísigh tine agus suipéar a ullmhú do na daoine bochta ón Oileán go raibh a mboilg folamh. Dúirt sé leis an mbuachaill aimsire an gath a bhíodh ag leagadh na feola aige a thabhairt do Dhonncha. Thóg seisean an gath.

'Leag anuas anois,' arsa an sagart, 'an píosa feola is fearr leat den bhfeoil sin ar crochadh, agus cuirfeam corcán maith síos di.'

Thug Donncha fén bhfeoil leis an ngath, ach dá n-íosfadh sé a fhiacla agus ocras a bheith air go ceann seacht mbliana, ní fhéadfadh sé aon phíosa a leagadh. Ba mhór an obair gur chuaigh an méid sin d'fhear an Oileáin! Dhein an sagart paróiste a dhóthain gáirí fé — is chuige sin a dhein sé é. Bheir an buachaill ar an ngath sa deireadh agus leag sé anuas gan aon dua spóla maith feola — gach éinne mar mháistir ar a cheird féin. Gearradh síos lán corcáin d'fheoil, agus corcán prátaí, agus leigeadh dóibh beirbhiú. Nuair a bhí aga a ndóthain caite ag fiuchadh acu, do leagadh amach dhá bhord faid na cistine. Cuireadh scian is forc chun gach éinne. Shuigh na hOileánaigh chun boird agus níor ghá puinn tathanta mar bhí coileach ina ngoile le hocras. Chuir bolaith breá saibhir na bprátaí is na feola uisce lena bhfiacla. Bhí an dúil mharfach acu iontu.

Ní fheadar cad mar gheall ar Shiobhán; is dócha go raibh sí ag cuimhneamh ar an straoille d'fhág ar maidin í chun dul ag lorg cead pósta is nár tháinig chun tíreachais fós. Déarfainn ná beadh aon rud uirthi mura bhfeiceadh sí choíche arís é. Ní chasfadh sí a holagón air pé scéal é, agus b'shin ardchomhartha uirthi. Ach murar ith Siobhán a dóthain ní raibh éinne le milleánú ach í féin. Glanadh síos na boird, ghabh na hOileánaigh pardún agus buíochas leis an sagart paróiste a thug cóir bídh chomh fáilteach flaithiúil dóibh.

An bolg lán is na cnámha ag iarraidh suaimhnis, shearr gach duine amach é féin ina chathaoir. Ní raibh aon dealramh le corraí nó go mbeadh an greim titithe. D'fhág an sagart an chuideachta. Níorbh fhada amuigh dó, nuair d'fhill sé le buidéal mór biotáille. Thug sé a shíntiús féin do gach fear, agus níorbh é síntiús mhná an duilisc é. Suite thuas sa chúinne i rith na haimsire bhí seanbheainín liath a bhíodh ag freastal ar na cearca i dtigh an tsagairt. Nuair a bhí seisean ag gabháil amach thar n-ais leis an mbuidéal tháinig dúil sa bhraon aici, agus dúirt go neamhfhiúntach: 'Mhuise, a Athair, iompaigh aníos ar chroí bocht lag, agus cuimhnigh ar bhraon éigin a thabhairt di.' Agus fuair.

'Ní fhaigheann sagart balbh beatha, a chairde,' ar sí nuair bhí an doras glan ag an sagart.

Nuair a chuaigh an braon féna bhfiacail, i dteannta pé méid eile a bhí thiar ag muintir an Oileáin cheana, sin a raibh ann ach nár bhaineadar an díon den dtigh le fuinneamh na n-amhrán a chasadar in airde. Níor fágadh 'An Mhéirdreach Bhuile', '*Beauty* an Oileáin', 'Cuilt an Oileáin', ná aon tseanamhrán a chum a bhfile féin gan rá, agus níorbh aon iontas murarbh fhéidir na fearaibh a chlos ag poll do chluaise ar maidin amáireach le ciach. Amhráin dhiaga a theastaigh ó na mná a déarfaí i láthair sagairt. Cheapadar ná raibh aon nádúr daonna ann, ach bíonn uaireanta; réitíonn ábhar spóirt leis chomh maith le fear.

Bhí sé ag tarrac go hard ar aimsir chodlata nuair a d'ordaigh an sagart paróiste do na seirbhísigh cóiriú fé na fearaibh, agus ó ná raibh ann ach an bheirt bhan, fuaireadar san slí i dteannta na gcailíní aimsire. Ní tocht lom ná adhairt sheang a bhí ag éinne a chodail i dtigh an tsagairt an oíche sin. Ar maidin bhí an tigh ar barr ithreach. Bhí lucht an phósta éirithe leis an réiltín, agus na fearaibh imithe ar fud an Bhuailtín féachaint an bhfeicfidís aon rian de Mhicí Sé. Ní fhacadar; d'fhilleadar ar thigh an tsagairt arís.

'Comharthaí de siúd níl le feiscint, a Shiobhán,' arsa a hathair leis an mnaoi óig. 'Dia idir sinn is an t-olc, is dócha nach aon dea-rud a d'éirigh dó.'

'Cad a bheadh le héirí dó' ar sí, 'ach é bheith marbh i gclais nó i bpóirse éigin tar éis na hoíche, nó é bheith imithe le bean eile? Má tá sé marbh, beannacht na ngrást lena anam; más éalaithe le bean eile atá sé, imeacht gan teacht air. Má thagann sé slán folláin fé a haon inniu, pósfar sinn, ach nóiméad níos sia ná san, ní fhanfainn leis. Is ar a tharrac atá a shábháil aige.'

'Go seola Dia chugainn in am é,' arsa an t-athair.

Níor scaoileadh na hOileánaigh amach as tigh an tsagairt ar maidin gan bricfeasta maith substainteach i slí is go rabhadar ag léimeadh as a gcraiceann le neart teaspaigh ag cur an gheata amach díobh. Nár thábhachtach an dream iad; oíche caite ag meitheal acu i dtigh an tsagairt, rud nár dhein éinne rompu is nár deineadh ó shin — bainis acu ann. Bhí san go maith ach tásc ná tuairisc Mhicí ní raibh le feiscint. Fé dheireadh timpeall lár an lae, ghabh sé an bóthar anoir chucu go sona sóch síochánta.

'Is fearr go déanach ná go brách, a Mhicí,' a dúirt an sagart le fear na bileoige nuair a ghabh sé chuige, isteach sa lá is an ghrian go hard sa spéir.

'An bhfuil Siobhán timpeall an bhaill fós?' arsa é sin den gcéad iarracht leis an sagart. Tháinig oiread eile de chroí don bhfear bocht nuair a chonaic sé chuige isteach í is an chuid eile ina fochair.

'Drúcht is déanaí ort, a Mhicí,' arsa a huncail, 'nach breá ná faca éinne riamh thú ach mall righin! Cheap Siobhán,' ar sé ag déanamh magaidh, 'gurbh amhlaidh a bhí fuath tabhartha agat di.'

Rith Micí chun Siobhán, chuir a lámh ar a gualainn agus dúirt: 'So súd orm a Shiobhán, ná rabhas-sa ag cur suas chuige duit, ach an riabhach de shagart a bhí imithe thar baile. Bhí dubh is dall na hoíche aréir ann sular tháinig sé. Ní dóichíde an ghaoth Márta ná na sagairt chéanna.'

Is ea, a Shiobhán bhoicht! Is é Micí Sé atá ceapaithe duit, cé dá mbeadh an scéal mar ba cheart gur fear eile a bheadh le do chliathán ar an altóir fén dtráth so. Ach níl Micí á chur de d'ainneoin ort; tánn tú sásta leis ar son d'athar. Pósadh an bheirt agus ghabhdar siar chun an bhaile. Bhí scata tagtha i láthair an phósta, agus cé ná bíodh oiread flúirse dí ar phósadh an uair sin is a bhíonn anois, bhí gach éinne ar bogmheisce.

An oíche chéanna bhain an lánú óg is ar lean iad an tOileán amach. Bhí a thuilleah rancáis le bheith i dtigh Mhicí go maidin. Bhí an baile ar an gcaladh rompu, agus iad ag guí go n-éireodh a bpósadh leo. Bhí an baile ann ach aon chaonaí bocht amháin. Ní ligfeadh a chroí ná a mhisneach dó dul féna mbráid. Chonaic sé luath a dhóthain sa tigh iad. Chuaigh sé chucu is ba mhór an obair dó é. Fuair sé faill éigin ar Mhicí, cé gur dheacair dó é, mar níorbh fhada a thriall sé ó Shiobhán i rith na hoíche. Labhair Peats cúpla focal discréideach léi. Níor chuala éinne riamh cén comhrá a bhí eatarthu. Níor oscail Siobhán riamh a béal air murar dhein ina faoistin. Chomh fada is tá eolas air, níor lú a dhein Peats, bhí glas ar a bhéal súd chomh maith.

Fé mar is gnách ar phósadh, bhí gach éinne ag baint súp as an oíche. Má bhí duine nó beirt nár réitigh seo leo — cad é sin don gcuideachta eile — níor bhraith éinne iad. Ní mór ná go raibh sciúch na n-amhránaithe ab fhearr briste ó bheith ag sásamh na ndaoine nuair a cuimhníodh ar an bhfear go raibh an chraobh aige chun duain a thógaint in airde.

'Amhrán ó Pheats Shéamais,' arsa fear — liúigh fear is fear eile nó ná raibh aon dul as ag Peats bocht. Mhuise, nár neamhthuisceanach an dream iad, amhrán a éileamh ar bhuachaill a bhí clipithe cráite óna shaol, amhrán a éileamh ar fhánaí gan treoir, a scaoil cailín breá fuaimeantúil uaidh mar gheall ar 'charn buí óir'. Ach ba é an ceann sprice é, chaithfeadh sé rud a dhéanamh ar na daoine. D'éirigh an t-amhránaí san áit ina raibh sé. Bhí Siobhán díreach ar a aghaidh suas; chuir Peats na súile tríthi agus thosnaigh i nguth binn brónach agus dúirt rud ná raibh coinne ag éinne leis, mura raibh ag éinne amháin. Bhí gach éinne socraithe chun éisteacht le hamhrán breá fada bog binn ó Pheats Shéamais mar ba ghnáth, ach bhí fuar acu — bhuail sé an bob orthu mar nár scaoil sé chucu ach:

> 'Tá mo chroíse chomh dubh le hairne,
> Nó leis an ngual dubh bheadh á bhualadh i gceártain,
> Nó bonn seanbhróg bheadh ar hallaí bána,
> Is nach mór an scamall é os cionn mo shláinte.'

B'shin a ndúirt sé. Thug sé aghaidh ar an ndoras agus ar a thigh féin. Lá arna mháireach bhí an leaba tógtha ag Peats Shéamais. Níor chuir éinne aon tsuim ann; is maith an fear ná go dtagann slaghdán air. Ag dul i righneacht a bhí sé. Bhíodh sé lá ina shuí, agus ar feadh seachtaine ina leabaidh, go dtí go raibh an fear bocht chomh snoite caite leis an gcoinnil, agus gan lorg ar dhuine ná ar bhia aige. I gceann an dara mí, choimeád sé an leaba ar fad [...]

. Fé cheann bliana fuair Peats Shéamais bás. Síneadh ina leabaidh bheag chaol é i dteampall Fionntrá.

Maireann an crá ar feadh bliana is lá,
Ach ní mhaireann an grá ar feadh rátha.

Go deimhin duit, a fhile, dheinis dearmhad — nach mó gaiscíoch láidir a chuir an grá céanna don uaigh?

Teachtairí Dé san Oileán

Tráthnóna Sathairn díreach le linn 'an Fhrancaigh' — árthach ceannaithe na ngliomach — a bheith ag caitheamh ancaire ar thráigh an Oileáin Tiar, is ea a conacthas an naomhóg stróinséartha ceann Bheiginis aduaidh. 'A thuilleadh "lá breá*s*",' arsa fear. Coimeádadh súil ar an mbád nó gur bhain sí amach an caladh, cé gur tugadh fé ndeara agus í béal na trá aniar gur chulaith dhubh a bhí ar gach duine den mbeirt a bhí ann. 'Sagairt', a deireadh fear; 'ministrí', a deireadh fear eile; 'ní headh a dhiabhla ach spiairí,' arsa Peats Sheáin agus eolas an domhain aige, dar leis.

Is ea, beirt shagart a bhí ann, tagtha tráthnóna thiar go tóin an Oileáin chun scaitheamh dá laethanta saoire a chaitheamh ann. 'Nach cúng a bhí Éire orthu,' a déarfá — cúng go leor. Is mó duine a deireann na bréithre céanna ag teacht don Oileán dóibh ach nuair a thagann an t-am chun imeachta, chíonn sé ná fuil an Blascaod chomh cúng is a cheap sé. Shiúlaigh an bheirt shagart aníos — duine anso is ansúd ag cur fáilte rompu, fear ag fiafraí díobh an rabhadar chun fanacht, ceist anso is ceist ansúd. Is dócha go ndúirt na sagairt bhochta ná déanfaidís an bheart choíche i measc a leithéidí, ach cuimhnigh gur shagairt ba ea an bheirt, agus ní i gcónaí a chuireann sagart a chos ar an Oileán chun fanacht ann. Tabharthas ó Dhia ba ea é.

B'sheo an ghibris ar siúl i measc na seanbhan — nár bhreá leo súd dá bhfaighidís caoi ar aifreann Dé bheith acu coicíos féin sa tsamhradh.

'An mbeidh aifreann amáireach agaibh, a Athair?' arsa cailín óg le duine de sna sagairt.

'Beidh,' arsa é sin, 'agus gach lá an fhaid is a bheam san Oileán.' Do gheal aghaidh an chailín le háthas. 'Ó nach breá é sin!'

ar sise. Dúirt an tAthair Ó Catháin ná déanfadh sé dearmhad go deo ar an aghaidh áthais sin. Chuir an scéal céanna gliondar ar chroí gach éinne. An rud is annamh is iontach. I dtigh Pheats Tom Uí Chearna a bhí staidéar ar an mbeirt shagart. Bhí cead faoistin a éisteacht ag an duine ab óige. Dá bhrí sin thugtaí an 'sagart paróiste' air. Má bhí cead aige chun nithe eile a dhéanamh, a dhéanfadh aon tsagart paróiste coitianta, níor lig sé air anso é; ach tá a lándóthain d'aithreachas ar na daoine óga nár iarr ar an sagart paróiste ó Chorcaigh iad a phósadh an fhaid is bhí sé chomh gairid dóibh, is chomh oiriúnach acu. Beidh na fáinní ceannaithe ina chomhair an samhradh so chugainn, más rud é go seolann Dia an bóthar é.

Gach tráthnóna Sathairn is ea a bhíodh an 'sagart paróiste' ag éisteacht faoistine ar feadh na cúig seachtaine a bhí sé ar an mBlascaod Mór. Sa scoil a dhéanadh sé sin, mar sin é an sáipéal a bhíonn againn anso. Ba mhór na hachainí a chuireadh na seanmhná suas ar a shon — ní fhacadar sagart chomh ciúin cneasta riamh; chuaigh duine acu chomh fada lena rá go raibh scéimh an aingil ar a aghaidh. Bhí an saol ar a shástacht ag an Athair Ó Catháin; b'shiúd é an 'sagart óg'.' Ní raibh faoistiní le héisteacht aige, ach anois is arís, chaitheadh sé a cheann a shuathadh le ceisteanna creidimh a réiteach. Bhí sé go hiontach chun a mhíniú cad ina thaobh nárbh fhéidir le hOileánach Giúdach a phósadh.

D'imigh an 'sagart óg' as an mbaile, gan puinn coinne — coicíos a bhí sé ann, nuair a tháinig scéala chuige chun imeachta. Lá Domhnaigh a d'fhág Teachtaire Dé slán is beannacht ag an Oileán Tiar, agus cé go raibh cumha agus brón ar lucht áitribh na háite ina dhiaidh, bhí mórtas orthu chomh maith, mar sular imigh sé, níor fhág sé tigh ar an mbaile gan siúl. Deirimse leat go raibh ceirsiúir ag imeacht le gaoith le linn na naomhóige bheith ag fágaint chaladh an Oileáin.

Uireasa a mhéadaíonn cumha. Ní hionadh má bhí beagán uaignis ar an 'sagart paróiste' nuair a fágadh é gan a chomhbhráthair. Ach níor dhuine stuama, mórálach é siúd; chaith sé an saol in airde leis féin. Nuair a rachair don Róimh, bí i do Rómhánach leo. B'sheo comhairle a ghlac an sagart; má fágadh ar an Oileán é, bhí sé mar Oileánach leo. Ag teacht go dtí an tOileán do na sagairt, thugadar gunna leo agus ba ghnách leo geábh a thabhairt ar bharr na trá gach tráthnóna, ar intinn smugairlí fola a chur le rón éigin. Bhíodh na rónta róghlic dóibh, áfach. Bhí lá seilge acu in Inis Mhic Aoibhleáin, ach ní dóigh liom gur mhaígh an 'sagart paróiste' an lá san rómhaith air féin — bhí sé tuirseach tnáite, gan bhrí gan anam ón mbreoiteacht fharraige.

Thug an bheirt shagart turas ar Scairt Phiarais. Ar an dtaobh thuaidh den Oileán atá so — faillteacha diamhaire go maith mar chosán chuige. Ach ba mhór acu súd faillteacha nó carraigeacha! Bhí orthu poll an taoisigh úd agus é ar a theitheadh, a fheiscint. D'admhaíodar tar éis Scairt Phiarais a fhágaint nárbh aon éitheach a chum an file i dtaobh na háite nuair a dúirt sé:

An braon atá thuas in uachtar leice go hard
Ag tuitim lem chluais is fuaim na toinne lem sháil.

Tá teachtairí Dé imithe ón mBlascaod Mór, ach má táid, maireann a gcuimhne ann fós. Cad chuige ná mairfeadh — iad súd a chaitheadh tamall ag seanchas cois tine nó ar chosán leis na daoine aosta, tamall eile ag míniú cásanna bróin is áthais an tsaoil seo do na seanmhná a shlogadh siar gach focal a thagadh uathu agus tamall ag déanamh grinn i gcomhluadar na bpáistí? Seachas so, d'ofráladar aifrinntí agus paidreacha go fonnmhar do gach caonaí ar an Oileáinín uaigneach so. Is mór an suáilceas a chuirfidh sé ar na daoine bochta cuimhneamh ar a gcuid beannachtaí i ndúluachair na bliana, nuair a bheidh an fharraige ag réabadh ó phort go port, agus iad deighilte ó aon scéala, pé acu maith nó olc, a bheadh ag leathadh ar fud na tíre. Go mba fada buan an bheirt shagart úd agus an chléir uile i seirbís Dé agus go dtaga an lá sul i bhfad, go seolfar an treo chugainn arís iad. Cuirfidh siad ina luí níos fearr orainn:

> Gur róbhreá an stór atá ag Dia na glóire i dtaisce,
> A chuid fola is feola mar lón aige do na peacaigh,
> Mura gcuirfeam ár ndóchas in ór buí nó i rachmas,
> Mar is beagán mar cheo iad seachas glóire na bhflaitheas.[17]

Scairt Phiarais
(*Ionad Oidhreachta an Bhlascaoid*)

[17] Foilsíodh leagan eile den chaibidil seo in *Scéala Éireann,* 25-6 Nollaig 1933, 3, mar a n-ainmnítear an bheirt shagart mar an tAth. Ó Murchadha agus an tAth. Fullam.

Bád ón mBlascaod i gCruachás

Tá an Nollaig imithe. Tá an bhliain nua tosnaithe, smut di caite, agus ba dhóbair di bliain bhrónach dhólásach a dhéanamh dúinn sa Bhlascaod Mór — bliain go mbeadh cuimhne fhada uirthi, bliain a chuirfeadh crithneamh agus codladh grifín i ngach ball dár gcoirp í a chlos á lua. Ach ní tháinig an scamall dubh san os cionn an Oileáinín seo. Ní raibh an bhuairt mhór mhillteach san i ndán dúinn; bhí máistir maith os ár gcionn a scaoil tharainn an scamall bróin úd. Agus brón dáiríre a bheadh i mbrón an lae úd.

Ar feadh Dhá Lá Dhéag na Nollag ní raibh an aimsir go maith ná ar fónamh ag lucht áitribh an Bhlascaoid Mhóir. Bhíodar gan aifreann gan ord Lá Nollag. Níor baineadh glór na gcearc as a gcluasa le ceolta na ndreoilíní a bhí ag imeacht chomh flúirseach leis na seangáin trí na dúichí lasmuigh. Ach ba mhór acu súd an dream deiridh an fhaid is bhí greim acu le cur ina mbéal, agus an fhaid a d'fhág Dia an tsláinte acu! Tháinig Lá Nollag Beag. Bhí tarrac ag dul go féar. Tháinig seachtain ina dhiaidh; ba é an scéal céanna é. Fé dheireadh na seachtaine d'fhéach Liam Pheats féna fhabhraí ar an mála plúir a bhí ar stuaic an lochta, nó b'fhéidir gur cheart a rá a bhíodh ar stuaic an lochta.

'Lá eile is beidh a thóin in airde,' arsa é sin lena mhnaoi. 'Cad a chuirfimid i mbéal na bpáistí fé cheann lae eile má sheasaíonn an aimsir mar seo?'

'Am do dhóthain bheith ag cásamh is ag cnáimhseán nuair a bheidh an plúr ídithe,' arsa an bhean. 'Bíodh do mhuinín as Dia, pé scéal é.'

Domhnach ba ea lá arna mháireach. Dálta Liam Pheats, ní raibh aon an-teaspach bídh ar chuid de na hOileánaigh agus nuair ná raibh, bheadh an lá ainnis go maith nuair ná tabharfaí fé Dhún

Chaoin. Bhí ísliú an domhain déanta ag an bhfarraige ó aréir roimhe sin, ach ní fhágfadh san go raibh sí rómhánla ar fad. Ina theannta san, bhí spéir bháistí in airde — scamaill dhubha dhorcha a bhí i riocht titim as a chéile aon nóiméad. Bhí sé ag tarrac go hard ar aimsir aifrinn nuair a bheartaigh ceathrar fear ar naomhóg a chur síos, dul inti, agus scaoileadh fé trasna go Dún Chaoin. Bhí an uain go maith acu ag dul amach. Níorbh fhada a bhíodar leis mar bhaineadar súd as a ngéaga go maith é.

Is ea, féna dó dhéag a chlog chuir an spéir bhagarthach a bhí ann ar maidin í féin in iúl. Thit an bháisteach — báisteach bhreá bhog gan fuinneamh ar nós an bhraoin a ghluaisfeadh lá Aibreáin. Tar éis aifrinn tháinig criú an bháid go caladh Dhún Chaoin. Ní ag dul i bhfeabhas a bhí an lá. D'aithneodh éinne san ar an ndath glé uaine a bhí tagtha ar uisce na mara. Bhí an spéir ag gealadh beagán — ag gealadh chun gaoithe faraoir! Is minic as an spéir ghorm a tháinig stoirm is mórchith.

Fén am san bhí tagtha ar an bport Cáit Eibhlís is a hiníon bheag, Máirín. Bhí Cáit tar éis an Nollaig a chaitheamh i dteannta a máthar agus toisc gur san Oileán a bhí staidéar uirthi, bhí deabhadh chun an tí uirthi is dócha. Bhuail Séamas Mhártain léi agus í ag gabháil na slí síos chun an chalaidh. Fear go raibh an-theist aige air féin maidir le cúrsaí na síne ba ea Séamas. D'fhéach sé ar an máthair agus as san ar an leanbh go raibh beirthe aici ar láimh uirthi — bhí an cailín bocht ag athrú lí cheana féin.

'Deirim leat a bhean chóir,' arsa Séamas, agus é ag breathnú uaidh amach go tuisceanach ar na tonntacha a bhí á n-iomlasc féin le droch-fhuadar, 'deirimse leat má tá aon chion agat ar d'anam agus ar anam do linbh, gan bacaint leis an Oileán inniu.'

'Fanfad féachaint cad a déarfaidh an dream thíos,' arsa Cáit. 'Agus,' ar sí, ag leanúint dá cúrsa, 'is ait liom gan dul isteach abhaile ó tá an bád ar an linn agus mé féin ar an bport.' Bhí an t-imní gafa lastuas di.

'Déarfá,' ar sí, 'go mbeadh croí na haimsire briste anois — tá cuid mhaith drochaimsire déanta aige le coicíos.'

Ní raibh Séamas Mhártain rómhórálach as féin nuair ná faca sé Cáit á thógaint ar a fhocal. Níor thug aon chomhairle eile di ach dúirt le seanbhlas agus í i bhfogas dó:

'Beatha duine a thoil féin, is ní gan chéill an seanfhocal: beatha duine a thoil, dá dtéadh sé a chodladh ina throscadh.' B'fhearr don mnaoi bhocht ina dhiaidh san go dtabharfadh sí cluas don seanduine mar is í an fhoghlaim is fearr ar bith bheith críonna.

Is ea, an rud a bhíonn, bíonn sé. Ní raibh aon toradh le fáil ag éinne a déarfadh go raibh an uain dainséarach agus an lá gan iontaoibh tar éis na báistí go léir. Ní raibh. Is dócha go raibh an scanradh úd i ndán do lucht an bháid. Shuigh Cáit Eibhlís agus Máirín thiar i ndeireadh na naomhóige. Nár fhliuch fuar feannaideach an pasáiste a bhí rompu tar éis a laethanta saoire! Ach ní raibh cúis ghearáin riamh acu go dtí an lá úd. Ba mhinic roimhe sin a chuireadar an turas céanna díobh go meidhreach cainteach gealgháireatach. Bhog an bád amach ón gcé. Bhí mionbháisteach ann i gcaitheamh na haimsire sin agus súil ag an gcriú go bhfanfadh sí acu go mbainfidís amach stacán an Bhlascaoid.

Suas chun taoibh an Dúin Mhóir a ghabh an bád; d'fhan sí os cionn na taoide chun cothrom a thabhairt do na fearaibh. Ag an nDún a bhíodar nuair a d'aistrigh an ghaoth. Shéid gála millteach aniar agus in aon chúig neomaití amháin bhí barr gléigeal ar an bhfarraige. Níor labhair éinne sa bhád ar feadh tamaill. An fhaid is a chífeadh Cáit Eibhlís na fir gan eagla ní thiocfadh aon scanradh uirthi féin. Bhí a fhios san ag na fearaibh agus choimeádadar a mbéal dúnta chomh fada is a d'fhéadadar é. Sa deireadh labhair an fear deiridh:

'Níl istigh ná amuigh anois againn,' ar sé, 'táimid caillte go deo.'

Bhí fear an phoist sa bhád agus é go dána misniúil inti leis, ach d'admhaigh sé nár bheir aon scanradh riamh air, dá fhaid ag plé leis an bhfarraige é, go dtí an nDomhnach úd.

'Bíodh ciall agat ansan thiar,' ar sé. 'Tugaimis a haghaidh ar Bheiginis, agus má dhéanaimid amach é beidh fothain againn ón ngála má shéideann sé aniar aduaidh orainn. Seo, bogaigí libh síos í in ainm Dé.'

Tugadh aghaidh an bháid ar Bheiginis. An bealach a bhí roimis an naomhóigín an uair sin, deirimse leat ná tiocfadh breis misnigh d'aon duine a d'fhéachfadh air. Bhí sé maith a dhóthain d'árthach. Bhí gála gorm gaoithe i gcoinne an bháid agus gach cnapán farraige ag briseadh anuas trína tosach agus ag cur sobail uisce siar go clár a deiridh: 'Lena guaille a raideadh sí an sáile géar', dáiríre, agus é siúd ag imeacht de dhroim an cheathrair a bhí ag rámhaíocht ar a ndícheall, agus ag stealladh san aghaidh ar an mbeirt a bhí caite go mídhóchasach ina deireadh.

'Táimid traochta,' arsa an fear deiridh arís. 'Táimid báite i ngabhal a chéile anois agus gan dada againn le déanamh.' Bhí sceoin ina shúile le scanradh agus na maidí ag teacht de na dolaí air le reacht creatháin.

'Mhuise, a Mhichíl,' arsa Cáit, 'cuir do mhuinín as Dia agus tabharfaidh sé saor fós sinn. Ná fuil a fhios aige nach le haon teaspach ná éirí in airde atáimid anso fén anaithe.

Chonaic fear an phoist an fear deiridh ag cailliúint misnigh.

'Éist do bhéal ansan thiar,' arsa é sin, 'agus ná scanraigh an bhean bhocht is a páiste; tá an scéal dona go leor acu mar tá, gan tusa a bheith ag cur an chritheagla orthu. Rámhaigh leat a dhuine, ní fada uainn anois Beiginis.'

'Mhuise, a Mháirín, a chroí,' arsa an mháthair, 'abair paidir. Ní baol ná go n-éisteoidh Dia le guí linbh gan pheaca.'

Bhí brat casta ar cheann an linbh go dtí san; sháigh sí amach a ceann is thosnaigh ar 'Go mbeannaítear duit' a rá amach os ard agus creathán ina glór. Chorródh an páiste bocht na clocha — a dhúthrachtaí is bhí sí ag rá na paidre, agus na súile aici á chur trína máthair a bhí ag coimeád a misnigh ar son a linbh.

Ag dul in olcas a bhí an fharraige; bhí tonnta ag imeacht de dhroim na naomhóige agus gach uair a bhíodh uain mhór ag déanamh uirthi, deireadh fear an phoist, 'Tar slán beo a bháidín.' B'shin a raibh le clos — fothrom na gaoithe, sis sis na maidí ag gearradh tríd an bhfarraige, paidir an linbh ag gluaiseacht sa ngaoith agus 'tar slán beo a bháidín' á rá de ghuth garbh misniúil ag fear an phoist.

Sa deireadh bhíodar ar scáth Bheiginis. Is ag na fearaibh bhochta a bhí gá lena n-anáil a tharrac, ach ní bhfuaireadar aga air. Bhí taoscán maith d'uisce sa bhád. Thosnaíodar ar í a thaoscadh. Lena linn sin tháinig fuinneog gheal ghaoithe thiar sa spéir, tháinig cuma níos diamhaire fós ar an bhfarraige. Ní raibh aon dealramh le bheith ag moilliú. Ní thagadh aon athrú ar an aimsir i gan fhios do Cháit. Chonaic sí an drochdhealramh an uair sin leis; chonaic sí ná raibh aon chaoi ag an mbád dul i dtír i mBeiginis mar bhí suaitheadh, tarrac is borradh ar na carraigeacha ina timpeall.

'Mhuise, a Sheáin,' arsa Cáit, ag tabhairt a haghaidh ar fhear an phoist, 'b'fhéidir go ndéanfadh sibh an bheart go dtí an gcaladh lena bhfuil d'uisce inti, níl puinn uaibh anois, agus teithigí ón ndrochuain atá os ár gcionn.'

Is ea, pé dream riamh go raibh fonn gliogarachta ná spóirt orthu, níorbh iad foireann na naomhóige an Domhnach úd iad. Nuair a chualadar Cáit Eibhlís ag caoineadh, nuair a chualadar í ag iarraidh orthu i gcuntais Dé í a thabhairt go tapaidh chun calaidh, níor thugadar cluas bhodhar di. Chaith Seán uaidh an taoscán, chuir a mhaidí i bhfearas agus bhailigh chuige a chuid nirt agus misnigh i gcomhair an bhealaigh bhig uisce a bhí an tráth san idir é is cabhair Dé.

'Le chéile libh arís, a bhuachaillí óga,' ar sé — ba iad ar fad a bhí sa bhád ach é féin. 'Le chéile libh. Ná bíodh sé le rá ag éinne gur sinn an chéad dream riamh a bádh chomh gairid dár dtithe agus dár muintir. Má bhí "rogha na bhfear san Oileán" in aimsir Sheáin Uí Dhuinnshléibhe, nach sinne an treibh a tháinig astu! Ní foláir nó tá cuid éigin dá smior agus dá gcuid fola ionainn! Taispeánaimis go bhfuil. Ólaithe macánta farraige na hólaithe sin: ní ag faire ar sinn a shlogadh atáid le cúnamh Dé cé go n-osclaíd a mbéal go cluasa ag déanamh orainn. Ná cuirigí suim i mbúithreach nó i bhfothrom na mórghaoithe. Tá a thuilleadh nirt sna géaga fós againn; is maith an bhail orainn go bhfuil mar is ar an nóiméad so is mó a theastaíonn sé.'

Seo mar a bhí Seán ag iarraidh misnigh is dóchais a chur i gcroíthe na bhfear eile. B'fhiú ór a leithéid i mbád lá den tsórt san. Bhí a fhios go príonsabálta aige istigh ina chroí go raibh an dainséar thar barr ann, ach rachadh sé go tóin poill sula ngéillfeadh sé. Agus níor dhearmhad sé síol Éabha i ndeireadh an bháid:

'Clúdaigh tú féin ansan thiar ón sáile agus ón bhfuacht, a Cháit,' a deireadh sé. 'Dhá shlat eile anois agus beidh againn, agus féna deich anocht, ní fheadaraís an rug an scríob seo riamh ort.'

Níor fhéad an bhean bhocht focal a labhairt fén dtráth san. Bhí an t-uisce tagtha fúithi agus an fuacht gafa tríthi, ach geallaimse duit ná cásódh sí go deo easpa na triomachta ná easpa an teasa dá mbeadh sí i slí is go n-imeodh an scanradh agus an diamhracht di.

Ba é an uair a chas an naomhóg a haghaidh ar Bheiginis ná timpeall le haimsir dinnéir san Oileán. Na tithe ar itheadh dinnéar iontu an Domhnach san b'fhurasta iad a chomhaireamh. D'fhan gach duine, idir fhear bhean is pháiste sna doirse agus sna fuinneoga, pé tithe go raibh deis acu air, ag féachaint ar an naomhóigín á caitheamh ó thonn go tonn, ar nós coirc ar bharr an uisce agus líonrith ar a gcroíthe ar eagla go bhfeicfeadh a súile radharc ná rachadh rómhaith dóibh — radharc a d'fhágfadh séala ar a n-aigne an fhaid a d'fhágfadh Dia an anáil acu. Caolsheans a bhí ag an naomhóigín; ní fheadair éinne cathain a bhuailfí a béal fúithi. Ní fheadair éinne, nuair a théadh sí de dhroim ólaí farraige, an éireodh sí go deo. Ach bhí cumhacht ní ba láidre ag féachaint ina diaidh.

Iad so go raibh aon duine a bhaineas leo sa bhád, bhíodar sna crotaí deiridh. Mura mbeadh pé rud a sheol Seán Bhailt isteach chun Neans Chití agus a hiníon, bhíodar bailithe leo scun scan as an saol so i gan fhios d'éinne. Na rudaí bochta! Bhíodar ag cur laigí díobh. Bhí aon mhac an tí amuigh agus bhíodar chomh holc san sa deireadh ná ligfeadh misneach dóibh féachaint in aon chor. Nuair a shrois Seán iad dúirt sé leo go raibh an bád buailte ar an gcaladh agus iad slán sábhálta. Bhí oiread san áthais ar an tseanmhnaoi nach mór ná go dtug sí plaspa de phóig do Sheán; is dóigh liom go dtug sí fé ach do theith sé siúd. Ní háil le héinne póg seanmhná dá mbeadh lúcháir féin uirthi. Is dócha go bhfaighir fós é, a Sheáin: ní ag dul uait atá. Cad chuige ná faighfeá! Dar ndóigh mura mbeadh tú do chaillfí den dólás croí í — bheadh sí imithe gan an dea-scéala a chlos.

I bhfad sula dtáinig an naomhóg, bhí scata mór bailithe ar an gcaladh. Níorbh aon mhaith dul i gcoinne an bháid. Ní ligfeadh éinne ina cheann a leithéid de rud a dhéanamh; ní bheadh ann ach amadántacht. Criú amháin báid, dóthain aon baile a bheith caillte, gan a thuilledh a dhul sa dainséar.

Bhí seanmhná ansúd, a lámha leata amach acu, iad ag guí go dtabharfadh Dia saor an dream a bhí sa chruachás. Cuid acu is iad ag déanamh gearradh brád orthu féin toisc éinne leo a ligint amach a leithéid de lá. Bhí Síle, an réadóir ann:

'Mhuise,' a deireadh sí, 'nach mé a bhí ag cur an deabhaidh amach ar maidin ort, a Pheaidí bhoicht, deabhadh ar eagla ná beadh bia ná anlann ár ndóthain againn. Féach anois mar sin conas mar atá agam! Tú féin agus an bia imithe. Ó, go dtuga Dia chugam tú a linbh, agus má fhaighimse sa chúinne arís tú, beidh ocras orm san am is go gcuirfead chun siúil tú lá den tsórt so. Mhuise, nach mór an trua máithreacha bochta an tsaoil seo — nach mór an trua máithreacha bochta a bhíonn ag faire ar bharr na farraige i ndiaidh a gclainne? Ach chun sinn a chéasadh a cuireadh ar an saol sinn agus chun sinn a thriail go maith. Is dócha gur treise á thuilleamh sinn. Cathain a bheidh oiread fulaingthe againn ar son ár ngearrcach is a chuaigh an Mhaighdean Mhuire tríd ar son a hAonMhic? Go deo na ndeor. Táim ag cnáimhseán go míchéatach, mífhoighneach; níor cheart dom é. Ná fuil Dia na glóire ag féachaint ar mo gharsún, ná fuil a fhios aige gur mó atá fulaingthe ag a Mháthair féin aon lá fós ná agamsa?'

Tháinig aon chóch mór amháin gaoithe agus ba dhóigh leat go scuabfadh sé a raibh de dhaoine roimis; scuab sé aniar béal na trá agus níor fhág orlach den bhfarraige gan corraí. Dá mbeadh an bád ann an uair sin, ní bheadh tásc ná tuairisc uirthi — thabharfadh an fharraige a bhí ann a dóthain le déanamh do línéar. Choinnigh an té is fearr an drochuain seo nó go rabhadar ar an dtalamh tirim. Ach bhuaigh an neart ar an anaithe. Bhí an port déanta sa deireadh ag an naomhóg. Thíos sa tslip, bhí sé lán d'fhearaibh; bhí an baile ann — sin é an nós i ngach aird, an rud is annamh is iontach. Chomh luath in Éirinn is fuair na fir is na buachaillí greim ar dheireadh na naomhóige tharraingíodar leo suas ó imeall an uisce í idir dhaoine is eile.

'Mo ghraidhin bhur gcnámha!' arsa Seán Shéamais. 'Fuaireabhair bhur ndóthain den lá. Agus tusa, a bhean bhoicht, an raibh aon eagla ort?' ar sé, ag tabhairt cabhrach do Cháit Eibhlís agus do Mháirín chun teacht as an mbád.

'Nár bheire Dia gairid orainn!' ar sí, ag deimhniú lena ceann, 'is dócha gurb amhlaidh a d'imigh agus a scaip mo mheabhair uaim — ar ndóigh, níorbh fhearr dom agam í. Níor mhaith liom béic ná scréach a ligean ar son mo linbh, ar eagla go gcuirfinn an lí bhuí ar fad uirthi. Ach is fada a bheidh cuimhne agamsa ar an lá inniu. Nárbh é an lá séimh dom dá mbeinn glanta amach as an áit? Ní bheadh aon iontas orm mo cheann a bheith chomh liath le luch ar maidin. Ach is lánmhaith an scéal go dtugas fé isteach. A chonách san orm nár choinnigh an fód a bhí agam! Nach diail an sochar a bheadh ag mo mhuintir as an lá dá mbeinn féin is mo leanbh sínte i nduibheagán farraige i gcomhair na hoíche anocht? Tar a éis a thuigtear gach beart. Beidh léinseach mhaith ann san am is go mbeidh oiread deabhaidh isteach ná amach ormsa arís; ní oireann sé do dhuine é féin a chur chun báis os comhair a shúl amach.'

Bhí na deora ag teacht leis an mnaoi bhocht agus gan í ábalta ar an gcaint a chur di go rómhaith. Ní túisce a fuair an gearrchaile beag a cos ar thalamh, ná b'shiúd léi ar cosa in airde abhaile — ba dhóigh leat gurbh iad gadhair an bhaile a bhí ina diaidh. Maidir le féachaint laistiar di ar an mbealach a bhí curtha aici di — ba chás di é! Dá mbeadh aon tseanchríonnacht inti ní hionadh dá n-abradh sí: 'Mo bhrón ar an bhfarraige is í atá mór.' Ach is maith an bhail uirthi nach rófhada a choimeádann leanbh cuimhne aon ruda. Tuigtear don gcailín beag san inniu nach raibh sa rírá go léir ach taibhreamh gránna éigin — taibhreamh a tháinig ina thromluí uirthi.

Is ea, an té a mhaireann sroiseann sé ceann sprice uair éigin, luath nó déanach. Nuair a bhí an bád feistithe ceangailte ag na fearaibh, bhaineadar amach a dtithe. Ag gabháil na slí aníos dúirt duine acu: 'Táimid tagtha anois, ach ná bíodh aon mholadh againn orainn féin; is don mnaoi a bhí i ndeireadh an bháid atá an moladh ag dul. A paidreacha súd a thug chun tíreachais sinn.'

Deirimse leat ach gur ag an gcriú úd a bhí gá le balcaisí trioma tar éis an bhotháin a shroisint; is acu a bhí gá le síneadh tharstu ar feadh an chuid eile den dtráthnóna. Níorbh ionadh má bhíodar á thógaint in airde cruinn díreach sna leapacha le racht an scanraidh a bhí fachta acu. Níorbh ionadh iad a bheith liath trína chéile tar éis na hoíche, fé mar a bhí an Feirtéarach, Dónall Óg. Fuair sé sin scanradh maith agus ghabh sé trí phiolóidí agus callshaoth maith an oíche a bhuail an slua sí leis ar thráigh na Muirí.[18] Ach cad é an bhreith a bhí aige ar scanradh a fháil ar bharr na mara, anró dáiríre, anró agus cruachás nach mór nár fhág

> Maide acu ná fearas chun saothair,
> Ach a ngéaga geala ar leathadh sa tréanmhuir.

[18] Féach thíos an scéal 'Dónall Óg Feirtéar' in Bailiúchán Béaloidis.

Tír na nÓg sa Dúluachair

'Tá léas Chnoc Cárthaí le feiscint agus ní haon an-chomhartha ar an aimsir é,' arsa Micil tráthnóna i mí Dheireadh Fómhair. Ina sheasamh idir dhá lí an dorais a bhí sé, a lámha ina phócaí aige mar ba ghnách. Anois is arís bhíodh air prapa a fháil ó thairseach an dorais. Bhí an t-aos ag fáil an lae ar Mhicil, cé gur chruaidh dhiachrach an scéal leis é. Bhí na hioscaidí ag lúbadh cheana féin, na lámha lán de chreathán, rud a thaispeáineadh a chuid tobac go mion minic — an t-urlár a d'fhaigheadh an chuid ba mhó de siúd uaireanta cé gurbh í an phíp a aimsíodh an seanóir bocht.

> Ach tagann an aois i gceann tréimhse,
> Sin deireadh le scléip is le greann.

Is ea, deireadh le spórt, lúth is greann, is ea duit é, a Mhicil bhoicht. Bhí do lá agat. Ach níl do réasún caillte fós; níl aon aiteas díobhálach ag teacht ort idir cromadh is liathadh. Níl! Tabharfair don chré do réasún leat; níorbh é toil Dé í a fhágaint i do dhiaidh mar oidhreacht.

B'fhíor do Mhicil é. An lá a bhí léas tuairim trí troithe ar fhaid le feiscint theas ar Chnoc Cárthaí, b'shin deireadh leis an samhradh. Ní hé an t-am oifigiúil seachas an seanam a shocraíonn ráithe an tsamhraidh seachas ráithe an gheimhridh do Mhicil.

Pé acu istigh i lár sléibhe nó i gcroí na cathrach do dhuine, luíonn an geimhreadh air. Tá fuacht sa tsioc inniu, bheidh gála is báisteach amáireach, splancanna is toirneacha umanathar — braitheann sé iad súd. Fáisceann sé a charabhat féna mhuineál agus tarraingíonn sé a chasóg bhréide thairis aniar lá seaca is gaoithe anoir, scaoileann sé an cith nó na splancanna thairis i bpoll nó i bpóirse éigin. Ní baol gur gá dó fanacht ó mhaidin go hoíche ag faire na ndúl, mar dá mbeadh báisteach go deo ann ní bheadh ann ach cith.

Ach ní mar sin d'fhear an Oileáin. Clipitheacht, ar shlí, dó súd is ea a shaol ó Shamhain go Lá Fhéile Bríde. Tosnaíonn an aimsir ar bhriseadh timpeall Lá Samhna. Bíonn gach pota agus fearas iascaigh i dtalamh ó Lá Fhéile Michíl roimhe sin. 'Ní fios cé a mhairfidh ach a dtiocfaidh Lá Bealtaine arís,' a chloistear ó na seanmhná, 'ach go dtuga Dia dúinn go léir bheith fé mhaise is fé áthas.'

A chaint féin ag gach fáidh: 'Fear gan bhean gan chlann, fear gan bheann ar éinne,' a deireann na slatairí óga, nuair a chuirtear in iúl dóibh go mbíonn saol an mhadra acu sa gheimhreadh. Is mó duine is measa as ná iad ar feadh an ráithe sin. Bíonn a gcosa ar a leathghlúin acu. Ach cén leigheas atá acu ar an ndíomhaointeas? Cad tá acu le déanamh mar a rachaidís ag briseadh is ag réabadh an chnoic nó ag taoscadh na farraige? B'fhearr bheith díomhaoin ná drochghnóthach aon lá. Buachaillí tíosacha is ea garsúin an Oileáin. Ní ligeann siad na tithe ar lár. Trasna na Leacan fén dtráth seo tá scata acu agus barraí cloch á n-iompar acu. Taighdeann siad i bhfad síos sa talamh chun clocha de dhealramh a fháil. Ní bheadh aon iontas orm dá mbuailfeadh an próca óir leo lá breá éigin, agus go mbuaile agus seans níos fearr! An lá ná fuil an Blascaod ag déanamh aon lámh ar Chrannchur na nOspidéal, ní foláir nó tá saibhreas éigin sa phláinéad di. B'fhéidir gurb amhlaidh a chuirfeadh an t-airgead as ár meabhair sinn.

Cuireann na slatairí crans ar na tithe, paistíonn siad a gcuid éadaigh, agus níor bheir a máistrí riamh ar bhróig chun í a dheisiú. Ní deireann san ná go bhfaighfí fear a bheadh rómhaith dóibh mar chíonn tú ráite:

Chuardaíos is do fuaireas
Rud b'fhurasta dom a fháil;
Rud ná fuair Dia
Is nárbh fhéidir leis a fháil.

Ní bhfuair Dia, ná ní bhfaighidh go deo, a mháistir féin. Luíonn cuid eile de na hógánaigh le siúinéireacht agus is é rud a thagann as bloc déil dhearg ná fámaire de veidhlín déanta idir pionnaí is eile. Taitníonn obair den tsórt so leo, ach dála gach ní eile, corann sí iad.

Tháinig tráthnóna go raibh píce gaoithe anoir ann. Bhuail Tadhg, Tadhg na mBan a thugtaí air, isteach i dtigh Shéamais Cháit. Bhí grúnga air leis an bhfuacht, bhí a chasóg chomh fáiscthe timpeall air is gur dhóigh leat gur bhall den arm é. Sheas sé i lár an tí, dhein babhta rince gan éinne á iarraidh air, é féin ag portaireacht dó féin. Bhí a chúl leis an spré tine a bhí thíos agus é iompaithe díreach ar an ndrisiúr — thabharfá an leabhar go mbuailfeadh sé na fraitheacha leis an airde a d'éiríodh na cosa aige.

'Mhuise, mo ghrá ghraidhin do spága,' arsa an tseanbhean a bhí sa chúinne, 'nó cé uaidh a dtugais an rince? Ní raibh puinn ag d'athair de ach go háirithe. Ach tá an diabhal d'fhuadar fút; pé rud a dhéanfair, ná bain an chré as an seanurlár.'

Lena linn sin, chuala sí an phléasc thíos. Is amhlaidh a bhí ceann de bhróga Thaidhg is í léimte óna chois, agus slán beo mar a n-instear é, cá mbuailfeadh sé ná ar mhuga a bhí ar chliathán an drisiúir. Thug an corda sa bhróig leis an bhfórsa a bhí uirthi. Bheir an tseanbhean ar an dtlú:

'Cuir díot, a dhiabhail,' ar sise, 'is ná feiceadh Dia ná duine thú ag dorchú an dorais arís. Nach buaite atáim le do chuid céimeanna, a straoile gan dealramh.'

Bhí Tadhg sna trithí thíos, an muga ina smidiríní féna chosa is greim ar chluais an mhuga aige, crot an olagóin air is é ag rá:

'Ochón! mo scóladh, nach mise tá brónach
I ndiaidh mo mhuigín ghleoite,
A bhris amadán dreoite.'

Dá mbainfeadh an tseanbhean gruaig a chinn de, ní fhéadfadh sé gan bheith ag gáirí. Nuair a chonaic bean an tí go raibh an rinceoir ceatach bog uirthi, thug sí íde na muc is na madraí ar a mac a bhí ag gíotáil oibre sa chúinne. Mheas sí sásamh a bhaint de sin i dtaobh coir an fhir eile. Ach éinne amháin Muiris is Cáit; chiúnaigh an mac an mháthair agus sular fhág Tadhg an tigh, bhí sé féin is an tseanbhean chomh buíoch dá chéile is a bhíodar riamh.

'Is mise a thabharfaidh an muga de dhealramh chugat nuair a rachad go Ceann Trá Dé Luain go dtí an ndochtúir,' arsa Tadhg. Bhuail an trua an bhean nuair a chuala sí trácht ar thuras go dtí dochtúir:

'Aon ní go dtí an ngalar, a chroí,' ar sí go truamhéileach. Bhí sí ag cuimilt a baise de Thadhg ar feadh a raibh roimis den lá. Níor chás é siúd a scaoileadh amach — níorbh é an cat a d'ól a chuid bainne. Bhí a fhios aige conas teacht ar an dtaobh caoch di. Bhí an fuacht bainte go maith de féin aige um an dtaca san; bhí fáth an gháire ina bhéal, agus a chúis aige, bhuail sé suas chun mac an tí, Seán Ó Dálaigh:

'Ag slibreáil oibre arís, a Sheáin,' ar sé.

'Buail síos, agus bris muga eile,' arsa Seán, agus fáscaí ag breith air leis na gáirí san am céanna.

Thug fear an toirmisc súil féna fhabhraí ar an máthair sula rug sé ar chathaoir chun í tharrac suas taobh le Seán. Bhí sí imeartha, ní raibh aon an-iontaoibh aige aisti.

'Aon scéal?' arsa an Dálach.

'Níl mhuis, ach Beití bheith tagtha ag glaoch ar mo mháthair ó chianaibhín beag; tháinig taom éigin ar sheanThomás Ó Cearna.'

Chuir bean an tí cluas uirthi féin.

'Tomás Ó Cearna, an ea a deireann tú?' ar sí, 'An aon rud atá air?'

'Is ea, de réir dealraimh,' arsa an fear eile, agus aghaidh air chomh macánta le sagart. 'Ní haon iontas é leis; prátaí bána fliucha is iasc goirt — is maith an té ná go gcuirfidís stróc air. Tar éis na bprátaí a ithe bhraitheadar ag gearán an fear chroí istigh.'

'Rud éigin ar an bpeacach i gcónaí,' ar sí, ag sá go dtí an gcupard is ag gíotáil istigh ann nó gur thóg sí amach aprún glan. Bhuail uirthi suas é.

'Tabhair aire don gcíste sin ar an dtine, a Sheáin. Ná bíodh sé de chrois ort galar an chinn inné a imeacht air — má imíonn, bí sásta le scrabhacha dóite i gcomhair na maidine. Rithfead siar chun Beití cúpla nóiméad. Is maith an ceart dom é, tá an cuardú amuigh aici.' Bhailigh an tseanbhean léi. An créatúr bocht, nach saonta a bhí sí. Dá mbeadh a fhios aici cad a bhí i mbolg Thaidhg an uair a ruaig sé í, déarfadh sí: 'A gharsúin, fágaim fúibh an tinteán; bígí ag comhrá nó go dtiocfaidh cloig ar bhur dteangacha — mura gcloisfidh na criogair sibh, ní baol go ndéanfadsa.'

Fonn a bhí ar fhear na mbothán í a chur ón dtigh. Níor ghá é a mhúineadh chun so a dhéanamh. Níor réitigh na seanmhná riamh leis. Dhá cheann na hÉireann, ní chásódh sé bheith idir é féin is iad, aon uair a bheadh a cheann suaite ag ceisteanna áirithe. Is minic a bhíodh sé féin is Seán Ó Dálaigh is a gceann sáite le chéile acu, le barr cogarnaigh a bhíodh orthu.

Chuaigh an Dálach amach ar Thadhg go tapaidh. Bhí a fhios aige go ndéanfadh sé tráthnóna fén dtor acu.

'Scaoil le do scéal anois, a Thaidhg,' ar sé. 'Dá fheabhas a dhéanfair do dhícheall, beidh do dhá dhóthain cúraim ort é bheith curtha agat de do chroí. Ní fhéadfair mo shúilse a dhúnadh, pé ní is mar a dhéanfadh an leadhb de mháthair atá agam; thabharfadh sí toradh ar na préacháin. Thug rud éigin tú.'

Tharraing Tadhg bas a chaipín anuas ar a shúile, thochais a chúl is d'fhan ag féachaint isteach sa tine tamall.

'Ní fheadar,' ar sé sa deireadh.

' "Ní fheadar" ná raibh ag an ndiabhal ort muran discréideach ataoi. An aon duine atá marbh agat?'

'Ní fheadar,' arsa Tadhg arís — stad. 'Ar do chluais ná déan aon mhagadh fúm.'

'Fear as a mheabair is gan faic air,' arsa Seán. 'Is ait an magadh é — magadh fé ''ní fheadar''; b'fhéidir go mbuailfeadh duine éigin ba mheasa chun magaidh leat ná mise. Amach leis! Má bhí oiread trasnaíola ar Sheán Dhiarmada oíche a chleamhnais, bhí piolóidí ag breith ar an ainniseoir bocht.'

D'éirigh Tadhg agus lig air bheith ag féachaint amach tríd an bhfuinneoig.

'D'imigh an diach ar an bhfuacht atá inniu ann,' ar sé. 'Is maith a rachadh obair dúinn chun sinn a théamh. B'fhearr dúinn tabhairt fé na fáinní arís i mbliana. Dheineamar anuraidh cheana iad, agus fuaireamar dua maith uathu maidir le hiongaí dubha agus tinneas cinn a bheith orainn ina ndiaidh. Ach b'shin a raibh dá mbarr againn. Níor mheallamar Seosaimhín le haon cheann acu, ach ná bac san, níor chaill fear an mhisnigh riamh é. Cuardaigh seancheirt éigin agus scaoilfeam fé na fáinní arís. Beidh an diabhal ar fad le cruas ar an mnaoi ná meallfaidh an fáinne a dhéanfadsa an turas so. Gheobhad sean-leathphingin — ceann go mbeidh placaide Rí Shasana uirthi. Is iontu a bhíonn céad rith an airgid, i slí is go bhfeicfidh an fear a bheadh ar an nGob ag spréacharnaigh ar cheann an Dúna é.'

'Mhuise do tharrac aniar,' arsa an compánach, 'ná raibh a fhios agam go raibh fuadar ard fút.'

'Is ea, fuadar ard lá gaoithe,' arsa an fear eile le seanbhlas.

Luigh Seán chun cainte. 'Táimse dóthanach go maith de na fáinní sin cheana. Nár lige Dia go mbeinn go brách chomh dóthanach de na mná — dá mba dhóigh liom go mbeinn, ní gheobhainn le ceann acu go brách. Níor thuigeas riamh go rabhais-se, a Thaidhg, dáiríre ina dtaobh go dtí so. Itheann cat sleamhain luch. Nár lige Dia go luífidís ar an gcroí agat, pé scéal é. Chuaigh na mná d'Arastatail chun a rá go léifeadh ainniseoirí an Oileáin orthu. An gcuala tú cad tá ráite romhainn:

A dhuine bí ciúin go fóill,
Is éist le glór an tseanchais;
Seachain na mná is an t-ól,
Is diúltaigh go deo do na bearta san.

Is mór an trua fear croí mhóir i mbaile mór ceal airgid, a deirtear, a Thaidhg, ach deirimse gur mór an trua fear ceana mhóir sa Bhlascaod Mór gan fáinne aige. Toisc go bhfuilimid chomh neamhaistreach tosnóm anocht, agus bí ar do bhiorda nó go mbeidh críoch le fáinne an ghátair. Ní dhéanfaidh sé drochdhuine díom dul ag cuardach an fhaid is tá an tseanbhean amuigh is dócha,' arsa

Seán, ag bualadh síos agus ag cur méire i ngach árus a bhí ar crochadh ar an ndrisiúr beag.

'Má thagann sí orm bead aici, mar b'fhearr léi an t-áibhirseoir féin a fheiscint — cros Dé idir sinn is é — ná fáinne a bheith á thosnú sa tigh.'

Ráinig leis an leathphingin a fháil.

'Cé dó a ndéanfair an fáinne?' arsa Tadhg, ag scrúdú na leathphingine, agus thaispeáin a ghnúis go raibh sé sásta léi. Thug Seán aghaidh air:

'Nílimse chomh bog leatsa in aon chor a bhuachaill. Ní cháiseoinn fáinne a dhéanamh d'éinne go deo. Tá mo cheart déanta agam acu, agus b'fhéidir gurb é an drochfhocal a gheobhainn inniu ó na daoine gur bhronnas orthu iad. Déanfad ceann dom féin — rogha agam é a chaitheamh nó gan a chaitheamh.'

Níor chuir na bréithre sin aon chaduaic ar Thadhg.

'Maith go leor, a fhir bhoicht, tú féin do mháistir féin,' ar sé, ag éirí is ag cuimilt a ghlúna. D'fhéach sé ar chlog an phoill: 'Tá an lá meilte,' ar sé, 'agus níl aon ghnó agamsa do mháthair a bhreith istigh orm tar éis na gcleas. Beidh dul as éigin amáireach agam, nuair a bheidh gach rud leáite agus dulta i bhfuaire.'

Chuaigh Tadhg chomh fada leis an ndoras, d'iompaigh ar Sheán agus dúirt: 'An smúsaíonn tú an boladh? Tá an riach déanta is an baile mór dóite.'

'Mo chuimhne is mo dhearmhad,' arsa Seán bocht, 'tá mo chíste dóite, agus is é an buaile a gheobhad ach a dtiocfaidh mo mháthair.'

Bhain sé an clúdach den oighean; toisc gan puinn scamhard a bheith ar an gcíste b'fhurasta don dteas luí air, agus bhí sé in aon chrústa dubh amháin greadtha loiscthe. Bhí bolaith an dóite idir dhá cheann an bhaile. Fuair Beití é agus b'sheo léi, greim aici ar eireaball a gúna ar bhogshodar abhaile. Níor fhág sí thíos ná thuas ar Sheán bocht é ach is dócha ná raibh an croí chomh cruaidh inti is go samhlódh sí na crústaí dóite leis i gcomhair na maidne. Ba mhaith an bhail ar Thadhg na mBan go raibh bothán éigin eile sroiste aige sular tháinig an tseanbhean chun an tí. Chuirfeadh sí an tlú greamaithe i gcnámh a dhroma, i slí is ná beadh puinn misnigh aige chun an chéad tí eile go siúlódh sé air a iompó tóin thar ceann.

****

Seo mar a thosnaíonn déanamh na bhfáinní sa Bhlascaod. Duine nó beirt a chuimhníonn orthu ar dtúis, ach fé cheann seachtaine, ní bhíonn tigh ar an mbaile ná go mbíonn ding, ding, an airgid le clos ann. Leathphingin nó scilling is gnáthaí go ndéantar na fáinní díobh. Tógann sé tamall maith an píosa airgid a bhualadh. Le scian go mbíonn cos iarainn uirthi a dhéantar so. Bítear ag gabháil anuas ar bhord nó ar chathaoir adhmaid ar chiumhsa an airgid go dtí ná bíonn ann ach leath a ghnáthleithid. Ansan cuirtear poll ina lár agus pé áit go solátharaítear *punch* iarainn, bíonn sí ann le sá isteach tríd an bpoll. Bíonn an *punch* ag leathnú léi síos — seo é a déanamh — agus de réir mar a bhíonn ábhar an fháinne ag druidim isteach uirthi, bíonn an spás ann ag leathnú agus an poll ag dul i méid. Gan dabht, ní imíonn an píosa airgid síos uaidh féin, caitear a bheith ag bualadh is ag síorbhualadh nó go sroiseann an píosa an leithead ceart. Tógtar amach as an b*punch* ansan é. Scriostar agus leibhéaltar le scian póca laistigh é, i slí is ná bíonn aon phlanc de níos airde ná a chéile — ní réiteodh san leis na cailíní — aon ní go dtí bheith tuathalach ina súile siúd.

Níl an fáinne ullamh fós, ach san am gcéanna ní bheadh puinn taithnisc sa té ná béarfadh sé ina bheatha air; tá sé anois i lúib an daichid san áit ar chaill an sagart a bhuatais. An chuid eile den bhfáinne a thaispeáineann an ceardaí tofa. Ní mór a bheadh ag

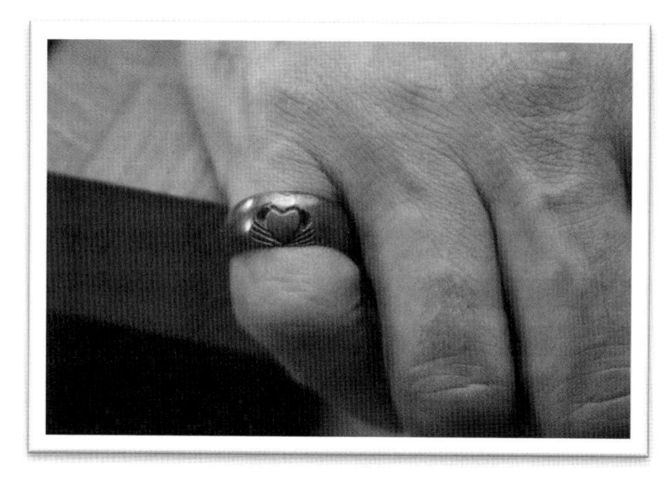

Fáinne ón mBlascaod
(*Ionad Oidhreachta an Bhlascaoid*)

éileamh fáinne gan chrans — beag ar na cailíní é a shamhlú leo! Gan dabht, thógfadh sean*khruger* éigin a leithéid, ach ní dóibh siúd a ceapadh fáinní.

Is minic a bhíonn seanléine i dtigh seachtain ag brath ar shnáthaid agus í ar iarraidh — bíonn sí sciobtha leis ag fear fáinne éigin agus b'fhéidir sula sroisfeadh sí ceirt ná snáth, go mbeadh siúlta aici ar leath-dhosaen fáinne. Le snáthaid chaol a chuirtear crans éigin neamhchomónta ar an bhfáinne — dhá láimh agus croí, nó luí na gréine ar an dTiaracht. Agus ní ar dtuathal a bhíonn so déanta, ach go fáinneach is gan cháim. Bain barr na cluaise díomsa ná féadfaí buachaill na fuaire a ghairm ar an té a scaoileann an fáinne críochnaithe as a láimh.

Bhronn Tadhg an ceann a dhein sé lena dhá láimh féin ar Sheosaimhín, ach fé dheireadh na bliana d'imigh sí is phós sí 'lá breá' air. A Thaidhg a chroí, an bhfuil a fhios agat fós nach féidir intinn na mban a thuiscint?

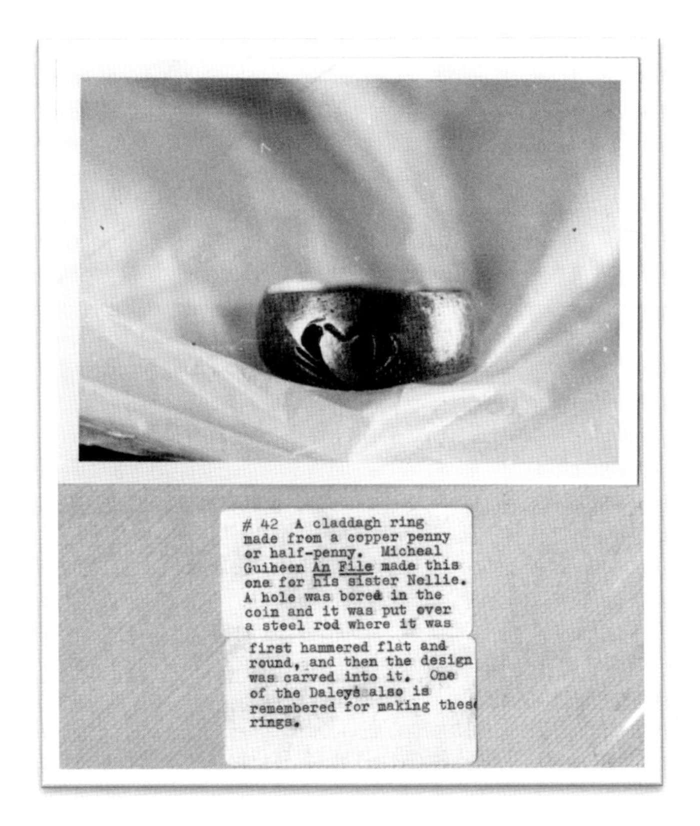

Fáinne ón mBlascaod
(*Bailiúchán Tom Biuso, Ionad Oidhreachta an Bhlascaoid*)

****

Faic ní bhíonn ag cailíní óga an Bhlascaoid le déanamh ar feadh an gheimhridh. Dála na ngarsún, ní orthu atá an locht. Níl oiriúnacht acu chun ceachtanna tís a fháil — tá siad rófhada ó láimh chuige sin. Dar go deimhin, déarfainn go bhfoghlaimíd a ndóthain de san gan faic a chur chuige ach an méid seiftíochta a chíonn siad óna máithreacha. Is iad súd a bhíonn go feistithe slachtmhar i ndiaidh tí, is iad atá ábalta ar bhulóg mhaith dhea-bhlasta a dhéanamh is a bhácáil, cé ná bíonn bainne géar ná bláthach acu go minic chun an taos a dhéanamh, ach saghas gabhála a dhéanaid féin — gabháil Ghaelach an Oileáin. Agus ní gabháil mar mhagadh í má ullmhaítear sa cheart í, ach gabháil a chuirfeadh dallamullóg ort, mar bheifeá tamall maith ag ithe an aráin sula rithfeadh an cheist i d'aigne — cá bhfaigheann na hOileánaigh an bainne chun an aráin a fhliuchadh, is gan oiread ag an mbó is a dhéanann an liathadh? Fiafraigh is gheobhair do fhreagra más fiú tú é.

Gach dalta mar oiltear. Chíonn cailíní an Bhlascaoid Mhóir obair tí déanta rompu. Leanann siad lorg na máthar nó go léimid chun a slí mhaireachtaint a bhaint amach i dtaobh éigin eile den ndúthaigh.

Níor bhuaigh faic riamh ar chnoc nó farraige chun a ghoile a thabhairt do dhuine, a deirtear — ní mise a chum ná a cheap é, cé go raibh a chúis agam go minic. Pé duine a chum é mar ráiteachas, tá deimhniú na fírinne ag mná an Blascaoid.

'Slán beo a bheidh siad,' adeir Sinéad, 'níor fhág Tadhg is Peats aon ghreim aráin sa chlabhar tar éis teacht ó Charraig an Lóchair dóibh. Bhíodar stiúctha ar fad. Ní fhágann an t-oigheann imeall na tine, ag bácáil a thugaim an lá, agus rud duaisiúil callshaothach is ea é nuair ná bíonn agam le seachtain ach an chraobh. Tá deireadh na móna dóite againn. Ach is mór an ní go bhfaigheann an dras mionailp mhaith d'arán geal ar scoil — sásaíonn sé a ngoile agus baineann sé cuid mhór den mbráca díomsa. Ní bhéarfadh an rabharta ar an mhallmhuir agam leath mo shaoil mura mbeadh é. Go bhfága Dia suas an té a bheartaigh ar an bhflúirse a scaoileadh i measc na leanbh.'

'Áiméan a Thiarna,' arsa Cáit Neans, a bhí ag éisteacht. 'Níl aon bhaol ná go bhfhóireann an béile sin.'

D'oscail Sinéad a béal chun cainte, ach níor ghá di an dua san a chur uirthi féin. Ní bhfaigheadh duine focal a chur isteach go deo an fhaid is bheadh an bhean eile ar an bhfód.

'Cogar so chugam,' ar sí, 'ní ag baint na cainte sin as do bhéal é, an gcreidfeá go dtabharfainnse an leabhar gur géarú goile a chuireann an t-arán siopa san ar na leanaí? Bíd comh sainteach chun an bhídh tráthnóna is a bheidís gan aon ghreim a bheith ite acu.'

'Ní déarfainn é,' arsa Sinéad, 'ach b'fhéidir duit an ceart a bheith agat.' D'ísligh sí chun breith ar a buicéad uisce — is ag triall air a tháinig sí. Ach ní hionann dul go tigh an rí is teacht as. An lá a bhuail Cáit Neans léi, ba dheacair di a cosa a thabhairt uaithi chomh tapaidh sin. Bhí tosach chuici anois — sula raibh a cosa glan ón dtobar ag Sinéad, bhí scéal eile sa mhullach uirthi, agus rud náireach di ba ea imeacht gan cluas éigin a thabhairt di.

'Géarú goile, cad eile, a chuireann an t-arán geal ar éinne,' ar sí arís. 'Inné, chuaigh Cáit seo againne ar an gcnoc tar éis scoile ag triall ar bhraillín craoibhe, agus tar éis teacht di, d'ardaigh sí léi ceathrú maith bollóige, shuigh cois an bhoird is bhí ag alpadh is ag dingeadh siar nó gur cheapas go scoiltfeadh uirthi. Ar m'anam ná raibh oiread ina diaidh is a dhéanfadh cat, bail ó Dhia is ó Mhuire uirthi,' a ghuigh Cáit, agus a súile casta ar na flaithis. 'Ní ag maíomh a cuid bídh ar mo leanbh féin atáim. Nár lige Dia gurb ea.'

Chaith Sinéad a buicéad a bhualadh uaithi arís, dhealraigh an scéal ná raibh puinn deabhaidh abhaile uirthi siúd ach oiread leis an mnaoi luathbhéalach.

'Tá a fhios ag an saol,' arsa Cáit arís, agus í ag fáscadh an tseáil bhig uirthi féin — ba dhóigh le héinne gur fonn troda a bhí uirthi — 'ná maím a beatha ar Neil Dhiarmada, má bhíonn goile mar siúd tar éis an chnoic ag na 'lá breá*s*' nuair a thagaid siad chuici. Is dócha go mbíonn. Chím ag sodar i gcónaí ag teacht ón gcnoc iad.

Ba dhóigh leat ná béarfadh an anairt ar an bpraghas acu — putóga folamha, a dhuine, agus ocras.'

I lár an allagair don mbeirt bhan, d'éirigh Seán Pheats amach thíos ar an bport, é ceann-nocht, gach deoir ramharallais ag titim anuas ar a ghrua, spalladh tarta air tar éis teacht ón dtalamh garbh ó bheith i ndiaidh na gcaorach. Cuma mhíshásta go maith air, féachann sé i dtreo an tobair:

'Ceangal ná raibh thuas oraibh,' ar sé leis féin, 'muran fada go bhfacabhair a chéile.' Ghlaoigh amach: 'Abhaile leis an uisce leat, a Shinéad, táim ag brath leis.'

Pé míshástacht a bhí laistigh, dúirt Seán an chaint sin go cneasta. Bhí an méid sin de mhaith ag baint leis an bhfear bocht — dá ghéire a bheifí ag coimeád na hingne deiridh leis, ní ligfeadh sé air ná gurb é an scéal ab fhearr a tháinig riamh é.

'Beidh mé chugat láithreach,' arsa Sinéad, agus í ag tógaint an bhuicéid arís. Ráinig léi cur di an uair seo — is maith é an t-eagla, ach ní deireann san go raibh puinn de ar Shinéad. Is mó dá bharr a bhí amuigh aici tar éis teacht.

'Nach ag ní is ag sliseáil na bplainíní a bhí sa tobán thar oíche a bhíos,' a chum sí dá fear céile. Ach ní raibh Seán Pheats chomh baoth is a cheap Sinéad.

'Ní bréagaí tú ná an té a chreidfeadh tú,' ar sé sin, ag bualadh an bhuicéid ar a cheann is ag ól a shá den bhfíoruisce.

Bhí Seán chomh sásta le diúic ansan ach amháin go ndúirt sé gur mhór an trua nach lán de phórtar a bhí an buicéad — is é a shlogfadh siar go sleamhain milis é. Ach is maith leis na mná dealbha an bhláthach; ba mhaith le Seán aige an t-uisce nuair ná raibh fáil aige ar a mhalairt.

****

Tríd an mbliain go léir tugann sé a dhóthain le déanamh do mhná an Bhlascaoid arán a choimeád bácálta do lucht na farraige agus d'fhiagaithe an chnoic. Dar go deimhin, is minic a bhuaileann ocras maith an dream deiridh. Clás Ó Duinnshléibhe a inseodh san duit. Lá geimhridh dá raibh an fear san ag líonadh ualach móna ar a asal thiar taobh na nGairdíní sa chnoc, cé a chífeadh sé chuige aníos agus grúnga air ná Séamas Bhailt. Cuma ainnis go leor a bhí ar an ngarsún bocht maidir lena chosa a bheith ag lúbarnaigh fé agus dealramh ocrach go maith a bheith air. Bhí sé sa chnoc é féin is a mhadra ó gheal sé ar maidin.

'Táim caillte,' arsa Séamas sula raibh Clás sroiste aige, ach san am gcéanna bhí sé chomh cóngarach d'fhear na móna is gur chuala sé é.

'Ó, a Dhé! Cad a chaill tú?' arsa Clás de bhéic.

'An t-ocras a dhuine. Ní bheadh aon smut aráin ar bóiléagar agat?'

'Thar a dtáinig de laetheanta riamh,' arsa Clás, 'níl blaise i mo phóca inniu.'

Scian trí chroí an fhir eile ba ea an méid sin cainte. Ní raibh faic le déanamh aige ach é féin a chaitheamh ar a fhaid is ar a leithead ar an dtortóig.

'Ó Dia linn, an t-ocras!' ar sé, 'Nár bhreá é greim aráin anois.'

D'ardaigh sé aniar a cheann tar éis cúpla nóiméad a bheith caite aige ar fhleasc a dhroma, d'fhéach ina thimpeall ag smúsaíl agus labhair: 'Faighim boladh an rósta. Tá feoil á róstadh in áit éigin, tá mhuis, dá mbéarfadh an diabhal leis é. Tá.'

Chaith Clás pléascadh ar gháirí. 'Dhera, cá mbeadh feoil á róstadh ar mhullach cnoic?' ar sé, ag titim sna trithí.

'Ón dTiaracht atá sé ag teacht,' arsa fear an ocrais. 'Ó nach breá dóibh thiar ann anois agus tarrac ar fheoil acu.'

Tháinig trua ag Clás dó nuair a chonaic sé an cló a bhí air, agus dhírigh ar é chur chun suaimhnis. Thug sé aghaidh air:

'Fastaoim a bhuachaill! An féidir leat a thabhairt chun do chuimhne gurb é an lá inniu an Aoine? Cad a bhéarfadh go mbeadh feoil ag lucht na Tiarachta inniu? Agus rud eile a Shéamais, dá mbeadh feoil uair is daichead acu á róstadh thiar ann, níl srón aon duine chomh géar is go bhfaigheadh sé an boladh chomh fada san ó bhaile. Cuimhnigh air go bhfuilir breis is leathdhosaen míle ón gcloich. Miangaiseach chun an bhídh ataoi. Tánn tú chomh holc anois le mo dheartháir, beannacht na ngrást lena anam. Turas dá raibh sé sa tigh agus cos an-thinn aige, thuigtí do go mbuailfeadh an t-áthrach a ghabhadh an bealach ar an spág thinn, agus dá mbeifeá ag déanamh ar an dtigh, ar m'anam go gcloisfeá agus gan tú i ngiorracht fiche rámhainn don dtigh é ag béicigh: "Seachain mo chos thinn.'' Tá tusa chomh hainnis leis anois, ach sa mhagadh san is uile, is dócha ná cuirfeá suas d'ailp feola ar an nóiméad so?'

'Cuma liom dá mba seanmholtachán lofa é, nó fóisc chnuimheach, d'íosfainn anois é. An bhfuil a fhios agat go n-íosfainn píosa de dhuine, tá oiread san sceimhle ocrais orm.'

'Táim ar fhód dainséarach mar sin,' arsa Clás ag déanamh leathgháire. 'Bí ag ciorrú an bhóthair abhaile i mo theannta. Nuair a thitfir as do sheasamh tabharfad ar mo dhrom tú, ach an diabhal síob a gheobhair go dtí san.'

'Mura bhfuil neart ionat féin bí á cheal, de réir dealraimh,' arsa Séamas, agus é ag éirí go mall righin agus á chrothadh féin suas. 'Is mó lá is oíche Domhnaigh a thiocfaidh sula bhfeicfidh Dia ná duine mise ag fiach coiníní arís. Tá Bran bocht is gan ann ach an dé.'

Ghlaoigh sé chuige a ghadhar, Bran, chuimil a lámh siar dena drom, is bhí ag peataireacht léi.

'Tá éagóir déanta agam ort, a ghadhairín,' ar sé. 'D'oirfeadh greim anois duit chomh maith is d'oirfeadh dom féin, ach tiocfaidh a chaint go maith don bhfiach dubh san am is go mbéarfaidh lá mar an lá inniu orainn.' Scaoil sé uaidh Bran.

D'imigh an t-asal rompu amach is a ualach air — rian a choda go maith air — a leithéid ní raibh ag dul isteach i mbaile an Daingin maidir le ceol is fuinneamh a bheith ann. Bhí Bran ina dhiaidh aniar, a eireaball fé aige, a phus geall leis ag bualadh ar an dtalamh. Bheadh coiníní ag baint na gcos de an uair sin a déarfainn sula dtabharfadh sé seáp fúthu. Buann an t-ocras ar an ndúchas.

An chaint dheiridh a lig Séamas as chuir sí a pháirtí ag smaoineamh. Tar éis tamaill dó mar sin chuir sé caint ar fhear an ocrais, fear ná raibh puinn fonn cainte air, agus dúirt:

'An focal san agat, "nuair a thiocfaidh a chaint don bhfiach dubh", an bhfuil a fhios agat cathain sin?'

'Ní fheadar mhuis,' arsa Séamas, 'ná nílim puinn ina thinneas.'

Níor lú le Clás an sioc ná glór a bheith i gceann duine ná tuigfeadh sé.

'Níl agat, a bhuachaill chóir,' ar sé, 'ach focal an údair i mbéal an amadáin. Inseodsa san duit. Ní fearr dúinn rud a chiorródh an bóthar abhaile dúinn. Is mó lá is oíche ó chuala ag m'athair é, beannacht dílis Dé lena anam. Seo dhuit an uair a thiocfaidh a chaint don bhfiach dubh:

Nuair a thiocfaidh an míol mór don Mhaing,
Nuair a thiocfaidh an Fhrainc go Sliabh Mis,
Nuair chaillfidh an sagart an tsaint

Tiocfaidh an chaint don bhfiach dubh.'

Bhí fonn ar Chlás stad tamall ar cheann cnoic chun an duain a chur ina luí ní b'fhearr ar a scoláire, ach chás don bhfear deiridh suí.

'Aon phioc maitheasa ní dhéanfaidh sé dúinn stad tamall anois,' ar sé. 'Bímis ag baint lán na pípe soir de.'

Is dócha nach mór an chluas a thug Séamas Bhailt ar an rann; ba chuma cathain a thiocfadh a chaint don bhfiach dá mbeadh a bholg lán. Ní mór eile cainte a baineadh as nó go raibh sé ar a chúilín seamhrach go sásta ina chúinne tar éis béile maith a bheith curtha isteach aige.

******

Sin abhras daoibh ar ocras an chnoic. Ach cé gur obair dhuaisiúil arán a choimeád ullamh sna tithe san Oileán, níl sé leath chomh hanróch le stocaí a choimeád déanta deisithe triomaithe ó cheann ceann na bliana. I ráithe an gheimhridh a dhéanann na mná na stocaí a chniotáil. Bíonn a gcuid snáithín tagtha chucu an uair sin ón muileann, agus dá fhaid í an oíche ní théann aon lag ar na mná ach ag cniotáil. Luíonn an obair ar bhean an tí de réir an méid fear, idir óg is aosta, a bhíonn sa tigh. Is minic a bhíonn uirthi cniotáil a dhéanamh do thriúr. Agus is iad mná an Oileáin sás na cniotála a dhéanamh — níl cor na péiste, priocadh na circe, ná lúb ar an bhfaobhar ná bíonn le feiscint trína gcuid cniotála. Gan dabht is ar na geansaí*s* is mó a dhéanann siad na hoibreacha so.

Tagann laethanta ar fhear an Oileán go gcaitheann sé a bhalcaisí cos a shóinseál trí bhabhta. Téann sé ar an dtír ar maidin, beireann slothram air sa bhFaill nó ar an Inneoin, agus fliuchann go craiceann a dhá chois. 'Stocaí tiorma,' adeir sé ag cur an dorais de tar éis filleadh. Cuireann air. Chun cnoic leis ag féachaint i ndiaidh chaoirigh atá i mbarr dhá ghleann. Ní bróga trioma a thugann sé abhaile as so leis, áit ina bhfuil féitheanna is fliuchán a rachadh go glúine ort nuair a bhíonn sé tar éis báistí. Tá a fhios san ag bean an tí atá ar dalladh ag triomú péire stocaí le drom stóil féna bhráid. Síneann sí chun a céile iad tar éis teacht dó. Cuireann air le súil is ná fliuchfar go lá arís iad. Bíonn breall air. Seo cúram is daichead ag glaoch air i mBeiginis. Mura mbíonn an lá ar a shástacht, is minic ná bíonn an dara buille rámhaíochta tugtha aige san am is go líontar go dtí na maidí cos an naomhóg. Cá bhfuil na stocaí trioma ansan? Is gearr go mbeid i gcúil an choicís i dteannta na coda eile. Níorbh ionadh dá spalpadh an fear bocht amach ar an bpointe sin, 'bá, bascadh, is múchadh ar a bhfuil d'fharraige ó Cheann Sléibhe go Cuailgne.'

Mar sin a choimeádtar mná an Bhlascaoid ar siúl, ag cniotáil is ag feistiú stocaí, ach is mór an ní dóibh nár thóg na fearaibh ina gceann fós stocaí síoda a chaitheamh. Tá siad sásta le stocaí d'olainn na gcaorach—stocaí go bhfuil buanchas agus fascain iontu, pé ní is mar a dhéanfadh na lóipíní síoda. Nár lige Dia go dtiocfadh aon tonn gliogaireachta an treo a chuirfeadh fearaibh na háite chomh mór san as a meabhair is go gcuirfidís suas do na stocaí fuaimeantiúla a bhí maith a ndóthain dona sinsir rompu.

'Titeann rudaí aite amach,' a déarfadh Maurice Mhuiris, 'titeann — ná feicim iad.'[19]

---

[19] Féach thíos Aguisíní: 6 'Caitheamh Aimsire'.

A Cheart Féin Don mBás

Cé gur fada siar é an Blascaod ar chósta fiain na hÉireann, cé gur minic ná bíonn dul ag na daoine ann ar scéala d'aon tsórt a fháil ón míntír, agus cé nach annamh ná feadair éinne iad a bheith ann nó as, tá aon ghruagach cumhachtach amháin ná dearmhadann an tOileáinín iargúlta so. Ó, nár bhreá an scéal é dá ndéanfadh! Nárbh aoibhinn é dá gcuirfeadh stoirm agus fiantas an gheimhridh air — ach ní chuirid. Is cuma leis an mbás stoirm nó calm aige; is cuma leis lá nó oíche; ní imíonn oileán as a chuimhne ach oiread le haon áit eile ar dhroim an domhain.

Tugann an bás fogha fén mBlascaod. Uaireanta bítear seachtainí á fhaire, uaireanta cuairt reatha a thugann sé ar nós a lán de na stróinséirí — tagann sé gan choinne.

Nochtar ar nóiméad claíomh Dé,
Ag cur an tréin fé phéin is smacht;
Is gearr ó inniu go dtí inné,
'Gus is gearr a bhíonn an t-éag ag teacht.

Bíonn sochraid i mbaile mór nó i gcathair uaigneach go maith. Ach bíonn uaigneas mínádúrtha ag baint leis — múchann an ghalántacht cuid mhaith den ndólás. Faigheann daoine faoiseamh uaidh sa tsáipéal. Daoine nár ghabh an treo le blianta tagann siad sa tsochraid — dearmhadtar an marbh sa chaint leis an mbeo.

Sa Bhlascaod Mór tosnaíonn an dólás agus an diamhracht sula dtarraingíonn an peacach an puth deiridh. Cé dúirt ná bíonn fios ag an gcoileach ar an uain a bhíonn an bás chun a chuaird a thabhairt? Gáireadh daoine fé más maith leo é, ach is é an coileach a fhógraíonn an bás chugainn ar an Oileán. Chomh luath in Éirinn is a bheidh an t-othar i mbaol báis tosnóidh sé, agus stad ná staonadh ní rachaidh air ach ag glaoch in am míthráthúil nó go gcuirfear an corp síos i dtalamh Dé.

Bailíonn na daoine go léir go tigh an choirp nuair a bhíonn an marbh nite glan gléasta. Bíonn na fearaibh i gcúil leo féin, a gceannaibh sáite le chéile acu ag comhrá, gach éinne is teist níos fearr ná an dara duine aige ar an bhfear marbh — más maith leat tú a mholadh faigh bás. Go hobann baintear geit as an dtigh—gola—gola—gola—gó-ó-ón-ó-ó; triúr seanbhan atá tagtha ag caoineadh an duine mhairbh.

'Go mbrise an diabhal bhur sciúch, muran sibh a thóg ó thalamh mé,' arsa Seán Eoin lena chomharsa, lá a bhí duine fé chlár san Oileán is go dtáinig na mná caointe mar siúd. Bíonn ciall is meabhair éigin ag an bhfear i gcónaí. Ach dá mba púir mhór a bheadh leagtha amach ar an mbord, máthair leanbh, nó ógánach, bhuailfeadh a mbeadh sa tigh a gceannaibh fúthu nuair a thosnódh an caoineadh. Rud nádúrtha is ea gol ar dhuine óg.

Bíonn tórramh san Oileán chomh maith le haon dúthaigh eile. Don Daingean a théitear ag triall ar earraí an tórraimh, agus tugtar an chomhrainn ina dteannta. Fo-uair tagann bád nó dhó ó Dhún Chaoin ar an dtórramh. Uaireanta leis, tagann cairde ó na bailte timpeall. Ní bhíonn aon easpa slí orthu mar ná bíonn aon bhrútáil mhór ann. Ní mhóthaíonn lucht an choirp a fhaire an oíche ag sleamhnú. Bíonn bia, deoch, is tobac ag imeacht go tiubh. Éacht mór éigin á eachtraí ag an seanduine is aosta istigh agus boghaisín déanta ag scata timpeall air.

Fé na seanmhná a fhágtar na paidreacha mar is gnách, agus chun iad a ghléasadh chucu gabhann boiscín snaoise timpeall ó uair go huair. Níl seanbhean acu ach a dtógfaidh pinse ná deireann paidir na snaoise. Tarraingíonn gach bean acu an seál aniar níos fháiscthe uirthi — ligeann osna, osna sásaimh is dócha, agus deireann:

'Seacht rann de lón Phádraig,
de theampall Chríost,
de bheannachtaí dílis Dé,
le gach anam a bhaineann linn ó thaobh taobh,
le hanam purgadóirí an domhain,
agus lenár n-anam bocht féin sa chríoch dhéanaigh.'

Sin í paidir na snaoise. Ach san am is go mbeadh seanbhean mhantach luathbhéalach ag spalpadh na bhfocal amach, níor mhór duit a bheith pras go maith sna cluasa chun aon tuiscint a fháil uirthi. Casann an corp ar an dteampall. Is ar a theampall dúchais a chasann an duine marbh san Oileán. Cuirtear cuid mhaith acu i mBaile na hAbhann i nDún Chaoin agus a thuilleadh acu ná bíonn sásta gan bheith sínte i measc na laoch i dteampall Fionntrá:

Féach an ceann is gan ann ach áit na súl,
féach an drandal mantach bearnach úd;
a ghiolla úd thall is teann mar gháireann tú,
is go mbeidh do cheann gan amhras lá mar siúd.

Beidh go deimhin — is cuma dúinn cá sínfear ár gcnámha.

Is minic a dhéanann an sagart ionad dochtúra san Oileán Tiar. Is é is gaire do na daoine bochta neamhghustalacha so, agus lena chabhair is cabhair Dé, tagann an t-othar, nó má tá a lá suas, imíonn sé leis gan dochma chun a Thiarna Dia.

Tiomáintear naomhóg amach, naomhóg cheathrair, agus téann duine nó beirt den gcriú ó thuaidh ag glaoch ar theachtaire Dé.

Is ar an sagart óg a bheadh cúram an Oileáin ag brath, is é sin dá ráineodh leis bheith istigh nuair a thiocfadh an glao. Mura mbeadh, chaithfeadh an sagart mór tabhairt fé siar, pé dochma a bheadh air. Go deimhin, is cuma leis na daoine breoite cé acu acu a thagann, mar bíd araon go lách tuisceanach leo.

Is é nós an Oileáin gan an iomad den lá a bheith meilte san am is go dtógtar amach an corp. Déantar so de ghnáth timpeall a haon déag ar maidin. Tógtar an chomhrann ar ghuaille fear síos Bóithrín na Marbh go dtí an caladh, na mná ina ndiaidh aniar, agus a n-olagón casta suas acu go breá bog binn, na leanaí is na hógánaigh sa tsiúl chomh maith. Ní bhíonn focal as éinne, ní bhíonn rud ar bith chun fothram a dhéanamh — ciúnas na reilige sula sroistear an reilig. Ba mhór an briseadh ar an uaigneas dá n-ardódh eitleán os cionn na háite nó dá ngabhadh árthach suaithinseach an Bealach — dhéanfaidís athrú sa scéal — thógfaidís intinn na ndaoine den mbás. Ach ní baol go ngabhadh. Dhéanfaidís a luach féin de dhíobháil mar loitfí an crot uaigneach nádúrtha a bhíonn ar an tsochraid. Ní oirfeadh san don Oileán mar a gcloiseann tú 'fuaim na caise ag caoineadh ar an dtráigh.'

Cuirtear an chomhrann isteach i ndeireadh na naomhóige — bíonn sí in airde ar chlár a deiridh, agus i leith fén dtochta deiridh. Léimeann beirt nó triúr fear isteach inti agus fágaid an caladh. Ní thugann aon bhád fé amach nó go mbíonn bád an chorpáin imithe — tugtar an méid sin ómóis don marbh. Anuas leis na báid eile ansan. Ní hé an chaolchuid acu a théann amach, má bhíonn an aimsir leo. Go deimhin is ródheas an radharc seacht nó hocht de naomhóga a fheiscint ag leanúint a chéile ar fharraige chiúin shleamhain.

Níl aon rud is mó a chuireann eagla is sceimhle ar mhuintir an Oileáin ná an bás a theacht ar cuairt chun duine acu is gan an

A FUNERAL ON THE SEA.

This picture represents the funeral of a Blasket Islander. The burying ground of the islanders is on the mainland, and the bodies are brought from the island to the mainland in curraghs or canoes. In the above photograph of a funeral the coffin is in the stern of the first canoe, which is followed by a procession of other canoes with friends and relatives. On landing the coffin is borne to the top of the cliff, and on arrival it is the custom to lay it down and hold a "wake" for about an hour. It is said that it has never been known to rain or blow on the day of a Blasket Island funeral.

Photo by J. C. Houlihan.

Sochraid ón mBlascaod (*Irish Independent 6 Meitheamh 1913, 3*) uain a bheith ródheas. San am is go mbíonn gach rud fuirsithe fálaithe acu isteach ón nDaingean i ndrochfharraige, ní rómhór an teaspach a bhíonn orthu. Ansan bíonn an lá amáireach ag cur mearbhaill orthu ar eagla ná beadh sé oiriúnach i gcomhair na sochraide. Ní bheadh an scéal róchompordach dá mbeadh ar an gcorp a bheith oíche eile sa tigh. Gan dabht bheadh an Rinn acu chun é a chur ann, ach ní bhíonn éinne sásta lena dhuine a chur ansan. Choimeádfaí istigh dó nó trí laetheanta ar dtúis é.

Cúpla bliain ó shin cailleadh fear san Oileán [le linn] Dhá Lá Dhéag na Nollag, agus is minic a thagann scríob mhaith timpeall an ama san. An lá a chuaigh sé go dtí a Thiarna Dia, níorbh aon dea-fhuadar a bhí fén bhfarraige. Bhí ceathanna á bhaint thiar is an ghaoth ag teacht ó dhrochphointe. Deineadh an bheart ar an dtórramh a thabhairt abhaile, ach ní i ngan fhios do ghéaga na bhfear é. I bhfad na hoíche is ag préamhú a bhí sí in ionad aon staonadh ná ciúnas a bheith ag dul uirthi.

Gheal an lá. B'sheo na fir amach ar an bport. Bhí an Bealach á réabadh ó phort go port — feothain gheala ag imeacht béal na trá soir agus bata maith láidir de ghaoth aniar aduaidh ann. Bhí iníon an fhir mhairbh ann agus í go himníoch. Níor thúisce istigh ná amuigh í, níor thúisce thoir ná thiar í.

'Beidh an uain go maith fé thráthnóna,' arsa Micil Thaidhg léi sa deireadh — cé go raibh fios daingean aige ná raibh aon an-dhealramh air mar lá. Theastaigh uaidh an focal maith a bheith aige. Bhí sé chomh maith aige mar bhí a chuid is a chlú aige ina dhiaidh sin.

Is ea, chaith an lá. Bhí sé ag tarrac go hard ar a dó a chlog is gan aon chuimhneamh ag an anaithe ar dhul ar gcúl. Bhí iníon an fhir mhairbh fén dtráth so agus í i ngátar í a cheangal, agus dála gach aon rud, níorbh aon ionadh san mar b'fhearr léi ná a bhfaca sí riamh, neart a bheith aici an sólás deiridh sin a thabhairt dá hathair — é a chur ina theampall dúchais. Is minic a deireadh an fear céanna is é ina bheatha nár ghráigh sé riamh duine a bhaineas leis a chur sa Rinn. Tháinig Micil Thaidhg chun na mná arís:

'Níl ann ach amadántacht a bheith ag fanacht.' ar sé. 'An rud a chaithfear a dhéanamh amáireach bheadh sé chomh maith é a dhéanamh inniu. Ní fheicfir aon lá breá ar an dtaobh so de Dhomhnach.'

Bhí greim ag breith ar an mnaoi bhocht.

'Cad a mheasann tú a rá,' ar sí, 'm'athair a chur fé scaob sa Rinn, an ea?'

'Cad eile?' arsa Micil, 'agus má théann sé air sin, féadfam an corp a thógaint arís nuair a rachaidh aon bhogadh ar an aimsir agus é a thabhairt ó dheas go Fionntrá.'

'Réir Dé go ndéanaimid,' ar sí agus í ag féachaint go hómósach ar phictiúir den Máthair Shíorchabhrach a bhí ar thaobh an fhalla. 'Ach,' ar sise, 'fan uair an chloig eile. Níor chaill Dia fós riamh orainn in am an ghátair. Níl aon drochní déanta agam as an slí air. Tá mo mhuinín fós agam as. Nuair is mó an anaithe is ea is gaire an chabhair.'

D'imigh Micil uaithi agus é ag caint leis féin: 'Tá tuairim aici go rachaidh sánas air. Ní fearr di ar domhan é; tá rudaí ag dul sa mhuileann uirthi. Tá sí gach stróc anois chomh maith leis an nGarlach Coileánach nuair a dúirt sé go raibh an aimsir ceoch reoch fliuch, is é ag triomú chun seaca. Tá sé ina croí go n-athróidh an lá inniu. Pioc fírinne níl ina ceann mhuis — tá oiread bacaí ina tuairimí is a bhí i mbréithre an Gharlaigh.'

Ní túisce a bhí a chosa glan ón dtairseach ag Micil ná mar chuaigh an bhean bhocht ar a glúine fé bhun phictiúir Mháthair na Síorchabhrach. D'athchainigh agus d'iarr go géar ar an Máthair

Naofa croí Íosa a bhogadh ar a son, agus má ba é a thoil rónaofa é, leathuair an chloig ciúnais a bhronnadh orthu chun rith trasna go Dún Chaoin. Sula raibh sí de na glúine, bhí Micil chuici arís, scéimh iontach ar a aghaidh. Níorbh aon ionadh dó — an t-athrú mór.

'Táimid chun tabhairt fé,' ar seisean. 'Ná feiceann tú bogtha anuas é?'

Thug sé fé ndeara an bhean caite ar a béal is ar a haghaidh fé bhun an phictiúra, ach níor chuir sé isteach uirthi, rud a b'annamh leis, mar bhuaigh sé ar fhearaibh an Oileáin chun pas cleithmhagaidh a dhéanamh fé lucht na bpaidreacha móra fada. Agus bhí sánas mór tar éis teacht ar an aimsir. Ba mhór an difríocht é i gceann leathuair an chloig. Rachadh bád trasna gan díth gan dochar ansan. Roimhe sin ní sheasódh sí an linn — gheobhadh an t-uisce tríthi ó eireaball go soc, fé mar a gheobhadh sé trí bhád páipéir a bheadh ag leanbh á sheoladh i log uisce.

Tógadh chun siúil an corpán. Níor ghabh amach ach dhá bhád. Fuaireadar an calm gur shroiseadar cé Dhún Chaoin, agus ansan fé mar a bheadh an nimh ar an aithne, réab an bá arís. Chaith criú na mbád fanacht amuigh an oíche sin. Ba chuma leo, ba mhinic roimhe sin a beireadh amuigh orthu. Ní haon doicheall a bhíonn ar mhuintir Dhún Chaoin rompu, daoine fiala flaithiúla croímhóir iad súd a thugann leaba is bia go minic do mhuintir an Oileáin. Pé acu san is uile, bhí an fear curtha ina theampall dúchais. Bhí tabharthas ó Dhia fachta ag a iníon. Níorbh ionadh dá n-abradh sí an tráthnóna san, agus í ag coimeád súil ar an mbád nó gur imíodar as radharc:

'Is maith iad na cairde romhainn ar an mbóthar,
Dia na bhflaitheas is Muire na glóire,
Mícheál naofa is a dhá sciath comhraic,

Is sluaite na n-aingeal ag faire ar sinn 'fhóirthint.'

Sa tslí sin duit gur cruatan maith ar na hOileánaigh gan an uain a bheith oiriúnach chun nithe a fhritheáil le linn sochraide. Ach is gaire cabhair Dé ná an doras.

Is ar bharr na haille i nDún Chaoin a bhuaileann sagart nó sagairt Bhaile an Fheirtéaraigh leis an tsochraid. Gluaistear léi go dtí pé teampall atá in áirithe. Tugtar turas an teampaill leis an gcorp nó go mbuailtear síos an chomhrann agus a haghaidh soir ó dheas ar na flaithis, taobh le huaigh bheag chomónta scraithín.

Tógann an sagart amach a leabhairín agus léann. Seo gach éinne ar a nglúine, cé go mbíonn an fliuchán ag dul go cnámh go rímhinic orthu, agus guíd i ngabhal a chéile go dúthrachtach amach óna gcroíthe ar son anam an té atá imithe chun a Thiarna Dia. Sin é is fearr atá as.

Ina dhiaidh seo scaipeann cuid mhór de lucht na sochraide, níl aon chúram ann ansan acu. Níl faic le déanamh ag éinne ach ag muintir nó comhghleacaithe an té a tháthar a chur don chré. Síos leis an gcomhrann, caithtear anuas na seanbhoscaí agus na seanchláracha eile uirthi, na scraithíní, leacacha cloch á ndingeadh anuas ar a chéile, gach scaob ag breith bua ar an scaob roimpi le feistíocht, ar eagla an bhraoin anuas. Tá an obair déanta. Go bhfillfidh an lá inné, ní chuirfidh sruth an Bhealaigh ná léas Chnoc Cárthaí sceoin ná eagla i gcroí an Oileánaigh úd. Tá a bhuille tabhartha is é sínte trascartha thar réimse a bhaile dúchais.

Ach ní dhearmhadann a ndaoine féin iad. Go ceann scaithimh, tar éis an tsolais a lasadh gach oíche ar an Oileán Tiar, féachfaidh na daoine amach i dtreo Dhún Chaoin, nó ó dheas ar theampall Fionntrá, agus filleann cuimhne a marbh chucu, na mairbh úd b'ionúin leo an fhaid is a bhíodar ina dteannta, na mairbh úd ná ceannódh na céadta thar n-ais. Cuirid an bás i gcuimhne dóibh féin, cuimhne ná déantar rómhinic do na peacaigh faraoir; cuirid in iúl dóibh ná fuil sa tsaol so ach tréimhse mhí-ámharach ná feadair éinne ó inniu go dtí amáireach. Thráthúil go leor san am luaite bíonn intinn na ndaoine ar na mairbh agus is minic a chuala Peig Shéamais á rá nár fhéach sí riamh i dtreo na dteampall ná rithfeadh an phaidir seo chuici go nádúrtha:

A Mhichíl naofa glaoim ar d'ainm
Is ar Naomh Eoin Baiste grámhar,
Ar naomhaibh an domhain chun cabhair dom anam
Am an chatha [is an ghátair].
Beidh mo shúile ag dúnadh is mo bhéal ar leathadh,
Is mo mheabhair ag imeacht chun fáin uaim,
Mo chúis dá glaoch is mo théarma caite,
Agus Dia le m'anam an lá san!

Ach ní bhíonn an bás i dtaoibh le daoine fásta a sciobadh leis. Ní dhearmhadann Dia na Glóire aingeal Gaelach a bheith aige ina ríocht, agus san áirithe sin aimsire i gcónaí seoltar chun bóthair leanbh bliana nó dhó nó b'fhéidir naíonán ná beadh puinn dá shaol feicthe aige:

Éalaíonn an bás bocht i dtráth ar gach éinne
Is ní fearr leis duine aosta ná an páiste beag óg.

Ní bhíonn aon tórramh ar pháiste den tsórt so; ní lú mar a bhíonn olagón air. Fágtar ag a Mháistir é gan doicheall. Má bhíonn píosa d'éadach bán idir cheithre chúinne an bhaile, déantar é a sholáthar mar bhalcais báis don gcorpán óg. An fhaid a bheifeá ag bualadh do bhasa ar a chéile, bíonn sé geárrtha agus fuaite i bhfoirm gúna agus crans curtha air le ribíní. Ní fhaca éinne riamh ach an chuma chomh deas is a thugann an gúna san ar an marbh. Bíonn scéimh an aingil air go deimhin. An leanbh a chailltear roimh a dódhéag sa ló, cuirtear an lá céanna é. Ní gá é a thógaint amach róluath mar ní fada an t-aistear a bhíonn air.

Ardcheardaithe is ea muintir an Oileáin. Ní bhíonn siad ag brath ar shiúinéir ón mbaile mór chun bosca beag a dhéanamh don naíonán. Níl aon bhaol ná go mbíonn bosca adhmaid den tsórt a theastaíonn istigh i dtigh éigin ó aimsir lón na Nollag; cuirtear a thuairisc agus tagann sé. Déanann fear deaslámhach éigin, athair an linbh de ghnáth, pé socrú is feistiú is gá ar an mbosca. Ní bhíonn dath ná eile air. Ar thóin an bhosca croitear sop beag tuí agus síntear an corpáinín isteach ann ar a fhaid is ar a leithead. Tá sé i gcliabhán a bháis ansan. Ní iarrfaidh sé ar neach go brách arís a chos a bhualadh ar a chliabhán chun é a bhogadh. Níl aird aige ar na deora ciúine a shileann a mháthair nuair a thugann sí an fhéachaint dheireanach ar a leanbhán; níl aird aige ar an ngráín ceanúil a thugann deartháir nó deirfiúr dó; ní bhraitheann sé uaidh a phlaincéad a bhíodh chomh fáiscthe ina thimpeall sa chliabhán.

Ach cad chuige go mothódh an t-aingeal nua easpa shaolta? Is ard í a chathaoir sna flaithis. Gáireann a spirid fé na deora. Íocfaidh sé ar ais an gráín lá éigin; níl sé ceadaithe dó anois, mar dá mbeadh, is tapaidh anamúil a phógfadh sé an té a thug é, agus déarfadh: ‘Cad chuige do bhrón is do dhólás? Ní call duit i mo thaobhsa é. Tá ionad níos fearr agam — ionad ná malartóinn le créatúir ar shaibhreas an domhain. Tiocfaidh an lá nuair a bheam ag rancás le chéile arís; go dtí san, mo shlán beo leat.’ Sin mar a labharfadh spiorad an linbh, aingeal óg an Bhlascaoid.

Nuair a bhíonn an tairne deiridh curtha sa bhosca, castar píosa d’éadach láidir timpeall ar a dhá cheann, agus ardaíonn beirt leo é go dtí an Rinn. I mbun an bhaile, ar bhruach na faille, agus é ag féachaint amach ar cheann an Dúin Mhóir atá reilig an Oileáin, an Rinn. Níl puinn aithint ar an áit gur reilig í, ach dá rachfá isteach ann bheadh tuairim mhaith agat dó mar is mó barrthuisle a bhainfí asat i measc na bpoll is na bport ann.

Ní mór í an tsochraid a bhíonn ag leanbh óg sa Bhlascaod Mór —suas le deich nduine fichead ar fad a bhíonn i ndiaidh an chorpáin aniar. Ba bhreá leat a bheith ina leithéid de shochraid; ní bhíonn cnáimhseán ná mórán cumha ann ach caint, cur trí chéile, is go minic gáirí. An creideamh arís; tá a fhios ag na hOileánaigh gur fearr leis an aingeal lúcháire orthu ná brón.

Ní bhíonn siúl na ndaoine ar an Rinn toisc gur annamh a chuirtear éinne ann, agus uime sin, rachadh an féar go glúine ort ann. Faigheann na fir dua agus bráca maith ar an bpoll a thaighde don mbosca. Ach déantar é leis an aimsir agus caitear anuas an scailp dheiridh. Go deimhin, má tá aon bhrí sna mairbh níorbh ionadh dá rachaidís ag sú an aeir chucu féin ar phort na Rinne, mar is breá aerach é mar phaiste.

Coimeádann cuid de na daoine aosta ar siúl go maith na sagairt. Duine acu is ea Sibéal Mhuiris — tá cosán dearg déanta acu chuici agus níor bhain an bás aon chasadh aisti fós. Breis is bliain ó shin bhuail ceann de na taomanna san í. Cheap gach a raibh timpeall go mbeadh sí slogtha sula sroisfeadh an sagart, is ná faigheadh sí ré aithrí féin. Ach fuair. Cheap an sagart ná déanfadh sí an oíche ach am basa gur dhein; tá sí go hóró inniu arís. Aistríodh an sagart céanna ó shin. An lá a thug na báid scéala a aistrithe isteach, sin a raibh ann ach nár chas an tseanbhean bhocht a holagón bog binn in airde: 'Aingeal ba ea é siúd,' ar sí. 'Chomh deas sibhialta is a bhí sé liom is é ina sheasamh ag ceann éadain mo leapa. Ba mhór an trua nár ghlaoigh Dia na Glóire orm an fhaid is bhí sé i m'fhochair, mar d'osclódh sé lena chuid urnaithe pé glais a bheadh thuas romham. Ach ní rabhas glaoite; caithfead fanacht le m'uain is nára maith agam.'

D'áit chomh beag leis, imíonn a cheart ag an mbás ón mBlascaod Mór. Tá cnámha na nOileánach folaithe in uaigh bhig chúnláisteach i reilig éigin sa cheantar; a thuilleadh acu a chuireann suas le tíortha i gcéin mar fhód báis, bíodh is gurbh é an scian tríd an gcroí acu é. Sin é dlí an tsaoil — caitear an chuasnóg a fhágaint, is mo thruasa an té ná bíonn sé i ndán dó filleadh.

Ach cé go mbeadh dhá cheann an domhain idir na hOileánaigh sa tsaol so, cé go mbeadh a gcnámha chomh fada óna chéile is tá an réiltín ón Spáinn, tiocfaidh lá le cúnamh Dé, go mbeidh siosma Gael i bhfochair a chéile acu i ríocht na bhflaitheas. Go dtuga Dia dúinn bheith páirteach sa tsiosma san, agus ná raibh aon smál peaca ar ár n-anamacha le linn báis a dhéanfadh díobháil ná dochar dúinn i láthair Rí na bhFlaitheas.

Rinn an Chaisleáin inniu (*Ionad Oidhhreachta an Bhlascaoid*)

Mo Shlán Beo Siar Chun Ciumhais An Oileáin

Cúis fé ndeara dhom gan fanúint san inis deas so thiar
An scoil a bheith á thearcadh is gan neach eile ag teacht
ina ndiaidh;
Do bhogas chum bealaigh lá an earraigh gur ghabhas an
caladh fé chiach,
Is a Dhia, mar ar fhearas na frasa le taitneamh dá gasra fial.

Ní abrann galar fada bréag. Tá smut den gceart sa ráiteachas so; deirimse go bhfuil pé scéal é, abradh duine eile ná fuil má oireann dó. Bhí scaitheamh de bhlianta caite ar an Oileán agam, seachtainí suaite ina measc, agus ní raibh tásc ná tuairisc fachta agam ar ionad ní b'fhearr, cé go raibh mo chluasa bodhar ó bheith ag éisteacht leis na daoine á rá gur liom a thitfeadh scoil Naomh Eirc — gurb í mo sheans í. Bhí an scéal ag dul rófhada, bhí an saol caite in airde agam liom féin. Cheapas go rabhas i mo dhiúra deabhra i measc lucht oideachais — ná raibh a fhios acu gur mhair mo leithéid in aon chor. Ach bhí dearmhad orm, tuigeadh dom níos fearr ná mar a cheapas agus:

Nuair fuair mé an tuairisc níor lig mé ar cairde é,
Rinne mé gáire agus gheit mo chroí.

Níl aon tsólás ná go leanann a dhólás féin é. Is dócha go ndéarfar go bhfuilim ábhar bog ach nuair a fuaireas amach go n-ardóinn mo sheolta as an Oileán, ghoileas go fuíoch, ghoileas le huaigneas, ghoileas le háthas. Tá an duine chomh hathraitheach leis an ngaoth Mhárta. Bhíos tráth go raibh an dearg-ghráin agam ar an mBlascaod Mór. Is minic agus mé ag imeacht i mo chaonaí aonair, ag éad le gach neach ar domhan, go ndeirinn amach óm chroí saghas mallachta, is go maithe Dia dom é:

> 'Ó, a Oileáin fhuafair ghránna,
> D'fhág tú mo chroíse chomh dubh le hairne.'

B'shin a mbínn ábalta ar a cheapadh. Ritheadh caint níba oiriúnaí i mo cheann: 'Ó, a Oileáin,

> Do bhainis thoir díom is do bhainis thiar díom,
> Do bhainis romham is do bhainis im dhiaidh díom,
> Do bhainis gealach is do bhainis grian díom,
> 'S is rómhór m'eagla gur bhainis Dia dhíom.'

Ach ní hamhlaidh atá an scéal inniu agam. Tá mairg orm ag fágaint an Oileáin. Tá cathú orm 'an fharraige bheith ina tuilte eadrainn, is nach eol dom snámh.'

An seanthigh scoile! Nach mó duine siúlta air; ní túisce a bhíonn téarma caite ag múinteoir ann ná go n-imíonn as. Tuigeadh dom an chéad lá a chonac é go dtáinig cúngaireacht ar mo chroí an fhaid is bhíos ann; éinne a déarfadh liom go mbeadh m'aigne sásta go deo ann, sháfainn é. Ní mar a shíltear a bhítear; mhéadaigh mo ghradam dó ó lá go lá. Bhíodh breáthacht ar mo chroí ag cur maise air chomh maith is ab fhéidir a chur ar sheanfhallaí gach bliain i gcomhair na stáisiún. Agus ní bhínn gan chabhair. Dhéanadh beirt bhuachaillí an chuid ba mheasa den obair — an gealadh, nó an smearadh fé nar a deirtear ansúd istigh; agus le cabhair ó na páistí scoile chríochnaínn féin an chuid eile. Ba bhreá leo súd na tráthnóintí úd. Bhíodh milseáin dóibh, agus is suarach an féirín a mheallann an óige. Rachaidís i ngaireacht d'fhuil a gcroí a thabhairt duit ar fhocal bog. Nuair a smaoiním anois ar na tráthnóintí suairce sin a bhínn féin is mo chuileachta ag gealadh na scoile, tagann tocht uaignis ar mo chroí. D'ullmhaínn tae beag sa scoil i gcomhair na beirte a bhíodh ag gealadh. Chás dóibh suí chuige mura dtiocfainn féin ar an dtaobh eile díobh! Cé deireann ná fuil béasa i lucht na Gaeltachta? — táid, béasa nádúrtha gan aon chaint san aer ag baint leo.[20]

Bhail, d'fhaighinn cupán is bhíodh mo bhéile agam i bhfochair na beirte. Níorbh fhearr liom bheith ar bhord Rí Shasana. Is cuma don bpeacach cá mbeidh sé, nó cad a bheidh aige an fhaid is a bhíonn a aigne sásta leis. Is é atá ag lot saoil an lae inniu ná go mbíonn na daoine ag iarraidh an iomad de shásamh, pé rud a bhíonn ar bun acu, agus fágann san go buartha a lán créatúirí.

Tá deireadh leis na laetheanta san; ach castar na daoine ar a chéile. Cá bhfios dúinn, a gharsúna, ná go mbeadh gáirí geala againne fós ag smearadh i bhfochair a chéile; agus tógaigí ar m'fhocal mé:

Dá gcastaí orm lá sibh i dtigh an tábhairne,
Do thabharfainn cáirt fé chúr díbh,
Is chrothadh lámh libh ag ól bhur sláinte,
Is *punch* ar chlár go flúirseach.

Tháinig mo lá deiridh ag múineadh ar scoil an Oileáin. Go mion minic tríd an lá thagadh uaigneas an domhain orm, is minic a ritheadh na deora móra boga i gan fhios d'éinne. Thuigeas ansan meon an fhile; thuigeas a aigne nuair a d'admhaigh sé gur 'brónach ceird an oide'. Is é rud a mharaíodh mé ná an dúil mharfach a bhí agam bheith ag múineadh ar an dtalamh tirim agus an lúcháir a bhí orm ina thaobh, agus san am gcéanna, ní fhéadfainn an scamall bróin a chaitheamh díom. Sin é nádúir an pheacaigh is dócha. Duine

[20] Féach thíos Aguisíní: 7 'Scoil an Bhlascaoid'.

go mbeadh lonnú déanta aige in áit, sé bliana go hard, bheadh croí cloiche istigh ann mura mbeadh rud air é fhágaint.

D'fhágas slán ag tigh na scoile, slán go deo na ndeor leis! Ní baol go gcasfar arís chuige mé, ach ní fheadar ná go ndéarfainn fé mhairg, 'muise, mo shlán beo siar leat a Oileáin, nach trua nár choimeádas greim ort.' Is cuma mar gheall ar cad tá le teacht — toil Dé go ndéantar. Scaoileas mo shlán is beannacht chun na leanbh sular iompaíos amach an doras don dturas deiridh:

'Beannacht Dé agaibh a pháistí; go gcuire Dia an rath ar gach duine agaibh, agus tá súil agam ná cloisfead go deo aon scéala bhur dtaobh a chuirfeadh náire ná ceann fé orm. Agus má bhuaileann sibh liom sna dúthaí lasmuigh, is é mo mhian bhur n-iompar a bheith de réir an teagaisc atá fachta agaibh, i slí is ná beidh náire orm a admháil go rabhas os bhur gcionn tráth. Pé duine a thógfaidh m'áit, déanaigí dó nó di, chomh maith is dheineabhair domsa. Ní bhfuaireas riamh sibh ach umhal ómósach. Déanaigí dearmhad ar na cathanna beaga a bhíodh eadrainn; déanaigí dearmhad ar fhaobhar mo theanga — is ar mhaithe libh a bhíos. Cuimhnígí ar na blianta a chaitheas in bhur measc, blianta geala cairdiúla. Slán agaibh go ceann tamaill — slán ag teach na scoile go deo.'

Thugas fé ndeara na deora le cuid acu, iad san b'ionúin liom. Is dócha go bhfaighfí duine a déarfadh: 'Cabhair Dé chugainn, tá sí bailithe léi agus cancarach go maith a bhíodh sí tamall. Ní bhfaigheadsa aon chnag go brách arís uaithi.' Ach cad deirir leis an óige, ní bhíonn uathu ach malartú, is gearr go mbead chomh dearmhadta ag an aos óg sa Bhlascaod is dá mbeinn is:

Mo thaise bheith san úir go cúng fé luí na leac,
Gan solas im shúil, is gan fúm ach daoil agus grean.

Bhí mo chuid féin déanta agam den ladhar leanbh a bhí sa scoil. Na páistí úd nár thug nóiméad trioblóide riamh dom lasmuigh d'oiliúnt. Dá ndéarfainn leis an mbuachaill ba shine sa scoil dul ar a dhá ghlúin os comhair an ranga, ní bheadh a thuilleadh air — cá bhfuileann sibh a Sheáinín Mhicil is a Sheáin Ghobnait? Nár mhór an ropaire mé — cé a chuirfeadh a leithéid fé mo thuairim?[21]

Bhíodh fuacht préachtach san Oileán i rith an gheimhridh. Chínn na leanaí bochta ar crith leis an bhfuacht, ach nuair a thagadh am lóin ní bhíodh so le rá acu. D'ullmhaínn púdar bainne dóibh agus thugainn dóibh é go breá te, sa tslí is go mbíodh teas ina gcraiceann agus lasadh breá fola iontu ina dhiaidh.

Liam bocht! Peata na scoile, mo mhac baistí. Thugadh sé geábh isteach ar scoil chugam nuair a thagadh a theidhe air, gan spleáchas aige le héinne istigh, ach oiread is a bheadh ag ardchigire ón Roinn. Níor dhearmhad Liam riamh teacht am an bhídh. Choimeádainn an t-arán is an bainne leis agus dá ndéanfainn dearmhad air aon lá, greim ní bhlaisfeadh sé nó go dtabharfainn turas air. Peata duine nó peata muice an dá pheata is measa amuigh. An leanbh bocht! Bhíos an-cheanúil air, ba é an t-aon leanbh baistí a bhí agam sa Bhlascaod é.[22]

Cé go mbíodh ábhar duaidh ar an mbainne a roinnt gach lár an lae ar na páistí, chuireadh sé áthas croí orm a bheith ag freastal orthu. Pé beag nó mór de dhalladh a bhíodh fachta ag páiste ar feadh na maidine, d'imíodh a chuimhne glan as a cheann nuair a thagadh am lóin — saghas balsaim ar an scalladh. Ba mhar a chéile gach dalta an uair úd, comh-oiread a d'fhaigheadh gach duine, an fear cliste chomh maith leis an ndiúra deabhra. Fear ná beadh ábalta

---

[21] Féach thíos Aguisíní: 8 'Na Leanaí Scoile'.

[22] Liam (Sheáin Tom) Ó Cearna atá i gceist, féach thíos Aguisíní: 4 'Stáisiúin agus Creideamh'.

ar cheist in áireamh a réiteach rófhonnmhar ná róthapaidh ina rang, d'alpadh sé siar a chanta ar a shástacht.

De bharr an deabhaidh a bhíodh uaireanta leis an mbolgam, is minic a chínn grainc á chur suas, a thaispáineadh dom go raibh carbaid dhóite ag daoine. Ach gheofaí leor go deo leis na carabaid dhóite, chuirfí suas go deo le beagán duaidh a fháil ó ghreim rómhór a scaoileadh síos tríd an bpíopán garbh. Níor mhar a chéile san is a bheith ag suaitheadh an phlaoisc le huimhreacha is airgead nuair ná beadh an t-ailp ag an nduine féin. So súd a pháistí, tá an greim méith go maith ach an bhfuil a fhios agaibh nach fearr bia ná ciall?

Nuair a thagadh laethanta breátha grianmhara an tsamhraidh, is amuigh ar chlaí na scoile a shuíodh na páistí go soilbhir sásta gan faic ag dó na geirbe acu agus iad ag ithe a mbéile. Is ortha a bhíodh an t-ampla is an fonn chun an bhídh. Is orm féin a bhíodh an formad leo go minic — d'íosfaidís ar cheann duine, áitithe. Chloisfeá gáirí is scartaíl i measc na leanbh san a dhéanfadh maitheas do do chroí; bhídís scortha ó smacht na scoile ar feadh na leathuaire sin.

Am lóin ag leanaí scoil an Bhlascaoid.
(*Cnuasach Bhéaloideas Éireann; Thomas Waddicor a thóg, 1932*)

Ní bhíonn ar gach ní ach tamall. Ní shínfidh mo lámhsa greim ná bolgam chun na bpáistí sin go brách arís mura gcastar liom iad sna dúthaí fáin seo. An uair sin beidh siad athraithe ina gcrot, ina scéimh, ina ndealramh agus ina meon. Is mó craiceann a chuireann an óige di. Beidh cos liomsa san uaigh is cos liom ar a bruach is iad san i mbláth a maitheasa. Beadsa san uaigh is mo chroí istigh lofa, is mo chosa gan lúth gan léim nuair a bheidh siad san ag stracadh leis an saol. Bímse mar is toil le Dia mé bheith, ach iarraimse air oiread san dá ghrásta a thabhairt d'aon leanbh a bhí riamh fé mo stiúradh is ná beidh choíche le rá acu ina n-aithrí: 'Is nach trua san mise, nár thuigeas riamh grásta Dé.'

Tá cead mo chos anois agam agus is fada á iarraidh mé. Táim i measc mo dhaoine féin, cead bóthair agam pé lá a thiocfaidh mo theidhe air. Níl faic chun mé stop ach mo chionta féin ó aifreann Dé gach Domhnach. Ba chóir go mbeinn ar mo shástacht a déarfadh duine. Táim leis, ach ritheann seansmaointe chugam. Rithid. Maidineacha breátha Domhnaigh, maidneacha go mbíonn saotrún brothaill ar na bóithre, go mbíonn an fharraige ar nós pána gloine agus gan smól gaoithe ann, sin é an uair a ritheann na smaointe chugam — smaointe a sheolann mé chun an Oileáin arís.

I rith an tsamhraidh san Oileán bhíodh mo chroí ar sciobadh chun dul trasna go Dún Chaoin gach Domhnach. D'oirfeadh sé dom an t-aifreann a bheith agam, agus ansan arís d'osclaíodh mo chroí nuair a d'fhaighinn mé féin sa scóp nó i measc na ndaoine. Seanmhairnéalaigh a bhíodh i mo theannta de ghnáth na chéad bhabhtaí a bhínn ag dul ar an bhfarraige, ach am basa gur tháinig ciall dom, nó b'fhéidir gur dhíchéille í i súile daoine eile. Bhí an iomad bunúis ar na seandaoine domsa, mar admhaím féin go bhfuilim buille aerach. Saoltacht is fonn maireachtaint a bhíodh á thaibhreamh dóibh siúd — bhíodh cadráil an domhain acu mar gheall ar na rudaí céanna, agus nach léir nár oir san do chaonaí bocht le croí aerach a bhí sáite i bpríosún i rith na seachtaine. Chonac féin nár oir, cé gur minic a thugadh seanmhná mar chomhairle dom an tseanchuideachta a choimeád — an seanmhadra don mbóthar fada is an coileán le hagaidh an bhóithrín.

Ag filleadh ón aifreann leis na 'seanmhairnéalaigh': Nóra Ní Shéaghdha i ndeireadh na naomhóige; Peaidí (Mharas) Ó Dálaigh is cóngaraí di; Mick (Lís) Ó Súilleabháin ar an tochta láir agus seans gurb é Peaidí Ó Cearnaigh (Seáisí) an fear deiridh

Ach cad a bhí i dtrí mhíle d'fharraige ach bóithrín? Níorbh áil liom na seanmhadraí níos sia nuair a bhí fáil ar a malairt. Is minic a léiminn isteach sa bhád gan cuireadh gan iarraidh go dtí na slatairí óga; ach níor chás dom san a dhéanamh; dhéanainn chomh dána buanúil orthu is a dhéanfainn ar mo dheartháir féin, mar is maith a bhí a fhios agam ná raibh an doicheall ina gcroíthe. Thagadh laethanta orm gur mhaith liom an seanchriú a bheith agam arís. Is maith is cuimhin liom an lá a dúirt Muiris Eibhlís liom: 'Á, a Nóra, dá olcas é Séamas is fearr é ná bheith ina éagmais. Cá bhfuil na buachaillí bána inniu?' Bhíodh smut cleithmhagaidh ar siúl ar feadh tamaill ansan, b'shin uile. Bhí tuiscint don óige sna seandaoine úd.

Ní baol go gcuimhneodh duine ar bhreoiteacht fharraige is iad i mbád i dteannta dhream an tseoigh. Bhíodh tamall ag amhrán acu, tamall ag scanrú, tamall ag giobaireacht is ag cocaireacht chainte lena chéile, agus tamall ar a ngal, sa tslí is gur róghairid a thaibhsíodh an Bealach. Nuair a cheapainn nár cheart dom bheith ag Foghail an tSeanduine, is ea bhímis buailte le caladh Dhún Chaoin. Bhíodh cleatráil ag maidí ansan, fear síos, fear suas, ag saothrú an chóir taistil. Nuair a bhíodh an bád ag brath ar bheirt, thugainn féin cabhair dóibh ag tarrac na naomhóige aníos. Ghabhadh gach neach bóthar an tsáipéil soir; is minic a dhéanainn gáire fúm féin, is bhíodh an sult go léir agam chomh maith nuair a chínn an scata d'fhearaibh an Oileáin i nDún Chaoin, is mé féin ina ndiaidh aniar, nó uaireanta — de réir mar a ghéaraínn sa choisíocht — rompu amach. An mháthair áil is gan oiread na fríde inti! Ní dhealraínn le faic mé féin ach leis an mbád beag a bhíodh i ndiaidh bhád an Fhrancaigh aniar — ní mórán tairbhe a bhaineadh an Francach aisti, saghas taispeántais a bhí inti.

A cheart féin do gach éinne. Níorbh fhiú salann ar mo phraisigh mise mura dtabharfainn a gceart moladh agus buíochais do mo chairde i nDún Chaoin. Cé ná raibh gaol ná cóngas agam le duine ann, ach gaol nárbh fhiú a áireamh — gaol ná háireofaí inniu pé ní is mar dhéanfadh na seanlaochra fadó — ní fhéadfainn a rá go raibh ocras, tart, fuacht ná ceal leapa riamh orm ann.

Dhéanainn mo thigh féin de thigh Sheáin Dhónaill. Bhí saghas stracghaoil agam leo, agus ba mhór ag seanMháire mé gach uair a thagainn ar an dtigh. Nuair a bhíos óg gan chiall, bheireadh amuigh orm go minic; chuirinn fúm i dtigh Sheáin uaireanta agus caithfead a admháil go ndéanadh muintir an tí dom chomh maith is a dhéanfaí ag baile. Ba mhór leis an seanmhnaoi dá gcasfadh an gal orm. Bhí an bhean bhocht chomh nádúrtha le haon duine a ceapadh riamh agus fé mar a bheadh an nimh ar an aithne, fuair sí bean mhic go raibh croí aici chomh mór fáilteach léi féin.

Tigh eile go mbíodh fáilte romham i gcónaí ann ba ea tigh an mháistir Ó Dálaigh. Rian gaoil ní raibh agam le muintir an tí sin, agus dá fhaid a bhíos ag déanamh orthu ní raibh aon doicheall orthu romham. Is minic nach é an té is gaire dó is fearr do dhuine ach an té a oireann dó. Bhí muintir Dhálaigh go maith domsa. Daoine tuisceanacha ba ea iad d'éinne a bheadh ar seachrán. Formhór na nDomhantaí is ann a théinn tar éis an aifrinn. Chaithinn tamall ag seanchas ann, ní bhraithinn an t-am ag sleamhnú.

Ní haon uair amháin a thánag go barr na haille is go bhfuaireas na báid ag fanacht liom. Bhíodh fotharaga orm ag baint na slipe amach.

'Tánn sibh rófhada ag feitheamh liom,' a deirinn.

'Ó nílimid,' a deireadh an criú, 'd'fhanfaimis go maidin leat.'

Ós ag caint dom ar fhéile is ar fhlaithiúlacht mhuintir Dhún Chaoin é, caithfead a admháil nár bhuail a máistrí riamh liom. Chomh maith leis na tithe atá luaite agam, bhíodh daoine eile go maith dom leis. Bhíodh tithe i mbéal an bhóthair ann agus dá mbeireadh do chúram thar a dtáirseach tú, ní hiontu ná fiafrófaí díot an raibh béal ort.

Dá mbeinnse im fhile mar Aodhagán,
Nó Eoghan an bhéil bhinn do bhí romham;
Do mholfainn an áit úd go spéartha,
Is ní cháinfinn é an fhaid is bheinn bheo.

Is mó Domhnach tar éis teacht ó Dhún Chaoin dom go dtéadh scata againn amach go Beiginis chun an tráthnóna a mheilt. Bhí dhá chapall ann le déanaí, is chuirimis oiread suime sna capaill is a chuirfeadh fear tuaithe i dtraein an chéad uair a chífeadh sé í. Rás capall gan marcaigh a bhíodh i mBeiginis na tráthnóintí sin. An slua go léir ag iarraidh na gcapall a thraochadh nó a theanntú i bpóirse éigin. Ach bhíodh fuar againn — sinn féin a bhíodh thíos leis i ndeireadh an lae, agus ní rómhaith an ghuí a d'fhaigheadh na capaill sin lá arna mháireach nuair a bhíodh na colpaí is na ceathrúna chomh craptha sin ón rancás go mbíodh aithint ag gach éinne orainn ag cur an aird dínn. Le méid an tinnis a bhíodh sna cnámha, chaithimis ár lámha a chur ar na glúine mar thaca. Ní dhéanadh san dúinn é — bhímis sa chan céanna an Domhnach a bhíodh chugainn.

Bhíodh an tsaoire go maith san Oileán nuair a thagadh an aimsir fé mar ba thoil leat. Ní thuigtí dom go deo go mbínn teanntaithe ar gach taobh ag an bhfarraige mhór, an fhaid is a bhíodh cead teacht is imeacht agam. Níorbh aon cheal báid ná aon cheal criú a thagadh liom riamh ach ceal an chiúnais. Níor fágadh riamh ar an bport mé nuair a thaibhrínn ar chur díom — bhí na bhuachaillí fé dom.

Ach ó, an Domhnach fiain stoirmeach sa Bhlascaod, bhíodh an ghráin agam air! Dá bhfaighinn Éire air ní fhéadfainn m'aigne a shocrú ar aon ní. Dá dtabharfainn fé dhul ag léamh, fé cheann deich neomaití bhíodh mo smaointe agus ábhar mo chuid léitheoireachta chomh fada óna chéile is tá an réiltín ón Spáinn. Chuirinn díom ag siúl. Bhíodh pluda ag dul go glúine orm, báisteach ag stealladh san aghaidh orm, agus mé chomh bodhar san ag glór an tarraic go dtuigtí dom gur istigh ina lár a bhínn. Ní haon uair amháin a dúrt liom féin is mé ag siúl romham sa scríob seo: 'Mhuise, cad a phrioc an chéad duine riamh is teacht isteach san áit mhillteach so; mura mbeadh na daoine a theacht ann ní bheadh scoil ann, agus mura mbeadh an scoil, ní bheadh mo leithéidse ag teastáil ann.'

Ach an rud ná bíonn leigheas air is í an fhoighne is fearr chuige. Leis an aimsir, tháinig tuiscint dom. Nárbh ait an simpleoir duine mé nár chruinnigh mo mheabhair nuair a d'fhágainn an tigh ag lorg cuileachtan fé scríob is fé aimsir!

Bhí gramafón agam sa scoil. Níl éinne ná go dtoileodh le tamall a chaitheamh ag éisteacht leis an gceol. Thugainn cuireadh do chomhluadar beag teacht ar scoil aon Domhnach stoirmeach láidir. Ní dhéanfadh sé an bheart go deo dom an baile go léir a scaoileadh isteach, mar nuair a rachadh an ceol i gcluasa na ndaoine óga ba dheacair do dhaoine a bhí chomh haerach leo, na cosa a stop acu. Sheachnaíos ócáid an damhsa chomh maith is a bhí i mo chumas; ní ar mhaithe le mo chosa a bhíos ach ar mhaithe le mo phóca. Cá bhfios dom ná gurb é an doras a gheobhainn de bharr mo chuid teaspaigh. Bhí an tslat os mo chionn, slat ná féadfainnse a cháineadh, mar ní thug sé fúm riamh le buille a chuirfeadh i ndiaidh mo chúil mé. Thuig an bainisteoir mo chás, pé scléip a d'fhéadfainn a bhaint as teach na scoile gan dochar ná díobháil d'aon rud, níor mhór leis dom é.

Aon rud amháin, áfach, agus is dócha gur minic a chaitheadh an sagart amhras orm ina thaobh, seanurlár piantach a bhí lofa ag an saol is ag an aimsir a bhí sa scoil. Dá mbeadh aon duine le haon mheáchan ag múineadh ann ar feadh tamaill, táim eaglach ná beadh tásc ná tuairisc air inniu mar urlár. Pé beag mór é an troime a bhí ionam féin, an uair ba mhó a bhíodh faobhar oibre nó faobhar aighnis orm, is amhlaidh a imíodh mo leathchos scun scan, síos tríd an adhmad. Tharraingínn go tapaidh — ní dóichíde rud a phreabfadh aníos chugam ná luch. Chaithinn gáire fén bpoll a bhíodh fágtha agam san urlár. Cuireadh smut d'urlár nua inti ach is dócha go bhfuil an ainnise tosnaithe le paiste eile di ó shin.

Ní bheadh oiread san trua d'urlár na scoile mura mbeadh an t-eagla go mbrisfeadh an tóin-ar-bogadh agus nuair a bhraithinn fonn rince ar chuileachta an Domhnaigh, deirinn leo a mbróga a chaitheamh díobh agus dul ag damhas ina mbuimpéisí. Chás dóibh é seo a dhéanamh — ní bheidís sásta gan cnagarnach is smúit a bhaint as na cláracha!

Aon Domhnach a bhíodh scuabach tirim ar an dtalamh is go mbíodh glas ar ár gcosán-na, bhíodh caid á imirt ag na slatairí ar an dTráigh Bháin nó ar an nduimhche. Bhíodh scata ban, idir óg is aosta, ag féachaint orthu, agus is minic a bhíodh oiread liúreach ag lucht an dá thaobh is ná raibh riamh ar pháirc peile i mBaile Átha Cliath, an lá ab'fhearr a bhí sé.

Táimse críochnaithe leis na Domhantaí fiaine sin san Oileán; go dtiocfaidh an lá inné ar ais ní fheicfead iad. B'fhuath liom iad gan aon agó. Is minic a chuireadar sruth deora ag titim ó mo shúile ach chím anois ná rabhadar gan a n-aoibhneas féin — daoine bochta le Dia ag caitheamh is ag meilt an lae go nádúrtha gan ragairne ná airneán na ndúthaí lasmuigh ag déanamh buartha dóibh. Níor bhlaiseadar an Galldachas fós. Brat Bhríde go gcoimeáda na hOileánaigh os a gcionn an fhaid is a bheidh féar ag fás agus uisce ag rith.

Dá mbeadh dhá cheann na hÉireann idir mé is an Blascaod Mór, ní dhéanfainn dearmhad go deo ar na sé bliana a chaitheas ann. Bhí gach aon duine ón leanbh go dtí an seanóir go síoch grách liom. Bhí beannacht na ndaoine agam an lá d'fhágas, is má shileas ábhar deora ag fágaint slán acu, ba mhaith an ceart dom san, mar ná raibh aon drochshaol agam ina measc. Má bhíonn sé de chrois ar éinne go deo go gcáinfidh siad na hOileánaigh i mo ghaobhar, rud gur deacair dóibh a dhéanamh, ní rómhaith a éireoidh a chuid cainte leis. Cén mhaitheas d'éinne bheith ag iarraidh iad a chur síos — tá siad molta go hard na gréine cheana. Deirimse go daingean diongbháilte d'aon ghuth le Seán Ó Duinnshléibhe 'Go bhfuil rogha na bhfear maith san Oileán.'[23]

Bhíos ag caitheamh mo thríú bliain sa Bhlascaod nuair a buaileadh m'athair breoite, breoiteacht a d'fhág rian a lámh air, mar tar éis a dhua a fháil go maith, tháinig an gruagach gránna, an bás, is d'ardaigh sé chun a Thiarna Dia é, lá breá i lár mí Iúil. Bhí cion mo chroí agam ar m'athair, ba mheasa liom é ná éinne a bhain liom, ach b'éigean dom scarúint uaidh, is nára maith agam. Níl tuiscint ag an mbás d'éinne; níl luibh ná leigheas ina aghaidh.

Tomás ('Micí') Ó Séaghdha

[23] Féach thíos Aguisíní: 9 'Muintir an Oileáin'.

Tá bóthar maith ó thóin an Oileáin Tiar go Baile an Mhúraigh, ach níor fhág san ná go raibh daoine ón mBlascaod sa tsochraid. Ba mhaith chuige iad go deimhin. Thaispeáin sé go raibh croí, nádúir, is tuiscint iontu, aon dream a tháinig chomh fada san ó bhaile, lá brothallach samhraidh agus iad i lár bhiaiste an iascaigh.

Ní bhraitheann, ná ní thuigeann éinne an bás nó go luíonn sé ar dhuine éigin leis féin. Ní áit uaigneach iargúlta is fearr d'oirfeadh do dhuine tar éis bróin. B'shin é an saghas áite a bhí romham chun tabhairt fé tar éis m'athair a chur don chré. Tuigeadh dom is mé ag filleadh air, is gach ní ar leataoibh, go ngoillfeadh an t-uaigneas chomh mór san orm ann go gcaithfinn cur díom amach as tar éis lae. Ach ní mar a shíltear a bhítear.

Tar éis an chéad chomhbhrón a dhéanamh liom, níor cuireadh an bás i gcuimhne dom nó go rabhas cruaite go maith chun é a sheasamh. Chuirtí fios orm i measc na meithle nuair a bhíodh spórt is rancás sa tsiúl ar fud an bhaile. Chuirtí cainteanna seoigh i mo chluasa a bhaineadh gáire amach ón gcroí asam. Níl lá sa tseachtain ná go mbíodh deisireacht éigin i mo chomhair sa tigh lóistín, mar cé a d'fhéadfadh déanamh chomh maith dom is dhein mo chara Siobhán?

An áit úd gur cheapas ná béarfadh na laetheanta saoire i mo bheatha orm, is amhlaidh a chrothas díom ann a raibh de dhólás orm. Ach ní mé féin a dhein an gaisce ach na daoine a bhí i mo thimpeall. Ní fhágaidís go deo i m'aonar mé gan caitheamh aimsire. An fhaid is a bheadh duine tógtha suas le rud éigin, ní bhfaigheadh sé aga ar dhul siar ar bhóithrín na smaointe. Sa Bhlascaod dom ní bhfuaireas seans ar dhianchuimhneamh a dhéanamh ar m'athair a bhí fé leacacha glasa ag tabhairt an fhéir. Thuigeas ná beathaíonn na mairbh na beo. Bhí tuairim agam go raibh a anam sa bhaile i measc na naomh mar duine bocht gan doicheall ba ea é a ghlaoigh Dia chuige féin.

Siobhán Ní Chearnaigh agus Patrick Flower, mac Bhláithín
(*Ionad Oidhreachta an Bhlascaoid*)

Éinne a rachadh go Teampall Chill Maoilchéadair inniu, thabharfadh sé fé ndeara uaigh nuadhéanta ag bun crainn agus cros ina sheasamh uirthi. San uaigh sin a síneadh m'athair — san uaigh chéanna síntear mise. Féach ar an gcrois. Níl cuma an airgid ná cuma an mharmair uirthi — san Oileán a deineadh í. Ba é Pádraig Ó Dálaigh sás a déanta.

Cros ar uaigh Thomáis ('Mhicí') Uí Shéaghdha i gCill Maoilchéadair

Duine a chaitheann sé bliana as Éirinn, ba cheart go mbeadh mórán iontaisí feicthe aige. Is ea, sin í an fhírinne. Ní raibh mo shúilese dúnta an fhaid is bhíos san Oileán. Ní rachainn amú inniu ann ach go háirithe agus má bhíonn ar m'anam bochtsa cuairt a thabhairt ar na háiteanna a ghnáthaínn, is baolach go mbeidh fuaidreamh fada fé shléibhte air.

Go mion minic is an lá ag cur seaca is gaoithe, thugainn fén gcnoc i dteannta lucht fiaigh. Níorbh aon an-mharc chuige seo mé. Is minic a deirtí liom gur múchadh a dhéanainn ar na coiníní in ionad iad a mhúscailt. Níor fhágas Scairt na nÓgánach ná Scairt Phiarais gan iniúchadh ó cheann go béal, agus ní rómhaith an ghuí a thugas don mbraon 'a bhí thuas in uachtar lice go hard' i Scairt Phiarais san am is gur imigh sé le faobhar nimhe siar síos ar mo dhrom — braon mór reamhar a bhí chomh fuar leis an riabhach féin.

Tá scanradh is uafás ag baint le turas a thabhairt go Scairt Phiarais. Aon chailín go deo a thaibhreodh ar dhul ann, mo chomhairle di gan é bheith de chrois uirthi scaoileadh fé na faillteacha le geocairí de shála arda. Tugadh sí buille den tua dóibh sula bhfágfaidh sí an tigh, agus má tá aon chúpla tairne ag imeacht ar bóiléagar timpeall an tí, buaileadh sí fé na bonnaibh iad. Beidh seans éigin aici ansan ar na strapaí a chur di. Agus má bhíonn aon taca maith d'fhear cruaidh fuinniúil ina teannta ná beadh neirbhís ná eagla air seáp a thabhairt fúithi dá bhfeicfeadh sé aon fhonn ráis le fána uirthi, bhuel, mo lámh is m'fhocal air, ná beidh baol ar an gcailín sin. Ní bheidh, a chailín. Rachair abhaile go slán sábhálta gan brú gan bascadh ach amháin go mbeidh fo-fhilltín le feiscint i do ghúna deas nó stracadh deas galánta i do stoca córach síoda. Dá mb'áil le Dia duit na stocaí a bhaint díot ar barra! Ach cad é seo agam á rá? Dá dtabharfá turas ar an bPápa, bheifeá ag tabhairt rudaí beaga leat ón Róimh mar chuimhne ar do thuras. Níl faic le ceannach sa Scairt — coimeád do stocaí millte i gcuimhne ar an lá breá gréine a chaithis go sultmhar séimh i Scairt Phiarais san Oileán Tiar.

Bhí stoca Phiarais agamsa go dtí an lá eile. Nuair a bhíos ag bailiú m'aistriú liom bhí sé ag teacht trasna orm — easpa slí — thugas fé é chur i mo phóca, ach slán beo mar a n-instear é, ní raibh póca in aon bhalcais dá raibh ar mo chnámha. Scaras le stoca Phiarais go brónach. Chuireas críoch ghalánta air áfach, dhós é, ach níor choimeádas an luaithreach — chuaigh díom aon bhosca beag stáin a fháil a bheadh oiriúnach dó. Ach fágaim ag an Oileán é siúd; ní mór liom dó é is a dtiocfaidh as.

Is minic a bhínn i riocht titim as mo sheasamh le neart ocrais agus mé ag filleadh ó thuras cnocadóireachta. D'íosfainn an folcadh te tar éis an tí a bhaint amach. Is maith an rud suí ach bhain síneadh an barr de. Shíninn mo chosa uaim ar chathaoir bhreá raice a bhíodh sa chúinne tar éis mo shá bheith thiar agam. Níor mhór tácla chun mé a bhogadh. Bhíodh gach aon chnámh i mo chorp chomh trom neamhanamúil le luaidhe. Bhíodh mo chosa tnáite ag an siúl ach pé méid é mo thuirse, dá luafaí rince nó ceol in aon áit i gcomhair na hoíche, ní bheadh sé ann i m'éagmais nó bheinn go han-dhona ar fad.

Na hoileáin go léir atá timpeall an Bhlascaoid, chaitheas lá orthu ach ar Inis Tuaisceart amháin. Níl an tslí ansúd róshocair chun prapadh in airde, is minic a dúradh liom nárbh áit do mhnaoi é. Níl aon laethanta is mó a thóg mo chroí riamh, níl aon laethanta go mb'fhearr liom cuimhneamh orthu, ná ar na laethanta a mheileas go haerach sásta ar bhánta réidhe Inis Mhic Aoibhleáin agus ar stacán fhiain na Tiarachta.

Laethanta samhraidh a thugas cuairt ar na háiteanna úd. Ní raibh corraí sa bhfhairrge. Bhí an spéir gan smúit gan scamall, caoirigh agus coiníní le feiscint go gnóthach ag cogaint i ngach ball de thalamh na hInse, rónta á ngrianadh féin ar na clocha in aice na bport, agus mura raibh ceol ag na héanlaithe dearga ag seimint dóibh féin fé charraig na Tiarachta, ní lá fós é. Bhaineas-sa greann as an lá a chaitheas sa Tiaracht agus in Inis Mhic Aoibhleáin. Bhíos chomh sásta suite thiar i ndeireadh na naomhóige tráthnóna is dá mbeinn ag casadh abhaile ó Londain — nár chuire Dia mór an dá áit i gcomórtas.

Tá cuid de chriú na haimsire úd imithe thar sáile óna gcairde; ní fheadar an bhfeicfead go brách arís iad, cuid eile acu tá sna boinn fós, ach pé acu i ndúthaí fáin an Oileáin Úir dóibh nó ar thalamh beannaithe na hÉireann, guím de chroí glan, sonas, séan agus rath orthú go lá a mbáis. Guím leis an t-am a theacht, sula sínfear mo chnámha sa leabaidh bheag chaol, go mbeam i gcomhluadar a chéile fós, ag cur scéalta na seanaimsire tharainn. Nach tapaidh a phreabfainn i mo shuí pé daitheacha a bheadh tagtha i mo sheanchnámha agus déarfainn:

Gan bhréag anois, tá an téarma istigh,
Is beidh *punch* againn fé réim.

Tá mo théarma príosúin tugtha agam. Ní raibh an saol ró-olc ar fad; má chaithim an chuid atá romham de chomh maith, ní bheidh sé le rá agam nuair a rachad san aois is nuair a chríonfaidh mo bhláth, go dtugas laethanta ag dul amú. Seo deireadh le mo chuid bothántaíochta san Oileán. Is mó tráthnóna grinn a chaitheas i bhfochair Sheáin Mhicil — é ina choilgsheasamh i lár na cistine ag deimhniú dom. Ba mhór an fear grinn é agus bhain sé an braon ó mo shúil an tráthnóna deiridh a thugas turas air nuair a dúirt sé liom san allagar a bhí againn: 'Is ea, ní haon mhaith bheith ag caint, cheapas gur bean tú a d'fhanfadh inár measc go deo.'

Micil bocht! Suite de ghnáth chun boird nó taobh na tine, nach orm agus ar an líon tí a bheir na fáscaí gáirí an tráthnóna a d'fhiafraigh sé díom is a lámh sínte aige chugam, an íosfainn rúitín de chrúibín. Mhuise a Mhicil, má fhaighimse aon chaoi go deo air, tiocfad i do shochraid nó is luath mo shaol.

Mhairfinn go deo ag argóint cainte le Tomás, 'An tOileánach'. D'fhaighinn i gcónaí é go fáilteach béasach agus is fada a thugamar, oíche, ag plé ar an gcló rómhánach.

'Tá an cló maith go leor le léamh,' arsa mé féin, 'ach maidir le hé scríobh níor ghrás riamh é.'

'An-dheas a chailín,' arsa Tomás. 'Is furasta rud atá déanta romhat a dhéanamh. Dá rachfá suas go dtí an túr is cloch a fháil bainte thuas, thabharfá leat abhaile í, ach nuair ná faighfeá an chloch bainte romhat, ní fhéadfá í a bhreith leat.' B'fhíor duit a Thomáis.

Táim chomh holc ach gan mé bheith chomh maith le hEoghan Rua anois. Tá an peann ar a chroídícheall, na smaointe ag

teacht i ndiaidh a chéile agus na deora ina dteannta. Tá creathán i mo láimh, is gearr go gcuirfidh sí stailc suas; ní le haois an creathán ná an stailc ach le maoithneachas. Ní foláir dom í a chaitheamh uaim feasta — sin í an scríbhneoir go fann nuair a thiteann an peann as a láimh.

Ag nochtadh na smaointe dom, tagann an gol is an gáire i ndiaidh a chéile, gáirim fé pé ábhar suilt a bhíodh againn sa Bhlascaod Mór agus tá cuid de na smaointe go gcuireann a gcuimhne tocht maoithneachais orm. Is minic a bhínn go clipthe cráite ó mo shaol ann — chím anois ná raibh orm ach teaspach: teaspach gan dúchas is deacair é iompar.

Mhuise, a Eibhlís Mhicil, an maireann tú? An cuimhin leat an tráthnóna bog ceoigh a bhíos i do theannta ar an dTráigh Bháin, an seanshaol againn á chur trí chéile. Tabhair chun do chuimhne na deora. Is fada a chuimhneod ort gach uair a shilfidh mo shúil braon teaspaigh. Pé scéal é, is é rud a dúraís is an t-anam ag titim asam: 'Mhuise, go dtugair do shúile leat.'

Bhí an ceart agat, a Eibhlís, simplíocht a bhí orm; is maith a dheinis gan a bheith ag bogadh an scéil liom. Dhein do chuid magaidh mo shúile a oscailt. Is mó fear capaill bháin a gheobhaidh an treo arís sula dtabharfad caoi duit 'go dtugair do shúile leat' a rá liom.

Seo beannacht ó mo chroí chugaibh, a mhuintir an Bhlascaoid, beannacht siar chun gach tráigh, cuas, speir, is beann ann. Beannacht chun do chuid oileán súgach brónach, beannacht le do chuid bloscanna a sceimhligh mé go minic, slán le do dhaoine grámhara fáilteacha, a Bhlascaoid.

Mo chúig céad slán chun ciumhais an Oileáin
Is cumhra 's is breátha in Éirinn;

Is dá stiúrfaí im dháil an drúcht san ón Spáinn
Dar súd, ach do b'fhearr liom tae libh![24]

Lís Ní Shúilleabháin agus a deartháir Maidhc (?), ag leagadh mála plúir ar asal le hiompar chun an tí

[24] Féach thíos Aguisíní: 10 'Tionchar an Bhlascaoid Orm'.

Aguisíní

1

Ag Dul Don Oileán

Fómhar na bliana 1927 a bhí ann. Cuireadh póiní is trap ón mbaile liom agus bhí mo dheirfiúr Neil ag giollaíocht. Stadas ag tigh an tsagairt paróiste i mBaile an Fheirteáraigh ar mo shlí go Dún Chaoin. Bhí mo chéad phost múinteoireachta á thógaint agam agus mé ag dul mar phríomhoide go scoil an Bhlascaoid Mhóir. Fuaireas eochair na scoile ón Athair Nioclás de Brún — méadú ar a ghlóire — eochair bhreá throm ná beadh i do phóca i ngan fhios duit.

Fuaireas comhairle nó dhó leis uaidh — bhíodar pearsanta. Dúirt sé gan déanamh suas rómhór le lucht seantán canbháis a bhí ar an Oileán san am san. Bhí sé amhrasach faoin gceathrar ógfhear a lonnaigh istigh is a bhí ann an samhradh roimhe sin chomh maith. Ní bheadh iontas air, a dúirt sé, dá mba chumannaigh iad a bhí ag leathnú a dteagaisc: 'Coimeád uathu,' ar sé.

Ós ar an bhfírinne is cóir an rath a bheith, níor chuireas-sa puinn nath ina raibh le rá aige an lá úd — sórt macalla den gcomhairle a bhí fachta agam ag fágaint an bhaile. Dheineas neafais dá chomhairle. Ba é stróinséireacht na háite ina rabhas ag dul ba mhó a bhí ar m'aigne, ar aon tslí. Ná creid bréag ó shagart, a deirtear.

****

Bhí an 'timtéisean', mar a deireadh Máire Mhuiris, rómhaith dúinne, cailíní óga ar an Oileán.

'Ní gach aon lá a bhíonn *diversion* againn,' arsa Siobhán Ní Chearna. 'Seo linn — ná tugaimis le rá gur púcaí ar fad sinn.'

Bhuel, ní fhacamar aon díobháil sna daoine seo ach oiread le haon chuairteoirí eile, ach iad ag foghlaim na Gaeilge ar a ndícheall. Bhíos féin san airdeall i gcónaí — bhí teistiméireacht an tsagairt paróiste faoi ógfhir na 'tinte' i gcúl mo chinn, ach níor ligeas an rún san le héinne. D'fhágas, mar déarfá, go dtí an lá atá inniu ann, an scéal úd san áit a bhfuair mé é. Agus ba mhaith mar tharla san, mar fuaireas-sa seanaithne ar dhuine den mbuíon úd ina dhiaidh sin. Thugadh sé a thuras ó am go chéile ar an Oileán, agus arís ar pharóiste Múrach. Ba é fear é sin ná Seán Ó Súilleabháin ó cheantar an Neidín, a bhain post teidealach amach dó féin i Roinn an Bhéaloidis i gColáiste na hOllscoile, Baile Átha Cliath. [25]

****

---

[25] Tugann nóta ó Eoghan Ó Súilleabháin in B. Ó Conaire, eag., *Tomás an Bhlascaoid*, Indreabhán 1992, 166, le fios gur chaith a uncail, an Seán Ó Súilleabháin seo, a bhí an uair sin ag múineadh i gColáiste Chnoc Síon i bPort Láirge, mí i samhradh na bliana 1933 ar an mBlascaod le Domhnall Ó Briain agus beirt eile dá chomhoidí, Séamas Breathnach agus Proinsias Mac Éamainn. Deireann Seán féin san áit chéanna gur i gcampa a bhíodar curtha fúthu. Seans gur d'fhonn cur le drámatúlacht a tuairisce ar a céad teacht chun an Oileáin i bhfómhar na bliana 1927 a luann Nóra sa chomhthéacs sin na hógánaigh 'dhainséaracha' seo a bheith ar saoire ann. Tá tagairt do na hógánaigh seo chomh maith ag a cara, Éilís Ní Shúilleabháin, in *Letters from the Great Blasket,* Dublin 1978, 50: 21.8.33. *Four young boys, teachers, came here with a tent this year. All the Islanders used be in with them day and night, and they used give them potatoes, fish and things to eat.* Maidir le baint an tSúilleabhánaigh leis an mBlascaod, féach nóta ag Bo Almqvist in S. Ó Súilleabháin, *Miraculous Plenty. Irish Religious Folktales and Legends*, aistr. W. Caulfield, Dublin 2011, 5, n.12.

Bhí eochair na scoile i mo sparán agam. Tar éis críoch a chur lena chomhairle, scaoil an bainisteoir a bheannacht liom: '*Good luck, Norrie!*' ar seisean, agus mé ag cur an dorais díom. Níor ghlaoigh sé riamh ach Norrie orm, agus d'aithin sé i measc a mhúinteoirí mé mar *Norrie in the Island*. Siar thar Cheann Sratha linn, Neil is mé féin, agus níor bhraitheamar an turas óir ciorraíonn beirt bóthar. Bhí Dún Chaoin stróinséartha domsa an uair úd, is an Blascaod Mór níos stróinséartha fós. Níorbh áit é, ach oiread le hoileán ar bith eile, go raibh aon mhealladh mór ann do mhúinteoir óg. Is é a raibh d'aithne agam ar an Oileán Tiar ag an am so ná an t-amharc a fuaireas air uaim isteach ó Cheann Sléibhe, an dá bhabhta a dheineas an timpeall úd le mo chairde ar rothar. Ach anois bhíodh mo chairde óga i mo chlipeadh agus 'Níl san Oileán ach bairnigh, sleaidí is clúimhín' [mar nath acu].

Ach thógas an post ann. Cén fáth? Bhí rogha agam idir scoil an Bhlascaoid agus post i gclochar i dTrá Lí mar a bhfuaireas mo chuid scolaíochta roimh dhul go Coláiste Oiliúna dom. Chun mo mhuintir a shásamh, is dócha, a thógas é, agus an rud a bhíonn, bíonn sé, a deirtear. Ní féidir liomsa aon réiteach eile a thabhairt ar an gceist ach an méid sin.

****

Bhí criú naomhóige i mbarr na haille i nDún Chaoin. Fáiltíodh romham agus ghluaiseas leo síos le fánaidh trí chosán caol achrannach nó gur shroiseamar an cé. Deineadh slí do mo mhála taistil agus pé beartáin eile a bhí agam ar thóin na naomhóige agus ordaíodh dom féin suí ina deireadh mar a raibh nead cunláisteach agam. Níorbh é mo chéad thuras i naomhóg é. Thugtaí sinne, cailíní óga — trí bhreaba is trí mhealladh go minic — amach ag bádóireacht ón nDúinín, tráthnóintí Domhnaigh tar éis aifrinn. Bhí an-dhúil sa bhádóireacht agam, agus féach mar a fuaireas mo shá de. 'An-mhairnéalach is ea tú,' a deireadh Peats Tom Ó Cearna liom.[26]

Rith a lán smaointe fánacha chugam ar an dturas trí mhíle farraige isteach ó ché Dhún Chaoin go dtí an tOileán. Dhearmhadas an deorantacht a bhí go dtí seo ag déanamh mearbhaill dom — fáilte agus cneastacht an chriú fé ndear é seo; iad i mo chúram go mór ag cur an Bhealaigh dúinn sa tslí is go rabhas sásta, is dócha. Bhíos rite amach mar mhúinteoir is slí bheatha agam. Ní bheinn ag clipeadh mo mhuintire sa bhaile níos mó le litreacha ag éileamh airgid. 'Bíonn t'rom t'rom ins gach litir agat,' a deireadh mo mháthair ag magadh fúm. Bhuel, bheadh deireadh leis sin anois, is gheobhainn seans cuimhneamh ar an arán a bhí ite agam. Dealraíonn go raibh fear ar an mBaile Loiscthe le linn mo mháthar a bheith ann ar tugadh 'T'rom, T'rom' air. Bhíodh sé de shíor ag lorg ar na comharsain agus b'shin é an fáth ar tugadh 'T'rom, T'rom' air — ach sin scéal thairis.

Bhaineas taitneamh as an dturas farraige. Bhí iontas ar na fir sa bhád ná raibh breoiteacht fharraige orm, ach buíochas le Dia, sin galar a d'fhan glan díom riamh. Shrois an naomhóg caladh an Bhlascaoid. Léimeas amach aisti agus i mo sheasamh ansúd sa chaladh beag caol dúrt liom féin, 'Mhuise, is cúng atá Éire anois orm.'

---

[26] Nóra Ní Shéaghdha, 'Agallamh 5', in P. Tyers, eag., *Leoithne Aniar*, Baile an Fheirtéaraigh 1982, 141: Mairnéalach maith ab ea mé i gcónaí. Bhí an-suim riamh agam i mbádóireacht. Fiú amháin nuair a bhíomar ag baile anseo gach tráthnóna Domhnaigh théimis siar go barr an Dúinín féachaint an mbeadh aon bhuachaillí óga ann a thabharfadh amach ag bádóireacht sinn, agus bheadh an-mhórtas orainn dá dtógfaí triúr nó ceathrar againn ón Dúinín siar go Baile na nGall i naomhóg agus abhaile arís i gcomhair an tae. Ní bhíodh aon rancás oíche an uair sin ann, mar chaithfeá a bheith istigh sara dtiocfadh an doircheacht.

2

Cuairteanna ar an mBaile

Dúrt cheana go raibh uaigneas is cúngaraíocht orm i dtús mo thréimhse ar an mBlascaod. B'fhada liom go dtagadh an Aoine. Ba é an chéad ghníomh tar éis teacht don chistin dom ar maidin Dé hAoine ná dul don doras is féachaint amach ar an bhfarraige. Bhíodh scumhadh bóthair amach is abhaile orm ach bhí an aimsir go mór mar mháistir orm. Ba í an Mháirt agus an Aoine laethanta an phoist ar an Oileán agus bhí san an-áisiúil domsa. Seachas bád an phoist, théadh naomhóga eile leis go Dún Chaoin ar an Aoine — lá pinsean na sean ba ea an Aoine agus lá leis chun lón na seachtaine a bhailiú. Ní raibh aon bhaol go bhfágfaí ar an bport istigh mé mar sin.

Seán Ó Catháin (Seán Pheats Mhicí nó Seán an Rí) fear an phoist le mo linnse ar an mBlascaod. Dála gach fear naomhóige eile ar an Oileán, ní raibh riamh aige romham ach fáilte. 'Cas an tseanchasóg san ar do chosa,' a deireadh sé á shíneadh chugam, ar eagla go mbuailfeadh aon streall den sáile mé ó na maidí rámha lá gaoithe. Ba mhinic nuair a bhíodh drochuain ann go mbíodh brat ar mo chosa agus brat ar mo cheann chun fuarmáil na gaoithe a bhodhradh chomh maith le mé a choimeád tirim. Nuair d'éirínn amach as an naomhóg ag an gcaladh, bhíodh mo bhalcaisí chomh tirim le snaois.

'An t-ualach is measa a bhí agat i naomhóg riamh ná ualach ban,' a chuala níos mó ná uair amháin ó Pheats Tom agus Maurice Mhuiris. Bhídís lándáiríre laistiar dá leathgháire agus san am céanna iad ag méirínteacht i dtóin a bpóca ar na scillingí a bhí fachta acu ó thriúr nó ceathrar cuairteoirí ban a thugadar isteach ó Dhún Chaoin. Is toisc an teist seo ar mhná a bhínn an-aireach sa naomhóg agus thógas aon chomhairle a bhí riachtanach. Báidín guagach í an naomhóg agus ba chóir a bheith aireach inti. Ach níor thaibhríos riamh ar dhainséar, ceal tuisceana bhí ag teacht liom b'fhéidir, ach ina choinne sin, bhíodh lánmhuinín agam as criú an bháid, mar i bhfocail Uí Dhuinnshléibhe

Ní i logaibh na ngéanna a deineadh iad súd a thraeneáil
Ach ar fharraigí tréana go dtéann de na lachain ann snámh.

Chaithinn an deireadh seachtaine sa bhaile agus bhíodh ar mo dheirfiúr Neil agus an póiní fén dtrap aici, mé a fhágaint ar an bport i nDún Chaoin go luath tráthnóna Dé Domhnaigh, an t-am a bhíodh na naomhóga ag filleadh abhaile tar éis aifrinn.

Neil, deirfiúr Nóra, ar dheis ag giollaíocht; Barbara Burke, cuairteoir, ar chlé agus ar a baclainn tá Máirín Ní Shéaghdh, neacht Nóra

Ach ní hionann dul go tigh na rí is teacht as, agus ba mhinic nár éirigh liomsa an tOileán a bhaint amach ar an nDomhnach mar ná féadfadh aon bhád corraí ón Oileán de bharr stoirme nó farraigí arda. Leanadh an stoirm uaireanta isteach go lár na seachtaine. Bhí dhá thigh i nDún Chaoin go rabhas fé chomaoin mhór acu na laethanta úd nuair a bhíodh orm fanacht le lon chun dul don Oileán. Tigh na gCíobhánach, nó tigh Mháire Sheosaimh ceann acu – ba í Máire Sheosaimh máthair Kruger — agus ba é tigh an mháistir Ó Dálaigh an tigh eile. Tá an seandhream a chuir fáilte romham sna tithe sin marbh le blianta — go soilsí an solas síoraí orthu agus guím ná beidh aon cheal choíche ar éinne dá dtreabhchas. Agus mé á scríobh seo cloisim i mo chluasa comhairle Joany Bhán, seanbhean ar mo bhaile féin: 'Cuimhnigh i gcónaí ar an arán atá ite agat,' a deireadh sí.

Máire (Sheosaimh) de hÓra (Uí Chaomhánaigh), Dún Chaoin
(*Ionad Oidhreachta an Bhlascaoid*)

Muintir Dhálaigh, Dún Chaoin. Chun tosaigh: Seán Ó Dálaigh ('Common Noun') agus a bhean Nóra; ar chúl: garsún comharsan, Muiris, Hanna, Seosamh (*Frances Uí Chinnéide*)

Ach cad fé na scoláirí bochta istigh san Oileán faid is bhíos-sa amuigh ag fanacht le lon chun dul chucu? Níor cháisíodar mé. Seo mar a dúirt Eibhlís [Ní Shúilleabháin] liom [i bhfad ina dhiaidh sin] is táim cinnte go raibh an chuid eile acu ar aon aigne léi:

> I dtigh Pheig Sayers, bhí tigín beag aimsire a thug cuairteoir éigin chuici — gloine na haimsire a thugaimis air. Thagadh fear amach as le drochaimsir, agus bean dá mbeadh aimsir bhreá air. D'fhéachainn amach ón bport maidin Dé Domhnaigh agus dá mbeadh aon bhorradh in aon chor sa bhfarraige, rithinn siar ar céalacan go tigh Pheig. D'fhéachainn suas ar thigín na haimsire agus dá bhfeicinn an fear amuigh, bhí a fhios agam ná raibh aon dul go dtiocfá.

Away liom ansan ar fud an bhaile ag glaoch ar mo pháirtithe is deirinn leo:

'Thaispeáin an fear é féin ar maidin.'

'Cabhair Dé chugainn,' a deiridís go léir.

Is mó paidir a dúrt go leanfadh an drochaimsir, go maithe Dia dom é, is dócha gur pheaca dom é. Isteach sa lá chuirinn ceist ar mo dhaid:

'Ní fheadar an bhféadfaidh aon naomhóg tabhairt fé?' Ag magadh fúm deireadh sé: 'Is cuma cén síon é, thiocfadh Nóra isteach ar chlár bán.'

Is ea, bhí rith an ráis liomsa tamall le mo thurasanna abhaile, ach cuireadh stop le mo luadar. Bhí foirm mhíosúil le líonadh isteach agam agus le seoladh go dtí Roinn an Oideachais mar thuairisc ar imeachtaí na scoile. Ba é an leithscéal céanna a bhíodh i gcónaí agam do dhátaí a bhíos as láthair ón scoil. I rith an gheimhridh go háirithe a tharlaíodh sé sin agus ba é a chuirinn síos ar an bhfoirm ná *weather-bound on the mainland*. Chuir mo chuid rancáis as do Roinn an Oideachais thuas i mBaile Átha Cliath agus an chéad rud eile, tháinig stráice de litir agus foirm sa phost agus foirm le líonadh go dtí an sagart paróiste. Lá a bhíos ag an aifreann i nDún Chaoin thug an sagart an litir a fuair sé dom le léamh. Is é a bhí inti ná iad ag cur in iúl dó go raibh an príomhoide i scoil an Bhlascaoid Mhóir rómhinic *weather-bound on the mainland,* agus bhíodar ag iarraidh míniú ar an scéal. Shín an tAthair de Brún chugam an chlúid mhór go raibh an fhoirm inti:

'*Answer that, Norrie*,' ar sé ag leathgháirí, '*and try and settle down inside and avoid long journeys in winter time*.'

Bhíos ag cur is ag cúiteamh liom féin i ndeireadh na naomhóige ag dul trasna chun an Oileáin an tráthnóna Domhnaigh san.

'Is ea, a shagairt,' arsa mise liom féin, 'slí é seo agat chun a rá liom nuair is mó an spórt is cóir stad de,' agus thuigeas féin leis anois gurb é an ceart é; orm féin a bhí an mhilleán. Go deimhin, ní raibh an sagart riamh dian orm, agus sa chás so, pé scéal ag nithe eile é, bhí sé daonna. Bhí sé de chiall agam gur thuigeas gur cheart aird a thabhairt ar an litir. Chuireas mo fhreagra chomh cumasach is a b'fhéidir liom chun na Roinne agus ní raibh san ródheacair mar níor dheineas ach an fhírinne a insint dóibh.[27] Níor chuala dada uathu ina dhiaidh sin. As san amach cheapas mo shuaimhneas is luíos leis an áthas a bhí agam.[28] In ionad a bheith i mbád an phoist ag dul amach dó, bhínn sa bhulc ar bharr na haille istigh ag fanacht go bhfillfeadh fear an phoist. Fiú mura mbeadh litir ann duit, bheadh scéal nua éigin suaithinseach ag fear an phoist — ghlac sé leis seo mar chuid dá dhualgas, déarfainn. Uair sa mhí nó ina chóngar a thugas turas abhaile as san amach.

[27] Níl fáil anois ar aon chuid den chomhfhreagras seo idir an Roinn, an sagart paróiste agus Nóra Ní Shéaghdha sna comhaid a bhaineann le Scoil an Bhlascaoid i gCartlann Náisiúnta na hÉireann.

[28] Nóra Ní Shéaghdha, 'Agallamh 5', in P. Tyers, eag., *Leoithne Aniar*, Baile an Fheirtéaraigh 1982, 140: Chaitheas mo shuaimhneas a cheapadh ansin agus dheineas. Dúrt liom féin: 'Is ea, déanfaidh mé rud éigin eile anois i gcomhair an deireadh seachtaine. Tosóidh mé agus scríobhfaidh mé aiste do *Scéala Éireann*, aiste ar aon rud in aon chor.' Agus thosnaíos ag scríobh aistí beaga, ag léamh leabhar agus ag cniotáil agus mar sin de, agus chaith sé an t-am dom.

3

Ar Thórramh Rí an Oileáin

Fuair Rí an Oileáin, Pádraig (Peats Mhicí) Ó Catháin bás is mé ag múineadh ar an mBlascaod. Níorbh aon bhréag rí a bhaisteadh air, fear uasal i meon is i bpearsa ba ea é. Lá an tórraimh bhí páistí an bhaile bailithe istigh i dtigh an choirp — ní gach lá a bheadh tae is builíní le fáil acu. Eachtra bheag atá anso de réir mo chuimhne ar cad a d'inis duine acu féin dom i bhfad ina dhiaidh sin:

Bhíomar go léir suite istigh ag tógaint gach aon ní isteach agus ár súile chomh maith againn ar an bhfear marbh. Ba mhinic a bhíodh sé ag ordú orainn — ar mhaithe linn gan dabht — ach níor thuigeamar an t-am san é. Bhí gach éinne ciúin agus amach as an gciúnas chualamar béic mhór a thóg ó thalamh sinn. Rugamar isteach ar a chéile is thosnaíomar ag gol is ag liúirigh le sceimhle. Cheapamar gurbh é an Rí a dhein an bhéic is go n-éireodh sé aniar chugainn aon nóiméad.

Bhí an Princess ann, Bean Uí Chathasaigh, iníon an Rí a bhí pósta i mBaile na hAbhann, agus bhí sí ag iarraidh sinn a chur chun suaimhnis: 'I gcuntais Dé,' ar sí, 'cad tá imithe oraibh? Ná fuil a fhios agaibh nach é mo dhaid atá ag béicigh. Seo, amach abhaile libh.'

Bhíomar ag baint an dorais dá chéile ag rith amach agus sinn ag rá le gach éinne a bhuail linn go raibh Peats Mhicí éirithe ó na mairbh. Lean an nath go ceann mí san Oileán: 'Tá Peats Mhicí éirithe ó na mairbh.'

Árthach a bhí ag gabháil an Bealach ó thuaidh gur séideadh adharc uirthi an lá úd, rud ná déantaí ach uair fada fánach. Ba dhóigh le duine gur in ómós don Rí a bhí marbh a séideadh an adharc.

4

Stáisiúin agus Creideamh

Ócáid thábhachtach ba ea lá na stáisiún ar an Oileán agus i saol na tuaithe trí chéile. Lá mór do na páistí é, go mór mór an chuid acu a ghlacadh a gcéad chomaoine ar an ócáid sin. Bhíodh an mháthair níos mó i gcúram an linbh a bheadh ag déanamh a chéad chomaoine an mhaidin úd seachas aon lá eile. Chaití níos mó ama á ghléasadh, is an t-am ar fad bheifí ag cur ordú air gan é bheith de chrois air greim ná bolgam a chur ina bhéal agus é féin a iompar go hómósach am aifrinn. Is ea, bhí peataireacht is tindeáil á fháil an lá speisialta seo ag an leanbh úd. Thóg na comharsain ceann de agus síneadh lámh chuige — pingin, leathréal bhán, réal nó scilling — ba chuma é; in aigne an pháiste airgead ba ea é go léir. Ní lamháilfí do pháiste an t-airgead a chaitheamh go rabairneach. Scaoilfí páipéar milseán nó paicéad brioscaí leis, ar ndóigh, ach is i gcoinne na mbróg nó ball éadaigh éigin a chuaigh a fhormhór.

Lean a ghleithreán féin lá stáisiúin ar an mBlascaod. Théadh criú naomhóige go caladh Dhún Chaoin fé bhráid na sagart agus an cléireach. Thosnaíodh na daoine ag bailiú nuair a bheadh an naomhóg lár bá isteach, cuid acu ó bharr an bhaile is an fhánaidh leo anuas, cuid acu ó bhun an bhaile ag déanamh ar an scoil go mall i gcoinne an airde. Bhíodh giorranáil ar dhaoine bochta críonna agus cuimhnigh go rabhadar ar céalacan ó mheán oíche roimh ré.

'Níl aon tsaothar ortsa, a Mhuiris,' arsa Peats bhun an bhaile le fear bharr an bhaile. 'Tá an croí go maith fós agat.'

'Ná fuil a fhios agat,' arsa Muiris, 'go ritheann gach aon tseanfhóisc le fánaidh? Agus rud eile, ní mharódh sé tú "Bail ó Dhia" a rá.'

Bhí eagla an chiorraithe ar Mhuiris. B'shin mar a bhídís ag caint is ag cadráil is ag tabhairt sleaiseanna dá chéile an fhaid a bhídís ag feitheamh. Ach ansan agus iad ag amharc ar an naomhóg ag druidim le caladh, thagadh ciúnas orthu, agus má bhíodar go cainteach tamaillín ó shin, bhíodar anois go tostach smaointeach. Thíos ar an gcaladh ag feitheamh nó go sroisfeadh an naomhóg tír, bhíodh cuid de sheanóirí an bhaile bailithe. Mar ómós don sagart bhídís ansúd thíos ag bun an uisce, bhainidís na hataí dá gceann agus théidís ar a leathghlúin. Ansan thógaidís glan amach as an naomhóg na sagairt á gcur síos ar an gcé thirim. Ag fáiltiú roimh na sagairt deiridís: 'Gura fada buan sibh in bhur gcúram slán; fáilte thar fáilte agus é sin i mbréithre beannaithe.'

Is ea, bhí corraí ar an mbaile inniu seachas aon mhaidin eile. Bhíodh gach éinne amuigh go luath. Bhí na páistí beaga ann is greim an phortáin acu ar sciorta a máthar — páistí nár thug a mblianta le tuiscint dóibh fós gurb é lá na stáisiún ar an Oileán é. Ó dhoras na scoile chím chugam iad, cailín deas cúthail ag siúl leathchliathánach is an mháthair ag bagairt uirthi, óir bhí sí ag rith i ndainséar í a threascairt; páiste eile ag méirínteacht go scáfar leis na scothóga ar sheál a máthar. Dheineas gáire liom féin an lá a dúirt máthair acu: 'Stad, a dhiabhailín, is ná stoith na scothóga de mo sheál.' Bhíodh súil amhrasach ag cuid de na leanaí sin á thabhairt ar na sagairt; bhíodh fodhuine is breill air.

Gan dabht tháinig na scoláirí ag pocléimrigh ó gach aird. Bhí a gcroíthe chomh héadrom le druid, gile agus meidhre an áthais ag briseadh amach trí ghlanachar a gcuntanóis — ná raibh cuid den lá saor ón scoil acu, agus rogha áite sa scoil in áirithe dóibh siúd a bhí ag glacadh a gcéad chomaoine. Tar éis scrúdú an tsagairt bhíodh an chuid eile den lá saor ag na scoláirí. Nuair a bhíodh a gcuid ite acu, thagadh na scoláirí ar ais ar scoil, gach éinne ina ionad féin ar na binsí fada. Ba dheacair luí le gnáthcheachtanna lá mar seo. Bhíodh tuirse na mochóirí orthu agus aigne gach éinne ar seachrán. Bhí éadaí Domhnaigh orthu agus ón uair gur cheap cuid acu nár thaitneamhach bheith ag útamáil le ceachtanna scoile i mbalcaisí Domhnaigh, d'fhágadar an mála scoile sa bhaile.

Is i dtigh Sheáin Uí Chearna (Seán Tom) a bhíodh bricfeast ag na sagairt agus gá maith le braon tae acu tar éis a dturais aduaidh. Ba é tigh Sheáin ba ghiorra don scoil. Ba mhór an onóir dó féin is dá bhean, Neilí (Ní Dhálaigh), na sagairt a shuí chun boird acu. Cigire nó eile a thagadh chun na scoile, bhíodh Neilí umhal i gcónaí chun ciotal a bheiriú dúinn. Bean tí shlachtmhar ba ea í is bhíodh gach ní in ord aici do bhricfeast na sagart — bord is áraistí ullamh, tine chraorac ar an dtinteán is an ciotal crochta ar an drol os a cionn. Bhíodh a thuilleadh móna ansúd i mbirdeog is fód á chaitheamh isteach ó am go chéile chun an tine a choimeád sa tsiúl. Comhartha fáilte agus féile an tine bhreá mhóna.

Bhí muirear mór ar Sheán is Neilí agus ba mhinic a deireadh sí liom ag leathmhagadh, gurbh í a bhí ag coimeád na scoile sa tsiúl. Bhí an ceart aici mar bhí leanbh léi i ngach rang sa scoil. Liam an té ab óige, agus saolaíodh é is mise ar an Oileán agus iarradh orm seasamh leis chun baistí. Samhlaím anois é ina phatalóigín sula raibh sé in aois scoile agus é ag rith isteach is amach an doras chugam aon uair ba mhian leis é. I Springfield, Mass., atá Liam anois is tugann sé a thuras abhaile go tráthúil.

D'éistíodh sagart amháin faoistine i gcúinne na scoile gan chlúid gan chlutharú. Bhíodh an dara sagart ag éisteacht i dtigh Sheáin Tom lastuas den scoil. Chonac faoistiní á n-éisteacht amuigh i gclós na scoile san aimsir bhreá, bliain go raibh misiún ar an mBlascaod — gach éinne ag déanamh a n-anama, mar a deirtí.

Bhíodh bord na scoile mar altóir agus dhá chathaoir fé chun é a ardú i dtreo is go mbeadh radharc ag na daoine air. Ní raibh caint ná cogarnach sa scoil anois — ba é a sáipéal inniu é. As Laidin a bhíodh an t-aifreann agus drom an tsagairt leis an bpobal. Ach níor chuir san as dóibh — gach éinne ag faire agus ag éisteacht go dúthrachtach. Chífeá an paidrín ag sleamhnú trí mhéara seanmhná ag guí, agus go minic, ní di féin an ghuí sin. Ní maith aois gan paidrín, sin é port an tseanduine.

Iad so ar an Oileán go raibh an tsláinte is an choisíocht teipthe orthu, thugadh sagart cuairt orthu sna tithe tar éis bricfeasta agus leanadh slua de na páistí é á thionlacan. Seo mar dúirt seanbhean liom tar éis cuairt sagairt lá stáisiúin: 'Caithfidh m'anam a bheith ag treabhadh is ag tiargáil leis anois, a mhaoineach, i dtaoibh le grástaí an lae inniu go ceann bliana eile, má mhairim leis. Nár bheire Dia gairid ar ár n-anam,' ar sí, ag breith ar an tlú is ag bogadh na tine. Chuiris go deas do chaint, a Mháire. Ag treabhadh is ag tiargáil a thug muintir an Bhlascaoid a saol chun beatha a sholáthar don gcorp. Anois de réir Mháire, ba chóir go n-iompródh an t-anam a chion féin den ndualgas seal.

Ní minic a bhíodh seans ag muintir an Oileáin seanmóin a chlos ó shagart. Chuiridís spéis ina mbíodh le rá aige agus thugaidís leo ina gcluasa é — cuid acu chun go mbeadh abhar argóna is trasnaíola acu, b'fhéidir, i ndeireadh an lae. Ansan bheadh gach éinne sásta nuair a bheadh an méid sin curtha acu dá gcroí. Ar ndógh, ní bheadh seanmóin eile le clos ag dhá dtrian díobh go ceann bliana arís agus níorbh fhios cé a mhairfeadh.

Nuair a bhíodh an dara haifreann ráite, bhogadh beag is mór leo abhaile ach amháin an ceann tí a d'fhanadh chun airgead an stáisiúin a dhíol. I mbeagán focal, do bheagán daoine, le beagán fáltais, chuireadh an sagart paróiste a chás in iúl — ní fhaigheann sagart balbh beatha. Nuair a ghlaodh sé amach as a leabhar ar ainm gach ceann tí, chuireadh an té sin an t-airgead ar chúinne an bhoird ansúd chuige, agus ansan ar a shlí amach, shleamhnaítí a shíntiús beag féin isteach i láimh an chléirigh. Bhíodh airgead an stáisiúin go cruinn ag gach fear tí, níorbh aon am é seo chun a bheith ag fanacht le sóinseáil nó ag coimeád moille ar shagart.

B'fhéidir gurb é dála fhear Léim Fhir Léith a bheadh air. Bhí fear ansúd a thug airgead sa mbreis don sagart paróiste, an tAthair Tomás Ó Muircheartaigh, lá stáisúin. Ag an gcéad stáisiún eile, leathbhliain ina dhiaidh sin, d'iarr sé ar an Athair Tom an bhreis a bhí tugtha aige dó a mhaitheamh an babhta seo. 'Á, ná bac an bhreis sin anois, cuir as do cheann é,' arsa an tAthair Tom leis, 'beidh sé sin romhat ar an saol eile.'

Ní déarfainn go raibh aon doicheall ag muintir an Bhlascaoid roimh éileamh an tsagairt — níor chualasa riamh ag cnáimhseán iad ina thaobh ach go háirithe. Ach chuala an port so a leanas acu:

Caith agus gheobhair ó Dhia
Caith go fial is gheobhair níos mó;
An té gur leor leis beagán do Dhia
Is leor le Dia beagán dó.

Nuair a bhíodh obair an stáisiúin críochnaithe dhéantaí na sagairt a thionlacan síos chun an chalaidh agus bhíodh na leanaí ag sméideadh orthu is iad ag seoladh amach ón Oileán.

****

Nóra Ní Shéaghdha, 'Agallamh 5', in P. Tyers, eag., *Leoithne Aniar*, Baile an Fheirtéaraigh 1982, 145: Bhí sé nádúrtha iontu, an spéis seo sa chreideamh. Is dócha aon duine a tógtar agus a bhíonn ag maireachtaint ar oileán mara, go mbíonn siad ag brath chomh mór sin ar Dhia toisc an fharraige a bheith ina dtimpeall agus a mbeatha á sholáthar acu, go mbíonn sé iontu go dúchasach nádúrtha. Thagadh na seanmhná le chéile ag an tobar, agus is cuimhin liom an lá seo bhíos féin ann agus na leanaí ag déanamh tamall cainte chun an lá a chaitheamh, is dócha, agus ghabh an stróinséir seo aníos. Níorbh aon Chaitilicí é, pé scéal é. Gheibhdís amach i gcónaí cén creideamh a bhíodh ag an bhfear [stróinséartha] ach ní raibh ach aon chreideamh amháin dóibh féin — Caitilicí. Ach caithfead a admháil nár chuireadar riamh aon chur isteach ná ní raibh aon cholg riamh acu i gcoinne aon duine nár dá gcreideamh é.

Chun na seanmhná a chur ag caint thosnaigh an stróinséir ag cur síos ar an saol eile agus ar Dhia, agus níor thaitnigh sé in aon chor le cuid acu. Bhí Peig ann pé scéal é, agus theastaigh uaithi a cuid eolais féin a chur in iúl dó, is dócha. Agus bhí sé sin ag rá ná raibh aon saol eile ann, agus mar sin de, agus cuid againn ag gáire fé — bhí a fhios againn go maith ná raibh sé ach ag magadh. Ach thosnaigh Peig agus dúirt sí:

'Dar ndóigh, a dhuine, níor imigh an ghaoth ná an ghrian;

Dar ndóigh, a dhuine, níor imigh an bán ná an sliabh;
Dar ndóigh, a dhuine, níor imigh an sáile ón iasc;
Dar ndóigh, a dhuine, ní imeoidh na grásta ó Dhia.'

Agus má thugann tú fé ndeara ansan arís, tá an sáile agus an t-iasc istigh i lár na paidre. Bhí bean eile a bhí lán de sheanchas leis, Gobnait, agus d'fhreagair Gobnait — an smaoineamh céanna ach a mhalairt d'fhocail ar fad.

'Tá ceann níos fearr agamsa, a Pheig,' arsa Gobnait.

'Má tá abair é,' arsa Peig léi. Thosnaigh Gobnait ansan:

'Imeoidhh a dtiocfaidh agus a dtáinig
Is ní imeoidh na grásta ó Dhia;
Imeodsa agus tusa ón áit seo
Agus fágfam a bhfuil sa tsaol againn inár ndiaidh.'

Agus tar éis an méid sin a bheith ráite aici dhein sí scarta mór gáire agus ar sise: 'Ní mór a fhágfadsa i mo dhiaidh mar ná fuil puinn sa tsaol agam!' Sin é mar a bhí an creideamh acu. Bhí sé acu gan fhios dóibh féin agus phrioc na leanaí suas é sa tslí ná fuaireas puinn dua in aon chor paidreacha ná teagasc Críostaí a mhúineadh dóibh ann.

Rud eile! Níor dheineadar riamh dearmad ar na mairbh. Tháinig cailín leis an bpaidir bheag seo lá, más paidir a thabharfá air, óna máthair. Is trua ná deineann na máithreacha inniu an rud céanna, iad seo a bhfuil na paidreacha seo fós acu. Seo mar a bhí scríofa:

Is í riail na reilige go ligeann sí gach éinne isteach;
Is é dlí na reilige ná ligeann sí éinne amach.

Cách a d'imigh ní thiocfaidh go deo thar n-ais
Is nach mór an trua an duine ná tuigeann a chás i gceart?
Mar dá airde a éiríonn an taoide tránn sí arís thar n-ais
Agus dá fhaid é an lá, is é dán na hoíche teacht.

Agus anois a thuigim é. Nuair a bhím ag féachaint siar ar an dánta beaga seo a fuaireas sa Bhlascaod chím i ngach ceann acu go ndeintear trácht éigin ar an bhfarraige nó ar an dtaoide fé mar atá anseo: 'Dá airde a éiríonn an taoide tránn sí arís thar n-ais'. Bhí sé sa bhfuil acu, fé mar a déarfá.

5

Cuairteoirí i dTigh na Scoile

Bhí an nós san Oileán go mbailíodh na daoine — iad seo a bhíodh sa chóngar, beag is mór — ar bharr an chladaigh ar a dtugaidís an Inneoin nó an slip, nuair a thagadh bád ón míntír. Fiosracht na hiargúltachta is dócha, ach ina theannta sin, nár mhór an t-athrú é i bpátrún an lae, agus aon ní a dhéanfadh athrú, bhíodh fáilte roimhe. Agus níorbh fhada a bhíos-sa ann nuair a chuas ag gliúcaíocht ó bharr an chladaigh chomh maith le cách — nuair a rachair don Róimh, bí i do Rómhánach leo. Déarfainn gur ghlac na cuairteoirí leis an nós so le toirtéis agus b'fhéidir go raibh an ceart acu. D'fhéadfaí a rá gur sórt slí é seo a bhí ag muintir an Oileáin chun fáiltiú rompu, cé ná labharfaidís focal. Da mba sheanchara a bhí ann, sméididís uathu síos agus d'fháiltíodh gach éinne roimhe is é ag gabháil tharstu suas. Fear amháin díobh sin a gcuirtí fáilte ar leithrigh roimhe ba ea Bláithín.

Níorbh aingil ar fad a bhí i measc an tslua ag faire ó bharr na haille. Bhíodh spórt mór is magadh láidir ag an ndream ógánach ar scáth na ndaoine a d'éiríodh amach as an naomhóg — cóiriú catha á chur orthu de réir a n-aclaíochta nó a n-útamála, agus bhíodh a dtoirt á thógaint isteach leis. Lá go raibh bean lagfáiseach seasaithe thíos tar éis éirí amach as an naomhóg, seo mar a chuala-sa ó dhuine: 'Níl aon oidhre ar a dhá cois ach mar a bheadh dhá shop féir ag sileadh anuas ón lochta.'

Uaireanta nuair a thagadh turasóirí lae chun an Oileáin bhíodh ceol is rince uathu — fear is bosca ceoil aige i gceann de na naomhóga agus ba bhreá é an ceol a chlos ón naomhóg agus an fhuaim á thabhairt le gaoth de dhroim na farraige. Thugadh gardaí

Bhaile an Fheirtéaraigh turas ar an Oileán gach bliain. Más ar thóir phoitín a bhíodar ní bhfuaireadar é, mar nár cleachtadh an cheard san riamh ar an Oileán Mór ná ar aon oileán beag eile acu chomh fada agus is eol dom. Bhíodar ann lá go raibh cuairteoirí eile ann agus fear mileoidean in éineacht leo. B'ainnis na cosa a bheadh fén té ná cuirfeadh an ceol a bhí aige seo fonn rince air. Bhí sáirsint na ngardaí chun tosaigh ar an slua go raibh an ceol acu agus lean siad isteach sa scoil é. Bhí uair an chloig den lá scoile fós gan caitheamh agus ní gá dom a rá gur mhór an fháilte a bhí ag na scoláirí rompu. Bhí sé ina Lá an Dreoilín dóibh — ceol is cantaireacht, agus a leabhartha fós ar oscailt acu ar na binsí! D'fhéach an sáirsint ar an rolla tinrimh ach níor ghá aon tseirbheáil ar bhonn drochthinrimh ar an Oileán, mar thagadh na páistí ar scoil go rialta. Bhí cailíní óga an bhaile bailithe fén am so agus tháinig fonn rince ar dhaoine.

'Tá an ceol ag dul i vásta,' arsa fear éigin, 'Ná rachadh sibh ag rince. Tá urlár breá cláracha ansan agaibh.'

'Níl an lá istigh fós,' arsa mé féin.

Sheas an sáirsint ag an mbord is labhair leis na scoláirí: 'Toisc sibh a bheith chomh rialta ag freastal ar scoil,' ar sé, 'seo libh abhaile anois. Bíodh an chuid eile den dtráthnóna saor agaibh.'

Ní raibh an dara focal air. Ach ní abhaile a chuadar ach ag faire ar an rince is ag éisteacht leis an gceol ón dtaobh amuigh de dhoras. Cé a thógfadh orthu é? Ní gach aon lá a bhíodh rancás sa scoil — cnagarnach á bhaint ag bróga tairní as urlár adhmaid na scoile. Ní fheadar an ndúirt an sáirsint riamh leis an sagart paróiste faoin eachtra seo ach chuireas-sa mar chúram air é insint dó ach go háirithe. B'shin mo chuidse den gcúram.

Ach bhí a thuilleadh fós le teacht. Bhí idir chuairteoirí is mhuintir an Oileáin ag tnúth le rince eile sa scoil, ach an t-am so, san oíche a bhí an rince uathu. Bhí Bláithín ann is a chlann, Máire Ní Chinnéide, a hiníon is a cairde óga; bhí Muiris Ó Súilleabháin ann a dúirt liom go raibh Seoirse Mac Thomáis ag imeacht lá arna mháireach, agus ag fiafraí an mbeadh aon tseans ar oíche rince is scléipe sa scoil. Bhí cúpla duine ón Oileán a bhí ag baile ar saoire ó Mheiriceá ann leis, agus cheapas féin, cé ná dúrt amach é, gur mhór an trua é gan cuimhne éigin seachas a n-am inti a fhágaint ina n-aigne siúd fén scoil.

Is ea, cuireadh toscaireacht chugam féin. Bhí Bláithín ar dhuine acu agus is cuimhin liom go maith go raibh Siobhán (Hanna) Kearney ag teanntú leis. Bhí cléireach maith aige — croí mór aerach aici agus scóp rince uirthi. Ba leasc liom an cead a thabhairt dóibh — cad a dhéanfainn dá ndéantaí cipineach de thigh na scoile? Dúrt ná raibh cead ón sagart paróiste agam agus ná raibh aon údarás eile ar an bhfód san am a thabharfadh an cead san dom, agus [leis sin] shiúlamar linn siar an cosán, scata againn. Bhí ceo trom tar éis titim agus ní raibh an uain oiriúnach do rince ar an nduimhche, mar is ann a bhíodh sé tráthnóintí samhraidh. Bhí eochair na scoile i mo phóca agam féin. Chas gach éinne an cosán laistíos abhaile ach ní raibh fonn baile ar éinne, agus ós ar an bhfírinne is cóir an rath a bheith, caithfead admháil go raibh oiread fonn scléipe orm féin le cách — ní i gcónaí a bheadh bailiú mar seo ar an Oileán againn.

Suas lasmuigh de thigh na scoile a stadadh; bhí sórt fothana againn ann agus b'fhéidir gur gearr go dtosnófaí seit. Ach shéid an bháisteach.

'Oscail an doras, a Nóra!'

'Ní fhéadfainn gan cead,' arsa mé féin.

'Nach linn féin an scoil agus tá an *boss* i bhfad uainn anois. Buail bos ar do chroí is oscail í.'

B'fhurasta mé a mhealladh mar bhí oiread fonn rancáis orm féin le cách, agus ina theannta san, bhí ormsa maireachtaint i measc na ndaoine seo: 'Seo dhuit an eochair is oscail tú féin í.'

Líon tigh na scoile isteach. Réitíodh an seomra; cuireadh na binsí fada síos cliathán na scoile agus brúdh boird is clár dubh as an slí. Bhí veidhleadóirí is lucht boscaí ceoil ann, Suilleabhánaigh, Dálaigh agus Séan Cheaist. B'fhurasta scoláirí an Oileáin a chomhairliú agus a cheansú agus phriocadar leo abhaile nuair a fógraíodh ná beadh cead isteach ach ag daoine fásta. Bhí oíche shúgach go gealadh an lae againn, ceol, amhráin is rince. Creid é nó ná creid, b'shin í an oíche a rinceas mo chéad váls — bhí na cuairteoirí ár múineadh-na sa váls agus sinne ag treabhadh leo sna seiteanna.

Go maithe Dia dom é, níor ligeas faic orm leis an sagart paróiste. Ach an samradh a bhí chugainn, bhíos ag prapáil is ag brath romham mar bhí a fhios agam go mbeadh oíche eile rince á éileamh. Bhuel, bhuaileas isteach go dtí an sagart paróiste, Domhnach go rabhas ag an aifreann i nDún Chaoin. Bhí foirmeacha deireadh bliana le síniú agus bhí comhrá cairdiúil againn le chéile, é mo cheistiú fé chuairteoirí agus mar sin de. Nuair a fuaireas bogtha é, dar liom: 'A leithéid seo, a Athair,' arsa mise. 'Níl aon chaitheamh aimsire ansúd istigh puinn, agus an dtabharfá cead dúinn rince a bheith againn sa scoil?' Ní dhearmhadfad faid a mhairfead an chuma a d'fhéach sé orm. Níor chreid sé is dóigh liom gurb í *Norrie in the Island* a bhí ag éileamh rince — rud go raibh an ghráin dhearg aige féin air. Dar leis go raibh an diabhal san áit go mbíodh sé. Chuir sé na súile doimhne sin a bhí aige tríom, agus ag tagairt do lucht rince sa scoil, ar seisean go binibeach: *'I'd dance them out with the top of my shoe.'*

6

Caitheamh Aimsire

Is minic a chuirtear ceist orm faoin gcaitheamh aimsire a bhíodh ar an mBlascaod Mór. Fút féin a bhí ansúd istigh; bhí orainn ár gcaitheamh aimsire féin a dhéanamh. Ar mhaithe leis na cailíní fuaireas liathróid peile. Bhí scóp go leor ar an duimhche nó ar an dTráigh Bháin le lag trá chun cluiche a imirt. Cosnocht a bhíodh formhór na gcailíní, ach más ea, ní raibh aon bheann ag a mbáltóga ar an liathróid chruaidh. Ba mhó treascairt a baineadh astu nuair a bhriseadh ar an bhfoighne ar na garsúin is rithidís ina measc. Bhíodh a n-uain féin acu san chun imeartha. Ba mhór an taitneamh a bhain an t-aos óg as imirt na caide tráthnóna Dé Domhnaigh nó am ar bith eile a bhíodh tráthúil.

Dé Domhnaigh an lá ba shia leat istigh ann. Dhéanaimis briseadh ar an lá roimh nóin leis an gcoróin Mhuire agus paidreacha a léamh as leabhair do na scoláirí sa scoil. Ní fada bhíos ar an Oileán nuair a cheannaíos gramafón, ceann acu súd le láimh air agus a d'fhéadfá a thabhairt ó áit go háit. Deich scillinge sa mhí a bhí á dhíol agam as, *His Master's Voice*, agus chomh fada agus is cuimhin liom cúig púint déag a luach. Bhí mianach maith ann agus maireann sé fós. Chuireadh tamall ag éisteacht le poirt is amhráin ar an ngramafón breáthacht ar a gcroí. Tamall ó shin, bhí iarscoláire ag dul siar liom ar a haimsir ar scoil agus ag tagairt do ghnóthaí úd an Domhnaigh, ar sí:

'Dhéanadh sé an-chiúnas orainn agus bhaineadh sé an fiantas asainn.'

'Tánn tú i do dhaoradh féin san éagóir,' arsa mise, 'mar ní raibh aon phioc fiantais in aon duine agaibh,' is níor bhréag dom san a rá.

Shiúlaigh an gramafón ar a lán tithe. Ar ócáidí áirithe — mar an lá go mbeadh Oíche Shamhna air — chuirinn ar siúl tamall ar scoil é. Chomh maith leis sin, dá mbeadh na ceachtanna ag dul ar aghaidh go maith, chuireadh sé misneach ar na páistí tamall ceoil a bheith acu mar luach saothair. Toisc go raibh an scoil i lár an bhaile, chloistí lasmuigh an ceol — daoine a bhí ag dul thar bráid agus iad súd a bhí sna tithe cóngarach. Bhailíodh éinne le dúil sa cheol sa doras — seanmhná is eile. Bhíodar go léir, mar a deiridís féin, fiain chun rince is ceoil, agus ba bhreá liomsa an t-éirí croí a chuireadh sé orthu is an sult a bhainidís as. Istigh sa scoil bhíodh na páistí ag coimeád ama leis an gceol, cailíní cosnocht is buachailli le bróga troma tairní. Ba dheacair iad a stop. Bhíodh sos tamaillín agus scaoilidís fé arís — ní le dánaíocht é ach le dúil sa cheol. Nárbh é Maidhc a dúirt, lá a bhí sé ag dul thar fóir is gur bhagraíos air: 'Ní fhéadfainn mo chosa a choimeád socair, a mháistreás.'

Ní bhíodh aon easpa cuileachtan ná caitheamh aimsire sa tsamhradh ar an Oileán. Bhíodh cuairteoirí de gach sórt ann is gan aon drochshórt ina measc — iad go léir ag cur le scléip an tséasúir. Chloisfeá veidhlín nó bosca ceoil á sheinnt amuigh ar na poirt is bhraithfeá aoibhneas agus síocháin á leathadh amach leis an gceol tráthnóna breá samhraidh. Bhíodh rince thiar ar an nduimhche — seiteanna á múineadh do chuairteoirí agus: 'Léan ar do chosa, mura an deacair iad a mhúineadh,' á rá féna bhfiacla acu súd go mbíodh útamálaí éigin mar pháirtí rince acu. Ní bhíodh aon chasachtach ó smúit halla rince ansúd ach aer úr na mara aniar ó Inis Tuaisceart á shú isteach sna scamhóga acu.

San oíche bhíodh rincí sna tithe. Ní raibh aon easpa ceoltóirí — bhí na Súilleabhánaigh agus na Dálaigh ann agus Seán Cheaist, beannacht na ngrást leis! Bhí ceoltóirí eile leis ann ag éirí suas is iad ag déanamh uainíochta má bhí san riachtanach. Bhíodh an chistin lán agus ar éigin a bhíodh slí chun an seit a rince; bhíodh an doras dorchaithe le daoine is an áit múchta. Suite ar an staighre a chuireadh Peig Sayers na leanaí i gcónaí: 'Níl aon ghnó i measc an bhuilc agaibh,' a deireadh sí, 'mar bainfear na cosa daoibh.' Bhídís cosnocht. Ceol is rince, spórt is amhráin, is murar bhain duine sásamh as, ba air féin a bhí an locht.

Ba mhór an caitheamh aimsire na cluichí cártaí oíche fhada gheimhridh. Bhí tigh i mbarr an bhaile, tigh Mhary Scanlon, bean aonair, agus ba i dtigh Mhary a bhímis ag imirt na gcártaí. Bhíodh seandaoine, buachaillí is cailíní óga bailithe ann. Cistin mhór fhada a bhí ann is bord mór dá réir, a bhí an-oiriúnach do lucht na gcártaí. Daichead a haon an cluiche ba choitianta a bhíodh againn. Ní cuimhin liom anois an mbíodh aon airgead thíos, ach tá a fhios agam má bhíodh, ná bíodh an geall róthrom. Pluga tobac dhá unsa a d'imrití de ghnáth. Bhíodh san agam le cur síos dóibh — comhartha beag chun mo bhuíochas a chur in iúl. Tar éis an tsaoil nárbh é mo cheart é, mar ba mhinic a thugadar isteach is amach thar Bealach mé, gan dochma, gan doicheall.

An-thigh bothántaíochta ba ea tigh Mhary Scanlon, an Dáil a bhí baistithe air. Chuirtí gnóthaí an tsaoil, istigh is amuigh, trí chéile ann agus tharlaíodh argóintí láidre ar uairibh, ach níor fhág san, áfach, gan greann is gáire an comhluadar. Nuair a d'fhágadh lucht na gcártaí Mary, bhailíodh an dream óg isteach chuici. Bhíodh Mary suite sa chúinne ar phaca mór féir. Nuair a d'fhaigheadh sí cortha de chuideachta na ndaoine óga agus an oíche ag dul i ndéanaí, thógadh sí an tlú chucu, á fhogairt go raibh sé in am dóibh dul abhaile agus í féin a scaoileadh a chodladh. Is ea, thógadh sí an tlú ach níor chaith sí le héinne acu riamh é. An bhean bhocht, ba mhinic a chuir sí suas le dream óg ag airneán aici go dtí a haon is a dó san oíche.

Is ea, tá Mary Scanlon is na seanóirí a d'imir cártaí sa Dáil an t-am a bhí daoine is anam san Oileán Tiar, ag tabhairt an fhéir le blianta fada. Ba mhinic an bás is an saol eile fé chaibidil acu ann, rannta is seanfhocail á stealladh chun a chéile acu is an ghlúin óg á dtógaint isteach. Mar chríoch, is é is lú is gann domsa mo ghuí a chur leo siúd uile atá imithe ón saol seo ón gcuideachta a bhíodh i nDáil úd bharr an bhaile. Agus má tá aon bhrí sna mairbh, is furasta dom iad a shamhlú, gan duine chucu na uathu, is iad ag filleadh in uaigneas na hoíche ar sheanfhothrach thigh Mhary Scanlon, mar a bhfuil leacacha an tinteáin ciúin díomhaoin anois ar oileán aonarach. Beannacht Dé lena n-anamacha go léir!

7

Scoil an Bhlascaoid

An chéad lá a chasas an eochair i scoil an Bhlascaoid mhothaíos i ndomhan nua ar fad. Ó tháinig an eochair i mo sheilbh, choimeádas greim an phortáin uirthi — ní dhéanfadh sé an gnó í a imeacht ar aon bhóiléagar ná í a chailliúint. Thuigeas mar sin gur chuid de mo dhualgas feasta, aire mhaith a thabhairt di. Mhothaíos go raibh an eochair sin, ina slí féin, mar mháistir ormsa as seo amach. Tá tomhas beag ag rith trí mo chluasa agus soiléiríonn sé an mothú seo dom, tomhas a bhíodh ar scoil ina dhiaidh sin againn:

Mise bean an tí;
Níl ionam ach sé n-orlaí;
Ach ní ligfead tusa isteach
Go mbeidh mé agat i do bhais.

Is ea, bhí an eochair i mo bhais agus ligeas mé féin isteach. Bhí na scoláirí ag fanacht liom, iad cruinnithe níos luaithe an mhaidin úd — fiosracht na hiargúltachta. Cad é gibris is gleo is brútáil a bhí acu is mé ag déanamh orthu! Ach de gheit, fé mar a chuirfí corc iontu, tar éis an chéad bheannú, thit ciúnas ar an láthair agus d'iompaigh gach péire súl orm. Fuaireadar radharc orm an tráthnóna roimh ré nuair a d'éiríos amach as an naomhóg, ach an chéad mhaidin seo bhí na scoláirí i mo bhreathnú trí shúile a bhí géar agus amhrasach, a déarfainn.

Dhein gach páiste céim ar aghaidh isteach sna suíocháin fhada. Bhí na suíocháin seo ar leithead an urláir adhmaid agus ciumhais chaol idir iad agus an falla ar gach taobh. Thaitin na binsí fada úd liom. Bhíodar sa tseanscoil againn i gCill Chuáin, ach toisc an tinreamh a bheith níos airde, bhí breis acu ansúd. Nuair a chonac na binsí d'fhág cuid den stróinséireacht mé. Bhain maith amháin leis na binsí fada, is é sin, go rabhadar staidéartha talmhaí, gan fothrom dá laghad astu i gcomparáid le suíocháin ghuagacha ghlóracha go gcaithfeá a bheith ag síorordú ar pháistí iad a láimhseáil go cneasta.

Bhí fomháistreás sa scoil, Cáit Bean Uí Dhuinnshléibhe. Chónaigh sí lena fear céile, Muiris, is a clann i mbun an bhaile in aice le tigh an Chriomhthanaigh. Mac is iníon a bhí ag Cáit — Pádraig is Máirín — agus bhíodar tosnaithe ar scoil fén dtráth seo. Bhíos-sa glas ar a lán cúraimí a bhain le scoil a rith nuair a thosnaíos ag múineadh. Níor cheil Cáit Uí Dhuinnshléibhe a cabhair orm. Fuair sí taithí ar na gnóthaí í féin mar bhíodh cúraimí na scoile ag brath uirthi faid a bhíodh an scoil ag feitheamh le post an phríomhoide a líonadh, agus i gcás scoil an Bhlascaoid, tharlaíodh sé seo go minic. Cúpla bliain sular fhágas an Blascaod bhí ísliú mór ar an dtinreamh agus chaill Cáit a post ann. Ghlac sí le post chomh fada ó bhaile le Luachair, agus ina dhiaidh sin aistríodh go scoil na Muirí í. Scoil aonoide ba ea scoil an Bhlascaoid feasta.

Duine eile nár cheil a chabhair orm ba ea Parthalán Ó Cinnéide, an múinteoir a bhí agam tamall sa tseanscoil i gCill Chuáin, is a bhí anois aistrithe go scoil nua ag crosaire Bhaile an Mhúraigh, Scoil Naomh Eirc. Nuair a chuala an máistir go rabhas-sa ag dul don Bhlascaod, chuir sé scéala chugam teacht go dtí an scoil chun taithí a fháil ar rollaí, leabhair cuntaisí is a lán cáipéisí eile a bhíonn mar chúram ar phríomhoide. Is beag an cuimhneamh a bhí ag éinne de bheirt againn an t-am úd, gur trína bhás-san a ráineodh post domsa i Scoil Naomh Eirc ina dhiaidh sin.

Parthalán Ó Cinnéide agus a bhean Eibhlín Ní Chatháin (*Lorcán Ó Cinnéide*)

Aon tseomra amháin a bhí i scoil an Bhlascaoid Mhóir, í gan halla gan póirse do bhrat ná do chasóg. Ach níor bhac na páistí le brat ná casóg ag teacht ar an scoil seo. Bhíodar go léir sa chóngar, mar bhí an scoil i lár an bhaile agus bhí na scoláirí fuinniúil aclaí chun rith ó chlagarnach báistí. Nuair ná bíodh ann ach scrabha éadrom, chrothaidis díobh an fliuchán ar nós na lachan. Ní raibh aon bheann acu ar an aimsir — bhí an iomad taithí acu ar an sáile á stealladh san aghaidh orthu formhór na bliana.

Bhí dhá chlár dubh sa scoil agus an clár beag tinrimh. Bhí paistí bána sa dá chlár dubh le haois, iad ag titim as a chéile is iad ite pollta ag míola críonna. Bhí crot níos sláintiúla ar an gclár tinrimh. Bhí an scoil ar ghannchuid troscán. Bhí bord is cathaoir don bpríomhoide ag binn amháin i mbarr an tseomra, díreach ar aghaidh an dorais isteach, agus ba nimhneach fuar an stáitse é sa gheimhreadh. Ag an mbinn eile, ag bun an tseomra, bhí bord níos lú agus cathaoir don dara múinteoir. Ag an mbinn sin is ea a bhí ionad na tine agus sall ón dtine, ag an gcúinne tosaigh, bhí cupard beag a choimeád rollaí, leabhair chigirí agus tinrimh chomh maith le cáipéisí eile scoileanna, agus bhí spás ann leis do chóipleabhair na scoláirí. Maidir le léarscáileanna agus áiseanna eile oideachais, bhí orm mo lámh a chur i mo phóca is iad a cheannach.[29]

Bhí na binsí fada — an méid díobh a bhí riachtanach do na ranganna arda, ó rang a trí suas — iompaithe i dtreo an dorais, is bhí aghaidh na mbinsí do na ranganna ísle síos i dtreo ionad na tine. Bheadh a fhios agat cá raibh an teorainn idir na sóisir is na sinsir nuair a thiocfá ar pháistí is iad drom le drom ar na binsí. Seomra compordach cluthair a bhí ann gan aon bhraon anuas orainn ná fuinneoga briste, agus bhí ceann maith peilte ar an scoil.

I dtosach an tsamhraidh ag ullmhú do na stáisiúin, ghlantaí suas tigh na scoile ó dhíon go hurlár. Ghealtaí le haol istigh is amuigh í; go deimhin, theastaíodh an gealadh ón scoil mar bhíodh dath liath lasmuigh uirthi ón sáile is ó shíonta an gheimhridh. Chuirtí tarra úr fén bpeilt agus théadh buachaillí fásta ar dhroim na scoile chun é seo a dhéanamh. Thagadh an tarra i gceaintín stáin ón siopa is bhíodh an scuab tarra le fáil ar iasacht. Bhí péint le cur fé dhoras, fé fhuinneoga is fé adhmadaí eile agus d'fhágtaí go deireadh an t-urlár cláracha a sciúradh is a sciomradh. Ní gallúnach ná púdar an lae inniu a bhíodh i gcóir an urláir againn ach mias de ghaineamh

---

[29] Sliocht as P. Tyers, eag., *Leoithne Aniar*, Baile an Fheirtéaraigh 1982, 139: *Pádraig Tyers*: Is dócha ná raibh puinn fearaistí sa scoil chéanna, an raibh?
Nóra Ní Shéaghdha: Ó ní raibh faic ann in aon chor. Chaitheas féin tar éis scoile gach aon tráthnóna suí síos agus léarscáileanna a tharrac de réir mar a bheadh ceacht an lae amáirigh uaim, nó cártaí gramadaí nó aon rud eile a bheadh ag teastáil. Ar ndóigh, níor dhein sé aon díobhháil dom. Sin é an oiliúint a fuaireamair. Chaitheas, agus an mháistreás eile mar an gcéanna, iad sin go léir a dhéanamh sinn féin, ar ár gcostas féin an uair sin. Ní raibh aon phingin le fáil ó aon rialtas mar gheall air.

mhín ón dTráigh Bháin. Ní raibh aon teorainn leis chun adhmad dríobach salach a dhéanamh gléigeal, agus ba mhaith an bhail ormsa go raibh taithí ar obair den tsórt san agam sa bhaile. Fuaireas an-chabhair ó na cailíní óga ar an Oileán, agus bail ó Dhia orthu, d'fhágaidís rian a lámha ar an scoil. Thagadh gach éinne i gcabhair orainn, fonn orthu a bheag nó a mhór den nglanachar a dhéanamh, agus nuair a bhíodh an obair críochnaithe, ba dheacair locht a fháil ar ár dtigh scoile.

I gclós na scoile. Ar chlé (cromtha): Muiris (Mhaidhc Léan) Ó Guithín, Domhnall Ó Conchubhair; ina seasamh (ón gcúl): Pádraig Ó Duinnshléibhe, Mícheál Ó Cearna, Tomás Ó Cearna agus Nóra Ní Shéaghdha

Ní raibh aon chúiteamh le fáil d'obair dá shórt seo ón Roinn Oideachais. Cad as a tháinig an costas seo go léir gach bliain? As póca an mhúinteora a tháinig a fhormhór, agus póca ba ea é an t-am úd ná raibh puinn teaspaigh air. Bhíodh deontas airgid ann ar a dtugtaí *Heating and Cleaning* ón Roinn Oideachais, ach ní théadh suim na seice sin leathslí i dtreo chostas an *cleaning* mar a dheinimisne é. D'fhág san an *heating* ag brath ar na fóid mhóna a thugadh na páistí leo ar scoil, agus ó ham go ham, an scolb raice ón dtráigh.

Is ea, bhí an Roinn Oideachais spriúnlaithe. Ba mhídhaonna an córas a bhí i bhfeidhm agus níor chuir cosa beaga fuara ar oileán an Bhlascaoid aon mhairg orthu siúd go raibh an riaradh fúthu. Is de réir tinrimh scoile a dhíoltaí an deontas seo, agus ba sa tsocrú san a bhí an lagú. D'fhág an bainisteoir glanadh agus téamh na scoile ina iomláine fé mo chúramsa. Chuir sé a mhuinín ionam, muinín phlámasach a d'fhéadfá a thabhairt air is dócha, mar bhí glao breise agus costas dá réir ar scoil an Bhlascaoid toisc í bheith le maisiú do stáisiúin gach bliain.

Cén díobháil ach an taibhseamh a bhí ag an gcáipéis mhór shuaithinseach ar a raibh an teideal *Heating and Cleaning*! Bhí sé chomh deacair a líonadh le cáipéis cháin ioncam inniu. Ba dhóigh leat go mbeifeá déanta leis — chuir sé scáthshúilí ormsa an chéad bhliain. Ní raibh trácht ar aol ná tarra, péint ná gallúnach. Bhí spás ann do na hualaí móna a ceannaíodh agus líon na n-ualach a fuaireadh in aisce, agus an tsuim argid a bailíodh do *Heating and Cleaning*. Cúis gháire chugainn! Smaoinigh air — ualaí móna nó potaí móna ar an Oileán Tiar! Úimeacha an tomhas móna bhí acu ansúd. Ach ní raibh an scoil riamh gan teas, a bhuíochas san ar thuismitheoirí na leanbh. Le dua is le hallas a shábháiltí an mhóin, is ba mhacánta an dream iad nár chuir i gcoinne an chórais. Cheapaidís gur ar an múinteoir a bheidís á agairt, is dócha. Tóg an tigh go raibh ó thriúr go cúigear ag teacht ar scoil as. San am is go mbíodh a fhód féin ag gach páiste ar maidin, bhíodh poll maith sa charn móna. Gach páiste ag rith is a fhód féna ascaill agus d'fhágaidís daid — mar a dúirt duine acu féin— ag caint san aer. Ach á dtógaint le chéile, tháinig ábhar na tine gan maíomh gan tormas.

Leanaí scoile an Bhlascaoid lena múinteoirí
Cáit Uí Dhuinnshléibhe agus Nóra Ní Shéaghdha
(*Ionad Oidhreachta an Bhlascaoid*)

8

Na Leanaí Scoile

Páistí den ghnáthéirim ba ea páistí scoile an Bhlascaoid Mhóir — an meascán céanna a gheofá in aon scoil, ón bpáiste dícheallach cliste go dtí an sodamán bocht leisciúil. Bhí claonta áirithe iontu, áfach — iad go hábalta ar aiste a scríobh nó scéal a bhreacadh síos. Ba thaitneamhach leo an scríbhneoireacht mar ábhar, agus bhí an fonn céanna orthu chun an Bhéarla, ach go gcaithidís, ní nach ionadh, breis ama agus foighne leis. Ach ábhar ba ea é go raibh dúil acu ann, agus bhaintí sult is greann as dearmhadaí a chéile. Ní ceart magadh a dhéanamh fé dhearmhadaí, a déarfadh duine, ach níor mhagadh é seo. Fuaireas amach gurbh fhearr scaoileadh leo ag ceartú a chéile agus fo-gháire a dhéanamh. Chuaigh an obair ar aghaidh níos nádúrtha agus óir gur éinne amháin na scoláirí go léir, mar a déarfá, níor thóg éinne ar an bhfear thall aon cheartú a dhein sé ar an bhfear abhus.[30]

Bhí an-luí leis an bhfilíocht ag páistí an Oileáin. An chuid sin den véarsaíocht ná raibh aon stróinséireacht ann dóibh ab fhearr a thaitin leo, agus bhí tosach áite ag dánta Uí Dhuinnshléibhe, file an Oileáin, agus dánta Phiaras Feiritéar. Laoch mór in aigne mhuintir

---

[30] Nóra Ní Shéaghdha, 'Agallamh 5', in P. Tyers, eag., *Leoithne Aniar*, Baile an Fheirtéaraigh 1982, 138: Ó bhí an-dúil acu sa Bhéarla. Cé a thógfadh orthu é? Dá rachaidis síos don Daingean chaithfeadh sé a bheith acu agus ní raibh aon rud ina gceann an uair sin ach Meiriceá. Ní raibh aon rud le fáil ag baile acu, agus dá bhrí sin dheineadar a ndícheall an Béarla a fhoghlaim, rud a dheineadar chomh maith is a d'fhéadfaidís is dócha. Trí Ghaeilge gan dabht a mhúinimis an Béarla, ag míniú trí Ghaeilge agus ag foghlaim na véarsaí Béarla. Chuiridís an-suim i véarsaíocht an Bhéarla faoi mar a chuiridís i véarsaíocht na Gaeilge. Bhí an dúchas sin iontu is dócha, agus b'fhuirist leo í a fhoghlaim. Bhíodh sí acu dom lá arna mhárach go maith agus an litriú agus mar sin de.

an Bhlascaoid ba ea Piaras, is dá chomhartha san, bhí a chuid filíochta ina gceann ag a lán de na daoine — athaireacha na bpáistí a bhí agam ar scoil ina measc. Níorbh aon dua, mar sin, stair agus véarsaí Phiarais a chur os a gcomhair. Scéal agus véarsa le chéile — sin é ab fhearr leo.

Bhí a fhios ag na leanaí cá raibh Scairt Phiarais, agus ba ghairid an mhoill orthu a stair agus an véarsa a chum Piaras san uaigneas ann a thógaint isteach. Caint a thuigeadar a bhí sa véarsa, caint go raibh mothú ann, agus scéal fíor á leanúint, ionas gur thaitneamhach leo é a fhoghlaim:

A Dhia atá thuas nach trua leat mise mar táim
I mbotháinín uaigneach is nach mór go bhfeicim an lá;
An braon atá thuas in uachtar leice go hard
Ag titim im chluais is fuaim na toinne lem sháil.

Áit is ea Scairt Phiarais ná smaoineofá ar pháistí a thabhairt ar thuras ann — bhí an dreapadóireacht agus na faillteacha ródhainséarach. Bhíos-sa ann aon bhabhta amháin agus nuair a smaoiním inniu ar na faillteacha diamhara a bhí uaim síos, is iontach liom mo mhisneach. Ach go deimhin, níor bhaol dom mar bhí píolótaí maithe agam.

Dán le Piaras a thaitin leis na scoláirí ba ea 'An Fhaoilean'. Tá scéal fada ag baint leis an ndán seo ach ba é an véarsa ba mhó a chuaigh ina gcroí ná:

A fhaoilean bhig, nach trom ar linn
Is gurb é an tonn aoibhinn do mhian,
Táimse inniu ar láimh go dubhach dubhach
Is tusa go sughach sughach ag gabháil siar.

Bheadh a fhios agat ón ndúthracht agus an truamhéil a chuireadh na scoláirí san aithris go raibh an pictiúir go soiléir ina n-aigne — ná bídís féin ag faire na bhfaoileán gach lá dá saol?

Bhíos ag cur tharam ó chual leabhar, páipéirí is gleothálacha eile le déanaí agus thánag trasna ar phíosa scríbhneoireachta a chuir ag smaoineamh siar de dhroim na mblian mé. Ó lámh an Athar Ó Conaill, méadú ar a ghlóire, a bhí tráth ina shagart cúnta i mBaile an Fheirtéaraigh an giota páipéir seo. Is é atá scríofa air ná: *Do léitheoirí óga an Bhlascaoid Mhóir (Ithaca na hÉireann) óna gcara an tAthair Ó Conaill, Eanair 1934*.

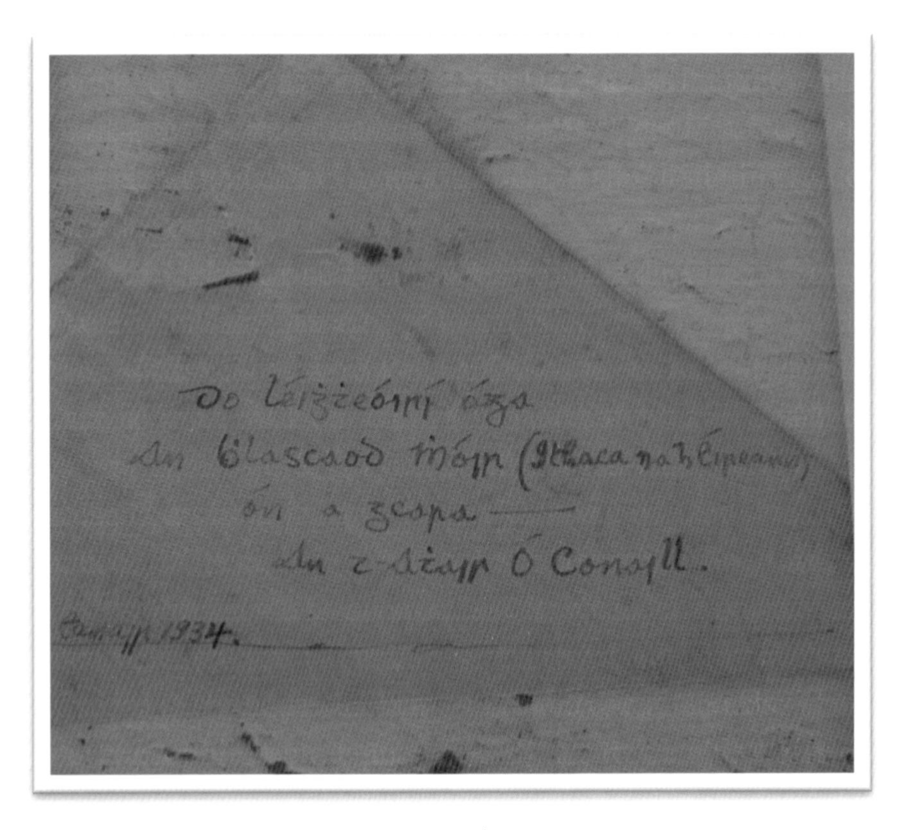

Tíolacadh an Athar Ó Conaill

Is é an leabhar a shín an tAthair Ó Conaill chugam an lá úd ná *An Duanaire Duibhneach*, cnuasach d'fhilíocht an cheantair le Seán Ó Dubhda a bhí nua i gcló an bhliain sin.

'Beidh suim agaibh sna dánta seo,' ar sé. 'Scaoil idir na scoláirí an leabhar.' Rud a dheineas. Thugadar leo abhaile é — tamall ag gach tigh air. Dar ndóigh, ní raibh a lán dá raibh sa leabhar stróinséartha don seandhream mar bhí cuid mhaith de na dánta de ghlanmheabhair acu agus tángadar éasca le foghlaim do na scoláirí óga.

Ní raibh aon dua le paidreacha agus teagasc Críostaí a mhúineadh. Bhí an creideamh chomh láidir ar gach tinteán gur ghlac na páistí mar dhualgas orthu féin a thuilleadh eolais a chur lena raibh acu. B'fhurasta na scoláirí a smachtú. Níorbh aon ghaisce mór domsa iad a bheith umhal fonnmhar ar scoil mar bhíodar amhlaidh sa bhaile. Is cuimhin liom lá a chuireas ag scríobh aiste iad: '*Smacht — an maith leat é?*' Bhí comhrá againn roimh ré ar na seanfhocail 'Ní bhíonn an rath ach mar a mbíonn an smacht' agus 'Cuir smacht ar do leanbh ina óige' agus a thuilleadh nach iad. Ar maidin lá arna mháireach shín Cáit Ní Ghuithín billeog as a cóipleabhar chugam:

'Thug mo mham duit é seo,' ar sí. Seo mar a bhí scríofa ar an mbilleog — Cáit a thóg síos óna máthair é:

Ní maith gleo na gcomharsan,
Ní maith fómhar gan arbhar,
Ní maith an chaint ná fónann
Is ní maith an óige gan smachtú.

B'shin comhartha domsa gur chuir a muintir suim i scolaíocht a bpáistí agus go raibh cúnamh á thabhairt acu dóibh ná rabhadar riamh maíteach as. B'shiúd é an chéad uair a chuala an cheathrú san. Bhíos ag bailiú eolais san am san i ngan fhios dom féin — ina dhiaidh sin a thuigeas é. Tá cúpla sampla agam fós de scríobh scoláirí an Oileáin — Eibhlín Ní Chearna, Cáit Ní Ghuithín, Cáit Ní Chonchúir, Dónall Ó Conchúir agus Muiris Ó Catháin. Sa bhaile a scríobhadh a bhfuil agam. Is trua nár choimeádas níos cáiréisí a thuilleadh a bhí scríofa acu ar chóipleabhar scoile.[31]

Bhí dhá scoláire is daichead ar rolla scoil an Bhlascaoid nuair a tosnaíos ag múineadh ann. Bhí an uimhir ag laghdú léi gach bliain agus laistigh de sé bliana bhí an tinreamh chomh híseal le seachtar is fiche. De réir mar a bhíodh dream curtha fé Lámh an Easpaig d'fhanaidís istigh ón scoil. Gach tríú bliain a thagadh an tEaspag an uair úd agus d'fhágadh san na buachaillí teann téagartha is na cailíní cumtha deilbhithe ag imeacht ó thuaidh dóibh fé bhráid an easpaig go Baile an Fheirtéaraigh.

Tar éis na scoile a fhágaint, d'fhanadh cailíní sa bhaile i dtithe a choimeádadh cuairteoirí chun cabhrú lena máthair. Nuair a bhíodh an séasúr thart théadh cuid acu in aimsir go tosach an tsamhraidh arís. Iad san go mbíodh fonn go Meiriceá orthu scaoiltí leo. Costas an bhóthair an chonstaic ba mhó. Ach bhíodh gach clann dílis dá chéile, is iad go mór i gcúram a chéile na blianta úd, agus chuireadh aintín nó uncail, deartháir nó deirfiúr, an costas uathu chomh luath is a éileofaí é.

Fén am san bhí an pátrún maidir le pósadh ag athrú ar an Oileán. Chonaic cailíní an t-anró gur ghabh a máithreacha tríd, go mór mór ag amanta áirithe mar am saolú linbh. Bhí na mná ag brath ar bhean chabhartha, Méiní, go raibh a dindiúirí aici óna taithí. Bhí gach éinne buíoch di. Dá gcuirtí fios ar dhochtúir in am na broide, uair as an gcéad ná beadh an leanbh saolaithe roimis. Tá

[31] Tá cuid de na scríbhinní seo i gcló thíos in 'Bailiúchán Béaloidis'.

aistear fada ó thóin an Oileáin go dtí baile an Daingin is an turas san a dhúbailt. Bhí sé le maíomh ag Méiní go dtáinig gach máthair acu slán sábhailte óna leaba luí seoil. 'An Mhaighdean Mhuire a chabhraíodh liom,' a deireadh sí.[32]

Méiní — Máire [Ní Shéaghdha] Uí Dhuinnshléibhe
(*Ionad Oidhreachta an Bhlascaoid*)

[32] Maidir le Méiní — Máire [Ní Shéaghdha] Uí Dhuinnshléibhe — féach tagairtí in B. Almqvist, 'The Mysterious Mícheál Ó Gaoithín, Boccaccio and the Blasket Tradition,' in *Béaloideas* 58 (1990), 109, nóta 74, agus L. Matson, *Méiní the Blasket Nurse*, Cork 1996.

Tuigfear mar sin, de réir mar a bhí teagmháil níos mó ag cailíní óga leis an saol lasmuigh, gur athraigh a meon. Bhí breis aeraíochta á thaibhreamh dóibh agus cead a gcos ar thalamh tirim uathu. Cé a thógfadh orthu é? Phós timpeall leathdhosaen de na cailíní a bhí ar scoil agam féin ar an míntír timpeall an cheantair. 'Bheir Dia ar láimh orm an lá a d'fhágas an tOileán,' arsa cailín acu liom, 'cé ná raibh aon drochshaol againn ar an Oileán ach oiread.'

Ní raibh aon éileamh puinn ag na buachaillí óga oibriú d'fheirmeoirí lasmuigh, agus ar aon tslí, ní raibh aon phá mór le fáil an t-am úd — chaithidís oibriú ar a gcuid bídh agus scillingí beaga éigin lena chois. Níor mheall so amach buachaillí an Oileáin; b'fhearr leo luí leis an áthas a bhí acu agus glacadh leis an iascach mar shlí bheatha. Chloisidís a n-athaireacha ag cáineadh na hiascaireachta— 'gach ceard nuair a mheathann, racham ag iascach' — ach ní raibh aon bheann acu ar na bréithre seo. Bhí luí acu leis an bhfarraige. Bhí sí sa bhfuil acu agus is tréan é an dúchas.

Iad seo a chuaigh thar lear, níorbh aon ábhar náire sna dúthaí iasachta iad. Chuir a lán acu feabhas ar an oideachas a bhí fachta acu trí dhul ar scoil oíche thall. Duine acu sin is ea Mícheál Ó Cearna. D'oibrigh Mícheál go dícheallach ag cur lena oideachas agus bhain post údarásach amach dó féin i Springfield, Mass. Bhunaigh sé rang Gaolainne ann agus sheoladh sé ailt go dtí irisí Gaeilge abhus. Is cinnte nár thug sé cúl le dúchas, pé scéal é. Bhí comhrá fada agam leis nuair a thug sé turas orm agus é sa bhaile le déanaí — cuma an duine uasail air, mar a déarfadh Máire Mhuiris, a mháthair chríonna, dá mairfeadh sí.[33]

[33] Is é an Mícheál Ó Cearna seo údar an leabhair *From The Great Blasket To America – The Last Memoir By An Islander* (Cork 2013) i bpáirt le G. W. Hayes. Bhronn Ollscoil na hÉireann céim oinigh dochtúireachta air i 2009 agus bhunaigh sé Sparántacht an Bhlascaoid i 2010.

Mícheál Ó Cearna agus a dheirfiur Siobhán
(*Ionad Oidhreachta an Bhlascaoid*)

Thug ár gcomhrá scéilín chun mo chuimhne fé fhear a chónaigh leis féin ó cailleadh a mháthair tamall roimhe sin; bhí sé oíche ag ól i dtigh tábhairne agus nuair a dúradh leis go raibh sé in am dó dul abhaile thug sé mar fhreagra: 'Mo mhairg, cá bhfuil an baile ó cailleadh mo mháthair?' Is mó duine ar imirce a mhothaíonn mar seo — an tigh ar a dtugaidís 'baile' ní ann dó a thuilleadh nuair ná fuil athair ná máthair ann chun fáiltiú rompu.

Faid is a bhíos ag múineadh i scoil an Bhlascaoid Mhóir, d'imigh rud amháin i ngan fhios dom — d'éalaíodh scoláirí ó scoil, nó sa chaint choitianta, théidís ag múitseáil. Eibhlís Ní Chatháin, Bean Uí Laoithe sna Grafaí anois, a scaoil an rún liom. Is ea, i gcomhrá liom tar éis na mblianta go léir, chuala í á ciontú féin is an greann ag briseadh ina glór. Ag caint ar chigirí a bhíomar:

'Ní rabhas riamh ar scoil lá an chigire,' ar sí. 'Chaitheadh cúpla duine againn an lá thiar sa Ghleann Mór. Nuair a bhraithimis na scoláirí ag dul abhaile, d'éalaímis amach as an ngleann is suas abhaile linn go neamhfhiúntach.' Ansan le scarta gáire, ar sí: 'Mo shlán beo leis an am úd!'

Aoibhinn beatha an scoláire d'Eibhlís inniu nuair a ritheann a smaointe siar ar na laethanta suaimhneacha a chaith sí sa Ghleann Mór, slán ó shuathadh cheistiúchán an chigire. Ba é an ní ba mhó a chuir sásamh uirthi ná gur bhuail sí bob ar mhúinteoir agus ar thuismitheoirí. Bhíodar dílis dá chéile, scoláirí scoile an Bhlascaoid Mhóir — níor scéidh éinne acu riamh ar lucht na múitseála.

Lís Ní Chatháin agus Cáit Ní Chearna
(Ionad Oidhreachta an Bhlascaoid)

Chaith Eibhlís tamall eile ag dul siar dom ar a saol ar scoil:

'Bhímis an cosán siar is teagasc Críostaí an lae á rá againn; ceathrar againn le chéile — ceist anso, freagra ansúd. Nuair a theipfeadh ar an gcuid eile, bhíodh an chéad fhocal agamsa dóibh.'

"Léan ar do cheann bog, a Eibhlís, mura an tú a thóg isteach go tapaidh é," a deireadh Hanna liom. Ní raibh Hanna chom maith liomsa sa teagasc Críostaí ach bhuaigh sí orm sa bhfuáil. Ba bhreá le mo chroí an teagasc Críostaí is tá sé i mo cheann fós.'

Le linn ár gcomhrá fuaireas amach go raibh níos mó ná an teagasc Críostaí ina ceann: 'Sin é an tuiseal giniúnach anois agat,' a dúirt sí nuair a rith ainm sa tuiseal ginideach isteach ina caint, agus chuir a cuimhne ar rudaí a bhíodh á múineadh ar scoil iontas orm leis an méid sin.

D'fhiafraíos di ar chuimhin léi aon cheann de na seanphaidreacha a bhíodh acu. 'Is cuimhin,' ar sí, á n-ainmniú amach dom. 'Ach tá ceann amháin agamsa a phriocas suas ó Pheig Sayers:

Ghabh Muire amach ar maidin roimh lá.
Do casadh uirthi Naomh Iób,
an fear beannaithe ón Róimh.
Do bhronn sé uirthi an brat,
an brat a bhí beannaithe le bandaí óir.
Go mbeannaítear daoibh, a lucht an bhrait;
ná tugaigí faillí in bhur ngnó,
ná hithigí feoil Dé Céadaoin
is ná tugaigí faillí sa troscadh.
Umhlaigí síos don gcléir
is don chúig Lá 'le Muire;
umhlaigí síos do Mhac Dé

is beidh sibh in bhur gcomhaois do na linbh.
Ná hinsigí bréag do Mhuire
is beidh sí in bhur mbancharad agaibh ar uair bhur mbáis.

An té a déarfaidh an duain seo trí huaire gach maidin Luain, gheobhaidh sé Flaithis Dé mar dhuais agus radharc ar an Maighdean Mhuire trí huaire roimh báis.'[34]

Tháinig fáth an gháire ar a cuntanós nuair a bhí sé ráite aici agus ar sí: 'Ní ghearránfainn dá bhfaighinn radharc uair amháin uirthi. B'fhéidir ná creidfeá anois é, ach níl aon Luan de mo shaol ná go ndeirim an phaidir sin trí huaire.'

Tá an chaint ar a toil ag Eibhlís agus meabhair chinn dá réir, bail ó Dhia uirthi. Bhíodh scéaltóireacht ar scoil againn gach Aoine, agus an lá so agus mé ag caint le hEibhlís, chonac i m'aigne ar ais sa scoil í, is í ag insint a scéil le tuiscint is le fuinneamh. Deirim le fuinneamh mar go raibh an chaint chomh tapaidh, chomh gearrtha san aici. Nuair a dúrt léi gur bhaineas an-shásamh as a cuid scéalta, scaoil sí rún eile:

'Thugtá duaiseanna amach,' ar sí; 'bib do na cailíní, caipín do na buachaillí agus milseáin — d'fhaigheadh an dream ab fhearr chun aon cheacht iad. Chun go mbeinn istigh ar cheann de na duaiseanna théinn go Peig Sayers ag lorg na scéalta uirthi. Ní thabharfadh sí d'éinne eile iad. Bhíodh Peig an-mhór liomsa mar thugainn an stán uisce chuici is paca gainimhe ón dTráigh Bháin. An uair úd bhíodh cailíní ag tarrac na gainimhe abhaile — sinn ar nós na n-asal, paca mór idir gach aon bheirt. Ach nuair a bhíodh an paca lán de ghainimh againn théimis ag cuardach sa bhfeamnaigh — an bhfuil a fhios agat cad a bhíodh á lorg againn? — *babies*. Ach níor bhuail faic riamh linn!'

---

[34] Cf. 'Paidreacha' (i) in 'Bailiúchán Béaloidis' thíos.

Sin é mar a dheineadh Eibhlís lámh ar Pheig chun scéal de dhealramh a fháil — nach é an trua nár bhreacas-sa síos na scéalta breátha san!

Chuir scoláirí an Bhlascaoid an-shuim sa drámaíocht cé ná raibh an oiriúnaíocht sa scoil chun dul ar aghaidh rómhór leis. Bhainidís sásamh as dánta, argóintí agus agallaimh dá ndéantús féin ar uairibh — ba chuma ach páirt éigin a bheith ag gach duine ann. Shásaíodh san iad, sórt caitheamh aimsire ba ea é dóibh — suaimhneas mar a deiridís féin, ó na *sums* is an clár dubh. 'Mura mbeadh na *sums* is an clár dubh,' arsa Eibhlís liom, 'd'fhanfainn ar scoil go deo. Go maithe Dia dhom é, nuair a thitfeadh an seanchlár dubh, bhínn ag guí go ndéanfaí smidiríní de!'

Páistí beaga ar scoil — samhlaím arís anois iad ansúd ar bhinsí fada i scoil an Oileáin Tiar nó ar na cathaoireacha beaga is suíocháin beirte i scoil Naomh Eirc, agus nár bhreá liom bheith ar ais leo arís! Bheadh an méid seo le rá agam le gach páiste:

'Lean ort ag taibhreamh, a linbh. Tabhair cead a gcinn do na taibhrithe seo agat, taibhrithe na hóige. Ná cuir cosc leo ach lig dóibh imeacht fiain. Tiocfaidh an lá ná beidh siad ann a thuilleadh. Leis an aimsir beidh na blianta ag éileamh níos mó ort. Is ea, is beidh na blianta leis ag tarrac fo-dheoir ó do shúil.'

9

Muintir an Oileáin

Bhíodh ar mhuintir an Oileáin dul ó thuaidh go Baile an Fheirtéaraigh nó isteach don Daingean chun teachtaireachtaí nó fearaistí a sholáthar ná bíodh le fáil i nDún Chaoin. Is annamh a thabharfadh fear aonair fén aistear. Scaoilidís fén mbóthar ó dheas nó ó thuaidh ina mbuilc — beirt, triúr, ceathrar nó scataí acu le chéile ar uairibh. Ba é seo a dtaithí ón sórt saoil a mhaireadar, mar ar an Oiléan ní fhéadfadh duine aonair an Bealach a chur de gan cabhair. Mar sin, chuireadh fir agus ógánaigh an Bhlascaoid le chéile nuair a theastaíodh uathu a dturas a thabhairt.

Le chéile ab fhearr iad, is le chéile ab fhearr leo a bheith. Is dócha gur thug san breis misnigh dóibh is go gciorraigh sé an bóthar dóibh. Bhí gnó an fhir thall ar eolas ag an bhfear abhus. Bhí fear an aighnis ann chun labhairt dóibh; bhí fear go raibh dul chun cinn ina measc chun a gceart a bhaint amach; fear an ghrinn ag ciorrú an bhóthair dóibh agus ag baint gáire as lucht siopaí. Is ea, is má b'fhíor a ndúirt Peats Tom, spreagadh san siopadóirí áirithe chun ailp bhreise a chaitheamh sa mhála chucu — ailp de mhuicfheoil mhéith an bónas ba ghnáthaí. Ach dheineadh sé sin *dip* breá le prátaí do leanaí scoile, agus b'fhada ó ocras é.

Mhaithfeadh fear an Oileáin aon ní ach an sprionlaitheacht. Bhíodar féin lán d'fhéile agus taithí acu ar a gcuid a roinnt. Bhí taithí acu ar sin ó dhúchas — roinneadh gach éinne lena chomharsa am an ghátair. Bhí 'tabhair agus gheobhair ó Dhia' ina shórt aithne breise acu.

Bhíos lá ag comhrá leis an Athair de Brún agus d'fhiafraigh sé díom cad é mo thuairim fé mhuintir an Bhlascaoid. Cad a déarfainn leis ach ná raibh dada le rá agam féin ina gcoinne, aon ní ach an moladh is airde. Is dócha gur dhein sé amach ná rabhas ró-ghéarchúiseach.

'Ah, but they have a clever cunning,' ar sé.

Bhain an chaint preab asam. Is breá bog a thagann do chaint ort, arsa mise liom féin nuair a chasas uaidh. Níorbh iad muintir an Bhlascaoid amháin go raibh an *clever cunning* seo iontu. Bhí sé ag muintir na dúthaí seo go léir, agus ná bíodh aon mhilleán againn orthu mar gheall air. Bhí sé i ndaoine a mhair le bochtanas ar chóstaí agus in áitribh bhochta iargúlta in Éirinn. Is má bhí an teist sin orthu, shíolraigh sé ó thraidisiún na staire agus é préamhaithe trí na blianta callshaothacha. Aicme daoine nár tógadh aon cheann díobh ach gur cuireadh iachall orthu fanacht balbh — conas a d'fhéadfaidís aon mhuinín a chur as aon chóras sa tsaol úd? Agus níor chuireadar muinín in aon chóras, ní raibh faic le déanamh acu ach cúbadh chucu agus dul i nganfhiosaíocht chun an t-anam a choimeád iontu agus a gcosa a tharrac ón ndubhainnise. Má bhí gliocas iontu, gliocas riachtanach ba ea é: nuair is cruaidh don gcailligh caitheann sí rith.

Tá cuid de dheascaibh na taithí sin le brath ar mheon na ndaoine anso fós inniu féin. Tabhair fé ndeara chomh haireach is a bhíonn cuid againn, chomh discréideach, chomh hamhrasach nuair a ghabhann pearsa éigin oifigiúil isteach chugainn, bíodh is ná beadh á éileamh aige ach líon na gcearc.

'Dhera, a dhuine,' mar a dúirt fear an lá eile liom, 'níor mhór duit a bheith maith do dhóthain dóibh siúd is na focail a thomhas go cruinn chucu.' Is ea mhuis, is sin é an t-am dar leo gur binn béal ina thost.

Focail an tsagairt paróiste a bhain an méid sin asam. Níor mhaith liom gur chuir sé an lipéad úd ar fheara an Oileáin, daoine go raibh a saol á chaitheamh acu ar stacán mara i ngleic le haimsir, le farraigí is le gannchúis. Cé a mhaífeadh a gcuid pleanála orthu?

10

Tionchar an Bhlascaoid Orm

Cé go gcuirfinn méar i súil duine a déarfadh liom i dtosach é, tuigim gurbh fhearrde dom an tréimhse a chaitheas mar oide ar an mBlascaod. Fuaireas amharc ar chruatan de shórt eile ann ná faca ag baile, is é sin, an t-imní agus an tuirse a ghabhann le saol ar oileán — an fhoighne is gá chun plé leis an bhfarraige. Trí aithne a chur ar údair an Bhlascaoid agus toisc an teagmháil phearsanta a bhí agam leo, fuaireas léargas níos leithne ar a gcuid litríochta.

D'fhoghlaimíos stair an Oileáin ó dhaoine críonna ann, fir is mná, agus ní fhéadfainnse inniu, moladh níos mó a thabhairt do na daoine sin ná a admháil gur ón eolas a bhailíos uathu a d'fhás mo shuim i bhfilíocht na dúthaí seo — go mór mhór Piaras Feiritéar. Ba mhó acu Piaras, a déarfainn, ná an file a bhí acu ar a bhfód féin, Seán Ó Duinnshléibhe. 'Bhí níos mó fuaimeant lena dhánta,' arsa Seán Mhicil Ó Súilleabháin liom lá. Agus samhlaím anois Seán, an lá céanna ag cur síos dúinne, an dream óg, is ag baint suilt as eachtruithe Phiarais ar mhná — é ag seasamh ar leac an tinteáin ag aithris:

An bhean dob ansa liom fén ngréin
Is nárbh ansa léi mé chor ar bith;
Ina suí ar ghualainn a fir féin —
Nár chruaidh an chéim is mé istigh.

Ní aithriseodh duine chomh maith ar stáitse lá feise é, an dán, ó thosach go deireadh.

B'shin é an sórt atmasféir a bhí i mo thimpeall ar an mBlascaod. Ní haon iontas liom, mar sin, gur thógas cuid den ngalar uathu. Agus ní haon ionadh ach an oiread gur thriall an oiread sin scoláirí ó bhaile agus ón iasacht chun an Bhlascaoid ar thóir an tsaibhris seanchais a fuaireadar ann.[35]

---

[35] Nóra Ní Shéaghdha, 'Agallamh 5', in P. Tyers, eag., *Leoithne Aniar*, Baile an Fheirtéaraigh 1982, 141-3: Mhúin muintir an Bhlascaoid a lán domsa leis, mar is ann a chuala an chéad trácht agus a fuaireas an chéad amharc ar laochra ár gceantair féin anseo. An laoch ba mhó, Piaras Feirtéar. Bhí a dhánta ar a mbéalaibh ag seandaoine na háite agus thugaidís isteach véarsa éigin le Piaras i ngach aon chomhrá. Is cuimhin liom anois Seán Mhicil, Seán Mhicil Shullivan. Bhí sé lán d'fhilíocht idir Phiaras agus Sheán Ó Duinnshléibhe agus na filí eile ... Thuigeas go raibh rud éigin in easnamh ar m'oiliúint féin nuair a bhíos sa scoil náisiúnta agus dúrt liom féin: 'Bhuel, an méid is féidir liomsa a dhéanamh do leanaí an Bhlascaoid maidir leis an stair áitiúil agus stair a gceantair agus stair an Oileáin, foghlamóidh mé ó na daoine é, agus ansan tabharfadsa ar ais do na páistí é ... Sa tslí sin duit gur chuir muintir an Oileáin in iúl domsa go raibh easnamh ar mo chuid oideachais féin, agus ón lá sin amach dheineas sprioc de, go dtabharfainn in aon scoil a mbeinn, a bhféadfainn de stair na háite do na daltaí.

Agus go deimhin tá sé chomh maith agam é a admháil anseo, bhí a lán cigirí nár chuidigh liom. Is cuimhin liom cigire amháin a tháinig go scoil Naomh Eirc chugam. Bhí scéal agam do na leanaí mar gheall ar Naomh Cuán. Scéal mór fada is ea é mar gheall ar Chuán agus dán beag, agus is fuirist le leanaí scéal agus dán a fhoghlaim. Sin é an tslí is fusa dóibh scéal a fhoghlaim mar priocann siad suas go tapaidh é. Ach dúirt an leanbh seo scéal mar gheall ar Chuán agus an phiast i Loch Chráilí. Ní fheadar an fíor nó bréag é ach bhí sé sa traidisiún, agus tá Loch Chráilí ann agus tá Cill Chuáin ann. Thagadh an phiast agus d'alpadh sé na daoine gach seachtú bliain, agus chuaigh Cuán an lá seo go dtí Loch Chráilí agus corcán mór aige. Chaith sé an corcán ar cheann na péiste nuair a chuir sí a ceann aníos agus dúirt sé: 'Fan ansan go Lá an Luain.' Bhí an phiast thíos agus í ag fanacht agus ag fanacht agus sa deireadh dúirt sí:

'Is fada an Luan é, a Chuáin,
In uisce fuar ná fuil folláin;
Mura mbeadh an corcán a chuiris ar mo cheann,
D'íosfainn leath agus dhá dtrian den domhan.'

Bhuel, dúirt an páiste é sin don chigire agus an bhfuil a fhios agat cad é an freagra a thug an cigire? — 'Níor chuala riamh a leithéid de naomh a bheith ann,' ar seisean, ag féachaint orm go searúsach. Bhíos-sa róthámailte an uair sin, scannraithe ag cigirí. Níor thugas aon gach re seo dó ná ní dúrt faic leis, ach thógas an méid a dúirt sé. Ach leanas orm agus mhúineas scéalta a bhí sa stair áitiúil.

Ghlacas leis na deacrachtaí a lean an post múinteoireachta ar an Oileán, ach ní raibh an post san gan a bhuntáistí domsa agus i ndeireadh na dála, bhí an bua ag na buntáistí.

Tháinig Mícheál Ó Gaoithín, Maidhc Pheig Sayers, mar a ainmnítí san Oileán é, go doras na scoile lá. 'Seo dhuit,' ar sé agus shín chugam dhá bhileog cóipleabhair i lámh néata chríochnúil. D'iompaigh ar a shála ansan sula raibh am agam mo bhuíochas a ghabháil leis ná aon cheist a chur air. Ach do b'shin é an sórt duine Mícheál, ní bheadh sé bodhar le mórchaint ná taispeántas de ghnáth, agus rud eile, bhraitheas go raibh sé cúthail, duine sórt scinnideach ba ea é, agus ba dheacair caint a bhaint as uaireanta. Tá a ghlao chun na síoraíochta fachta anois ag Mícheál, ach níl an dúch tréigthe fós ar na véarsaí seo fén dteideal 'Guí ón bhFile' go raibh a shíniú *M.Ó G.* fúthu. Is trua nár chuir sé dáta leo.

Guí ón bhFile

A Mhuire dhílis go dtagair taoibh liom nuair is cruaidh an cás;
A aingeal Íosa bí dom choimhdeacht go bhfaighidh mé bás;
A Chríost geal déan díon dom is glac mé ar láimh;
Is i ndeireadh na scríbe bí taoibh liom is beir m'anam slán.

Gan Íosa níl aoibhneas ar an dtalamh le fáil;
Gan Íosa beidh díth ort is easpa de ghnáth;
Gan Íosa táir fíorbhocht is dealbh thar cách;
Gan Íosa ní díon duit na flaithis go hard.

Gan Íosa ní thig choíche leat codladh go sámh;
Más ar muir nó ar tír duit ná lig Íosa uait ar fán;

Guíḋe ón bḟile

A Ṁuire dílis go dtagair taoib liom
Nuair is cruaiḋ an cás
A Aingeal Íosa bí dom ċoimdeaċt
Go ḃfuiġeaḋ mé bás
A Ċríost geal déin díon dom
Is glac mé ar láim
Is i ndeire na sgríbe bí taoib liom
Is teir m-anam slán

Gan Íosa níl aoibneas
ar an dtalaṁ le fáġail
Gan Íosa beiḋ dít ort is easbaiḋ
de gnáṫ
Gan Íosa táir fíor boċt
is deulb ṫar caċ
Gan Íosa ní díon duit
na ḟlaṫais go hárd

'Guí ón bhFile', Mícheál Ó Gaoithín

Tabhair áras id chroí dó is gheobhar aoibhneas dá bharr
Is nuair a bheidh deireadh lenár n-íobairt, is aoibhinn é do lá.

A Íosa, a Dhia dhílis is a Athair na nGrást,
Is annamh mé ag smaoineamh oraibh, oíche ná lá;
Is annamh mé ag guí chugaibh ar fhíorstaid na ngrást
Ach im mhaidrín baoise gan tointe ar mo chnámha.

A Uain Dé ná díbir ód Ríocht mé le gráin;
Cuir cosc lem bhaothghníomhartha is lem chlaonbhearta lámh;
Cuir ruaig ar dhrochsmaointe atá tar éis mo chroí a chrá
Is gur ón uaigh a rugais bua leat, a Mhac Muire na nGrást.

Do thug an saol fuath duit is ní fheadar cén fáth;
Do chrochadar anuas tú ar mhórchroch chun báis;
Do ghearradar do ghuaille, do chosa is do lámha;
Is tar éis trí lá san uaigh duit, thugais bua ar an mbás.

Beidh muinín go deo againn is dóchas thar barr
Go bhfaighmid an glóire atá romhainn agat slán,
Is go mbeimid ar na sluaite a sheolfar féd láimh
Go Parthas na Glóire go deo deo gan crá.
Aimin, Aman.
Críoch
M. Ó G.

Thánag go deireadh mo thréimhse ar scoil an Bhlascaoid Mhóir. Admhaím gur bhraitheas uaigneas agus cúngraíocht ann i dtosach, Fuaireas amach dom féin leis an aimsir ná beadh beatha shuáilceach agam mura mbeinn i m'oileánach chomh maith leo. Sin é a dheineas. Ghlacas páirt i gcaitheamh aimsire na ndaoine óga agus tar éis an chéad stróinséireacht a chaitheamh díom, bhaineas sásamh as mo bhlianta ann. Fuaireas aithne ar údair an Oileáin agus ar chuairteoirí cáiliúla agus bhreacas síos mo smaointe pearsanta ina dtaobh. Bhailíos chugam a lán cairde ar an Oileán— buachaillí is cailíní — cailíní a bhí gairid dom féin in aois, cailíní a bhí tuisceanach thar a mblianta is a bhí fial flaithiúil ar a dtinteán féin liomsa. Dheineas mo chairde féin sa tslí sin do chailíní mar Mháire Ní Ghuithín (Mary Mhaidhc Léan, Bean Uí Chíobháin), agus do Shiobhán Ní Chearna (Hanna Pheats Tom) a phós Muiris Ó Sé ó na Gorta Dubha agus a d'aistrigh ina dhiaidh sin go Co. Chill Mhantáin. Ba í Eibhlís Ní Shúilleabháin (Eibhlís Mhicil) an cailín ba ghiorra dom féin i meon agus an cara ba dhlúithe a bhí agam. Phós Eibhlís Seán Ó Criomhthain, is tar éis tamaill ar an Oileán, chuireadar fúthu ar an Muirígh.

Bhí an bheirt againn suite ar an dTráigh Bháin an lá sular fhágas an Blascaod. Ba mhó san rún a nochtamar dá chéile an lá úd, tamall ag gol is tamall ag gáire againn. Is ea, samhlaím arís Eibhlís nuair a chonaic sí na deora liom is í ag iarraidh spior spear a dhéanamh don scarúint, cloisim arís í ag rá, 'Mhuise, go dtugair do shúile leat!' Tá Eibhlís anois ag déanamh a codladh síoraí i reilig Chill Mhaoilchéadair, áit a bhfuil aghaidh a huagha le muir. Is maith mar oireann san, más marbh fein í, óir faid ba bheo d'Eibhlís ar an Oileán Tiar, bhí radharc ar an bhfarraige aici gach lá sa bhliain pé treo a iompódh sí. Tiocfaidh an lá, is anois b'fhéidir an t-am ar cosa in airde chugam, nuair a shínfear mo chorpsa leis i reilig Chill

Mhaoilchéadair. Ní fheadar an bhfaighead aon chogar ó Eibhlís? — má tá aon bhrí sna mairbh gheobhad. Ach rud amháin, beimid ar an láthair aiséirí chéanna.

Níl pian, níl peannaid, níl galar chomh cruaidh cráite
Le héag na gcarad nó scaradh na gcompánach.

Áit é an tOileán Tiar ná tagann sé ró-éasca ar dhuine a chaith tréimhse ann a chuimhne a bhrú scun scan amach as a cheann. D'fhágas an Blascaod ach ní deirim go fóill, ná ní déarfad choíche, gur ré é de mo shaol atá thart is dearmhadta. Admhaím gur duine mé a shéanann aon mhórthaispeántas ná bladhman ná bladar. Sin é mo mheon. Ach anois anso labhraim ó mo chroí: Conas a thaoscainnse scaob ar chuimhne na ndaoine idir óg is aosta go raibh sé d'ádh liom teagmháil leo ar oileán úd an Bhlascaoid?

Táim anois i bhfómhar mo shaoil, ag meilt an ama liom agus ní fhéadfainn níos mó a éileamh dom féin ón saol gan a bheith róshantach ar fad. Bhí an tsíocháin agus ceangal grách sa teaghlach agam. Cad eile a d'iarrfainn? Do Dhia atáim buíoch. Maidir le mo dhualgaisí scoile, táim sásta gur dheineas mo dhícheall maidir leo. Ní fúmsa atá níos mó ná san a rá:

Ná haithris féin maith dá ndéanair
Lig do chách a aithris ort.

11

Turas go hUíbh Ráthach

[*Tá tús na haiste seo ar iarraidh ach dealraíonn gurb é a bhí ann ná tuairisc ar shocrú a deineadh le bád ón nDaingean chun paisinéirí a thabhairt ón mBlascaod go dtí Uíbh Ráthach, lá Domhnaigh, ar thuras aeraíochta is scléipe*.]

... Bhí gaoth an fhocail fachta ag fear an bháid bualadh an Ceann aneas chucu nuair a gheobhadh sé Domhnach breá ciúin. Thug sé breis is mí ag fanacht le lon. Ghluais sé sa deireadh is ba dhóbair go dteagmhódh an lá leis is lena raibh ina chuibhreann. Ach níor rugadh iad i gcóir a mbáite.

Bhí sagart ar a shaoire i dtigh mhuintir Uí Dhuinnshléibhe an tráth san. Ar a deich a chlog ba ghnách leis an t-aifreann a léamh gach maidin Domhnaigh. Cuireadh deabha air inniu:

'Éirigh, a Athair, éirigh. Abair an t-aifreann dúinn; tá Seán sa tráigh,' arsa Séamas, ag cnagadh go cúirtéiseach ar dhoras a sheomra. Níor baineadh puinn geit as an sagart mar bhí sé curtha ina chluasa roimhe sin go rachadh air an t-aifreann a léamh níos luaithe Lá Uíbh Ráthaigh. Ní raibh aon dochma ar an sagart cóir ag cur an ghleanna de chun na scoile. Bhí an pobal go léir chun comaoine an lá céanna.

Bhí grian na maidine ag spalpadh go lonrach ar an Oileán Tiar; bhí cuma mhealltach ar an spéir — réadóir cliste a léifeadh uirthi mar spéir. Bhí an mhuir mhór i lár bá go ciúin cneasta, ach cois na gcladach is na gcarraigeacha bhí tarrac uafásach, suathadh diamhair. Níorbh é Seán Mhicil ná dúirt go raibh cuma an toirmis air mar lá — go dtaispeáinfeadh sé a fhiacla roimh thráthnóna.

Bhí an t-aifreann críochnaithe. B'shiúd leis na buachaillí óga abhaile is iad ag caitheamh a gcaipíní san aer. Ní raibh eagla an lae orthu súd — ba mhinic iad ag troid leis an tonntacha, ba mhinic iad amuigh san oíche fé anaithe na scríbe, agus rud eile, bhí an iomad fonn bóthair orthu. Lá amháin féin ó na glais, chiorródh sé an bhliain dóibh.

Ach na mná óga! Cogar anso is cogar ansúd: 'Ní scaoilfeadh mo mham liom,' arsa Siobhán Cháit le maoithneachas, nuair a dúirt Peigí léi glaoch uirthi nuair a bheadh sí ag gabháil síos chun an chalaidh. Thug Peigí an tuile thairsti: 'A sheanrud neirbhis,' ar sí go naimhdeach, 'agus tú á gheallúint domsa le seachtain go rachfá ann. Eagla báis an ea atá ort? Nár fheice an saol choíche tú ach mar sin!' ar sí ag bailiú léi is seanbhlas ar a cosa aici.

Bhain Peigí amach tigh Uí Dhuinnshléibhe: 'A Neans,' ar sí, 'an rachair go hUíbh Ráthach?'

'Am basa féin, ach go bhfuilimse ullamh,' arsa Neans. 'Bhíos chun gabháil soir anois. An bhfuil aon chailíní ar barra?'

'Cailíní ar barra! Níor mhór bille púint a thabhairt d'éinne acu anois sula rachaidís ann. Tá an galar tógtha acu go léir óna chéile. Tá stailc curtha suas acu.'

'Och, Dia go deo linn! Bead beannaithe i measc na bhfear mar sin,' arsa Neans. 'An bhfuil aon chuimhneamh agatsa ar theacht.?'

'Rachadsa ann má théann aon bhean ón mbaile ann,' arsa Peigí. Bhí ina mhargadh. Ghabh an sagart isteach an doras.

'A Neans,' ar sé, 'bheinn lánbhuíoch díot dá dtabharfá chugam dosaen de choinnle céireach má thagann tú trasna orthu i do shiúlta. Tá eagla orm go rithfead gearra iontu.'

'Tabharfad agus fáilte, a Athair,' arsa Neans. 'Abair paidir dúinn,' ar sí, ag cur an dorais di.

Ghabh mo bheirt — mo bheirt ghliogaire — sall bun an gharraí. Bhí Peats Sheáin ag an gcúinne.

'Tá drochfhuadar fúibh, a mhná,' ar sé, 'agus rud níos measa ná san, drochfhuadar fén lá. Ní thabharfadh éinne fé Uíbh Ráthach inniu ach simpleoir éigin. Dhá rud éaganta a ghlaoimse oraibhse ach go háirithe. Beidh a fhios agaibh nuair a bheidh sibh lár bá ó dheas — sin é an uair a bheidh "Dia le m'anam" agaibh.'

'Tabharfam piúnt chugat aneas,' arsa Peigí leis le seanbhlas.

Cuireadh ar bord an bháid an lucht taistil. Bhí an 'Fíogach' bocht go cúramach an mhaidin úd isteach is amach chun an bháid lena naomhóg, ach am briathar nach chuige a chuaigh na cailíní óga. Ba mhór leo an t-ualach a thugadh sé leis. Tuigeadh dóibh gur cheart do thóin na naomhóige tabhairt leis an ualach a bhí inti. Léimeadar isteach i naomhóg Ghuistí — bhí breis muiníne acu as. Ní raibh an bád i dtaoibh leis an mbeirt bhan mar tháinig duine breise orthu, Oileánach, éagan eile, Cáit Pheats, is í go próibhí. Bhí cailíní ón nDaingean leis ann is iad go breabhsach neamheaglach ar bord.

Gach éinne a bhí le dul don bhád bhíodar inti anois. Tarraingíodh an t-ancaire. Thosnaigh an phlubarnaigh agus an bogshuathadh — bhíodar sa tsiúl. D'ardaigh lucht an bháid liú áthais; freagraíodh ó Ghob an Oileáin iad. Slán leis an mBlascaod go fóill!

'Tá áthas orm gur thánag, a Neans,' arsa Peigí. 'Chífeam Uíbh Ráthach ach go háirithe ...' Baineadh stad aisti — streall sáile a bhuail sna cosa í: 'Beatha duine a thoil dá dtéadh sé a chodladh ina throscadh,' ar sí ansan ag gáirí.

Trí uair a chloig a thóg sé uathu dul ó dheas. Bhí sé ciúin go leor is lucht an bháid lándóchasach ná rachadh an lá níos déine. Bhí sé chomh ciúin le loch suas góilín Uíbh Ráthaigh. Bhí gliondar ag teacht ar chroí gach éinne; bhí fear is bean á bpriocadh is á bhfeistiú féin — bhí an cé sroiste.

Tugadh ordú, ordú nár comhlíonadh: 'Bíodh gach éinne agaibh ar ais anso ar a cúig tráthnóna. Seolfaidh an bád an uair sin.'

Bhí oiread bó de chroí ag na hOileánaigh ag cur díobh suas go dtí an gCathair. Deineadar fé dhein na gConallach, dream go raibh seanaithne ag muintir an Oileáin orthu agus ar a sinsear. Dheineadar súd gach ar fhéadadar don ndream aerach — níor fhágadar tart ná ocras orthu. Gura fada buan an dream a tháinig 'ón ráibfhuil do b'fhearr ar bith síolrach; Ó Conaill geal Cearnach caoin.' Níorbh fhada a bhí an lá ag caitheamh. Ní raibh leath a ndóthain ráite, leath a ndóthain rince, leath a ndóthain ólta ná leath a ndóthain feicthe ag na hOileánaigh san am gur bhuail sé a cúig. Meileadh breis is uair a chloig eile san am is go raibh an cé sroiste ag an nduine deireanach.

Bhí an lá athraithe; as an spéir gheal ghorm tháinig stoirm is mórchith. Bhí cuma chancarach mhéiscreach tagtha ar an bhfarraige. Ní raibh puinn fonn don bhád ar chuid den gcriú, ach ba é mar a bhí an scéal, ba bhocht le cuid acu fanacht ar an bport ag féachaint ar an gcuid eile acu ag cur díobh abhaile. Ach ní raibh an bád leath den slí nuair ab fhearr leis na paisinéirí go mbeadh a gcosa ar stacán éigin acu. Bhí glór an tarraic le clos ó gach taobh is an cúrán bán ag imeacht le gaoith, na tonntacha ag faire ar bhriseadh agus iad ar tí iad a alpadh ó gach taobh.

Ach ní raibh an stoirm ag cur imní ar gach éinne ar an mbád. Ní thagadh a leithéid d'uain gháirí ná rancáis riamh ar chuid acu is a thagadh nuair ba ghéire a labhradh na seolta le cóir. Ba bhreá an aigne a bhí acu. Ach má bhí fonn scléipe ar chuid de lucht an bháid, bhí a thuilleadh is gach aon ghlao ar Dhia is ar Mhuire acu. Nuair a chíodh Cáit Pheats ólaí mór farraige ag déanamh go craosach ar an mbád, scréachadh sí amach: 'Tar slán beo, a bháidín, tar slán beo.' Ba dhual máthar di siúd na paidreacha a bheith go maith aici.

Ní raibh aon chuimhneamh ar bhogadh ag an ngaoith. Bhí tonntacha anois ag imeacht de dhroim an bháid; bhí na crainn ag cnagadh le cóir; bhí an doircheacht titithe ar mhuir is ar thír agus diamhaireacht thar barr ann. Labhair an fear stiúir:

'B'fhearr déanamh cruinn díreach ar chuan an Daingin,' ar sé. 'Tá an fharraige suaite bogtha agus an taoide atha sa Bhealach maith a dhóthain do ghaltán an tSathairn. Ní gá dúinn drochshá a thabhairt dúinn féin. Beidh an lá amáireach íseal agaibh chun dul don Oileán, agus mar a mbeidh féin, ní ar chloich thráite a bheidh sibh ar shráid an Daingin. Is mairg a théann sa chontúirt agus is mairg leis, an té a bháitear le linn an anaithe.'

Glacadh comhairle agus scaoileadh fé bhá an Daingin. Ba mhaith a deineadh san mar ná beadh tásc ná tuairisc ar bhád ná ar dhuine dá dtabharfaí fé Bhealach an Oileáin an oíche úd. Ní dhéanfadh an bád aon tseasamh ann, agus fiú amháin dá dtabharfadh sí na cosa léi as, ní fhéadfadh sí ancaire a chaitheamh amach sa tráigh — ní fhéadfadh aon naomhóg teacht in aon ghaobhar di chun na daoine a thógaint dá bord. Bhí gála géar láidir aniar aduaidh ann; bhí cnoic is sobal farraige béal na trá siar a gheobhadh lasnairde de bhád an Daingin. Bheadh an chriú bhocht

> 'amuigh san oíche in anaithe na scríbe,
> an fharraige mhór ina dtimpeall ar intinn iad a bhá.'[36]

Ba mhór an faoiseamh do na daoine a bhí sceimhlithe ina mbeathaidh sa bhád, an léinseach bhreá a bhí acu cuan an Daingin isteach. Bhí gach re amhrán ansan acu nó gur bhuail an bád suas taobh an ché. Ní raibh puinn crampaí sna mná ag léimeadh amach — ba iad a thug an osna áthais nuair a fuaireadar a gcosa ar thalamh

---

[36] Féach Paidreacha (iv) thíos in 'Bailiúchán Béaloidis'.

tirim. Bhailibh muintir an Daingin leo mar bhíodar súd sa bhaile. Bhí na hOileánaigh ar an gcé agus dochma orthu a chéile a fhágaint.

'A Rí na nGrást, cá racham go maidin? arsa Tomás Cháit. 'Cad a déarfadh sibh le fanacht sa bhád fé na seolta, a gharsúna?'

Deineadh magadh is spior spear den scéal so.

'Dhera, ní foláir nó go bhfuil oiread aithne orainn i mbaile an Daingin is go bhfaigheam lóistín i bpoll éigin go maidin,' arsa Micil na Leacan. 'Ach caithfimid scaipeadh; dá dtéimis go léir in aon áit amháin, d'íosfaimis as an dtigh iad. Bailigí libh — deineadh gach dream dóibh féin — ní bhíonn idir dhá lá ach oíche. Seo, scaipigí sara mbeidh na tithe ina gcodladh.'

'Scaipeadar féin óna chéile
mar scaipeadh scata éan ar pháirc.'

Fuair na hOileánaigh bheith istigh ó spéir na hoíche. Bhuaileadar le chéile arís ar maidin lá arna mháireach agus níor mhaith an phúic a bhí ar éinne acu. Bhí an lá fiain. Ní raibh coinne acu leis an mbaile a shroisint an lá san ach oiread is a bhí lena lámha a bhualadh ar an spéir, agus iad dóthanach go leor den válcaeireacht cheana féin. Ach chas Rí na nDúl an eochair a bhí ar iarraidh ar an ndoras dóibh agus fé thráthnóna bhog an lá agus d'ísligh an fharraige. Bhain an chéad cheathrar amach caladh Dhún Chaoin agus fuaireadar naomhóg go fonnmhar ansúd chun iad a thabhairt amach.

Istigh san Oileán bhí an gabhar á róstadh. Bhí an dream a bhí ar seachrán caointe agus athchaointe ó thráthnóna roimhe sin. Siobhán Pheig a chríochnaigh ar fad lena raibh istigh. Ghabhadh sí sall chun an Ghoib — íochtar a cóta féna cile aici — ansan anall arís agus í ag caoineadh go fada bog binn:

'Ó mhuis, ó mhuis, a Risteaird, cad a phrioc mé is ligean leat? Cé a fhéachfaidh i ndiaidh na gcaorach anois dom? Beidh m'asal ar staic is gan duine chun na srathrach a chur air. Ochón, mo scóladh, is nár mé an óinseach!'

Nuair a chíodh na mná eile Siobhán, níor bheag san; bhíodh an chéir fén dtrumpa acu agus chasaidís in airde a bpilliliú féin. Ó mhuis, na seanmhná saonta! An dtiocfaidh aon chiall go brách dóibh?

Ar Inneoin an Bhlascaoid a bhí an rírá nuair a tháinig an chéad dream ó Dhún Chaoin. Bhí seandaoine críonna, mná pósta is fearaibh ar barra rompu — iad go léir ag baint na cainte ó bhéal a chéile, iad go léir ag lorg cuntais ar a ngearrcaigh féin. Ghabh Peig aníos. Bhí buille thall is buille abhus uirthi — scalladh is tarcuisne aici á fháil ó thalamh. Más ea, bhí sí maith a dóthain dóibh. Ní dhéanfadh sé an gnó dóibh a dteanga a bhualadh ar a gcarbad chun aon scanradh a chur ina croí súd.

'Ó, tá náire fachta go deo agam,' arsa Neans, nuair a tháinig sí ar barra. Cé a bheadh thuas ar an gcosán ach an sagart, é ag brath lena choinnle, agus na coinnle ar iarraidh! Dhruid Neans leis.

'Ó, a Athair, ' ar sí, 'más maith liom Dia a fheiscint, ní fheadar cár fágadh na coinnle ach gur cheannaíos sa Chathair iad, agus ina dteannta bhí dhá phunt de na bogracháin dhearga san a bhíonn ag Máire Ghobnait i gcóir na stróinséirí.[37] D'fhanadar i ngabhal a chéile sa bhád. Beidh dul as éigin ag na coinnle, pé anró a bheir orthu, ach mo ghraidhinse na bogracháin! Níor ghá ach teagmháil leo siúd nuair a bhíodar ina bpraiseach. Ní raibh mo mheabhair féin ná meabhair duine eile agam, a Athair.'

'Nár imí ort ach an méid sin, a Neans,' arsa an sagart cóir agus fáthadh an gháire ar a bhéal.

---

[37] Trátaí atá i geist leis na bogracháin dhearga.

Fén oíche bhí formhór de dhream Uíbh Ráthaigh slán sábhálta sa Bhlascaod Mór. Bhí cuid acu a chaith fanacht amuigh ar feadh lae nó dhó nó gur chuaigh bád ag fóirthint orthu. Ach b'fhearr filleadh go déanach ná go brách. Agus níor filleadh gan beart Neans. Micil na Leacan a fuair ag imeacht ar boiléagar é is a thug chun tíreachais é. Ní raibh brú ná bascadh ar na coinnle ach bhí na bograchâin dhearga is a bputóga ar an mbán — bhíodar brúite, briste leáite ó chéile, ina bpraiseach dáiríre. Ach cé a bhí ag lorg sásaimh? Cén leigheas a bhí ag Micil ar éinne má shatail sé ar na bograchâin dhearga is é ag dul isteach sa naomhóg?

Turas pléisiúir ar *nobby*
(*Ionad Oidhreachta an Bhlascaoid*)

12

Sleachta as sraith alt a scríobh Nóra Ní Shéaghdha ar Pheig Sayers in Inniu *(8 Márta 1974-26 Aibreán 1974)*

Peig Sayers

Aon strainséir mór le rá a thugadh cuairt ar an mBlascaod, bhainidís amach Peig Sayers. Bhí sí deighilte amach ó mhná eile an Oileáin ar shlí, mar ná raibh aon chúthaileacht ag baint léi, sa tslí is nach raibh tacaíocht éinne ag teastáil uaithi chun comhrá a choimeád sa tsiúl le strainséir. Bhíodh Peig ansiúd go fáilteach, suite cois tine sa chúinne, aghaidh phlucach óigíneach aici nach raibh le feiscint uirthi rian den trioblóid gur ghabh sí tríthi. Mura mbeadh í bheith chomh mallshiúlach faoin tráth seo, b'fhurasta di a haois a cheilt.

Chlúdaigh a híochtar (sciorta) dorcha a cosa go hailt; cabhail uirthi de réir nós na linne agus í fáiscthe go banúil le cnaipí síos ina tosach, agus na muinchillí ag teacht go caol na láimhe. Chaitheadh Peig naprún, chun — fé mar a deireadh sí féin — an t-íochtar a chosaint ón smúit is ón salachar a leanann obair tí. Bhíodh seáilín tríchúinneach ar a ceann — seáilín breac nó dubh le scothóga air — agus é snaidhmthe laistiar dá droim. Sórt nath a bhí ag Peig, ná bheith ag sleamhnú a cuid gruaige isteach faoin seáilín lena bois, agus bhí an béas céanna ag seanmhná eile a chaith an seáilín. Sa samhradh bhíodh Peig cosnocht mar bhíodh a comhaoistí ban sa dúiche tuairim is cúig bliana déag ar fhichid ó shin agus roimis. [...]

Gheibheadh Peig Sayers sásamh an domhain as bheith ag cur scéalta thairsti dá mbeadh aon bhailiú daoine sa tigh aici. An lá áirithe seo, bhí Robin Flower, An Bláithín, mar bhaist na hOileánaigh ar an scoláire mór ó Londain, i measc na cuideachta, agus scaoil Peig chugainn an scéal agus véarsaí den amhrán gur theideal dó 'Risteard Ó Bruineann'. Mhair Risteard i gclár geal Mumhan. Go luath ina shaol theip ar an tsláinte aige, agus dúirt dochtúirí leis ná raibh aon leigheas i ndán dó ach ógbhean álainn a bhí in iarthar Chorca Dhuibhne a phósadh. Bhuail Risteard chuige a chapall, agus níor dhein stad ná staonadh nó gur shroich sé an baile inar mhair an ógbhean. Ag an tobar a chonaic sé í agus seo mar bheannaigh Risteard di:

> Móra mór ar maidin dhuit, a spéirbhean chiúin,
> nach socair mar a chodlann tú, is mé go dubhach;
> pé acu fortún nó mí-fhortún atá os ár gcionn,
> ceartaigh ort do dheasumar agus beam ar siúl.

Ach ambasa nár phreab an cailín chuige gan na coinníll a tharrac; dhein sí a margadh leis. D'fhéach sí ar an nduine uasal galánta agus dúirt:

> Fios t'ainme, agus do shloinne, dom féin ar dtúis,
> ar eagla gur mé a mhealladh, do dhéanfadh tú;
> bábán[38] dá mbeadh eadrainn, agus go n-imeofá ar siúl,
> bheadh mo mhuintir in earraid liom, go dtéinn in úir.

Tá a lán véarsaí eile sa dán seo siar go heireaball nó gur críochnaíodh an cleamhnas. Ba é críoch an scéil gur bhuail sé ina chúlóg í, agus d'imigh an bheirt go clár geal Mumhan. D'fhág an

[38] 'Bó bán' atá curtha in áit an fhocail 'bábán' in *Inniu*, 15 Márta 1974, 13.

aicíd Risteard. Chuaigh a muintir i gCorca Dhuibhne chun cónaithe lena n-iníon agus ní raibh aon lá dá aithreachas ar éinne de bharr an mhargaidh.

Thóg Bláithín síos an lá úd idir scéal is amhrán ó Pheig agus tá siad le fáil sa leabhar *Seanchas ón Oileán Tiar*.[39] Ar na hócáidí seo, strainséirí ab fhearr le Peig sa chuideachta — ba iad ba dhícheallaí chun cluas is géilleadh a thabhairt dá n-abradh sí. Ba é tuairim cuid de na comharsana ná raibh i nglórtha is i mbriathra Pheig ach áiféis is briolla brealla cainte, ach ní admhóidís é sin ina láthair mar ná déanfadh sé an gnó d'éinne bheith tarcaisneach le Peig. Ba mhór é a meas ar a reacaireacht féin ach 'ní fáidh éinne ina dhúiche dhúchais.'

Uaireanta agus tú ag caint le Peig Sayers, thugadh sí geábh síos go béal an dorais, mar a raibh radharc amach aici ar Bheag-Inis agus ar fhochaisí na mara ó thuaidh go Cuan an Fheirtéaraigh. An-bhean machnaimh í Peig, agus ba mhinic as maoil-a-mhaig, a chasadh a smaointe ar an tsíoraíocht. Bhí a lán Éireann ranna agus ceathrúna filíochta ina ceann aici a thagair don bhás is don saol eile. Ceann de na laethanta agus í fós ag amharc uaithi amach ar an bhfarraige, is dealraitheach go raibh sí ag smaoineamh ar an ndainséar a lean an fharraige sin. Bhí sí leis ag tabhairt comhairle dóibh siúd a bhí suite istigh, agus san am céanna í ag cur a máistreacht féin orthu ar an nóiméad sin in iúl dóibh. Agus ba mhórtasach í as an mbua a bhí aici nuair tharraingíodh cuairteoir chuige nó chuici, leabhar nótaí is peann chun a briathra a scríobh síos. Seo mar a dúirt Peig an lá úd:

Nuair a thiocfaidh an bás ní haon spás a gheobhair,

[39] T. Ó Criomhthain, *Seanchas Ón Oileán Tiar*, R. Flower a scríobh; S. Ó Duilearga eag., Baile Átha Cliath 1956, 227-9.

ach bí ullamh féna bhráid gach lá dá n-éireoir;
mar tá sé fé do bhráid ins gach áit dá ngeobhair,
is beireann sé an fear is treise ins an áit leis chomh maith leis an seanóir;
is nach mór an trua an t-anam, muna bhfuil sé ullamh ina chomhair.

Agus nach raibh an ceart aici, mar an mhuintir a bhíonn ag broic leis an bhfarraige, bíonn an bás faoina mbráid sna huiscí timpeall orthu?

Bhíodh a píopa cré, a dúidín, ansúd go conláisteach i bpoll an iarta ag Peig Sayers, mar a bhíodh ag seanmhná nach í. Searmanas sollúnta do Pheig a bhí san ullmhúchán roimh a gal tobac — an patrún céanna a lean gach éinne. Scriostaí amach le scian faobhair babhla an dúidín, scian a bhí caolaithe ó úsáid na mblian, go minic. Chuirtí an bruscar mion ón bpíopa sa chlúdach go fóill. Ghlantaí cos an phíopa le tráithnín tanaí staidéartha féir a théadh tríd an bpoll ina lár nó uaireanta d'úsáidtí biorán cniotála.

Go deimhin ba mhinic cipineach sa tigh, nuair a thógadh an seanduine biorán as stoca a bhí á chniotáil, chun a phíopa a réiteach! Chuireadh súlach an phíopa screamh dubh garbh ar an mbiorán agus ní oibríodh sé chomh héasca as sin amach. Dá shuaraí í an choir, ba mhór an chúis achrainn is argóna í go minic.

Ghearradhh scian faobhair an tobac — fear an-ghustalach an tráth úd go mbeadh scian phóca dá chuid féin aige. Mhínítí an tobac gearrtha idir na bosa, na méara á bhriseadh is á dhingeadh, agus gan aon phioc deabhaidh leis an gcúram. Chuireadh Peig Sayers a scéal thairsti ag gabháil don tobac agus théadh an gnó ar aghaidh gan dua. Lán píopa sa turas, ba leor sin, an tomhas go cruinn, agus spás fós don bhfuílleach ag feitheamh sa chlúdach.

Earra daor ba ea tobac an uair úd do dhaoine ná raibh róghustalach agus níor ligeadh aon ruainne i vásta. Nuair ba ghannchúisí a bhí an tobac bhíodh a gal ag Peig, mar ná fágadh na daoine uaisle a thagadh á fiosrú aon easnamh uirthi.

Chun an píopa a dheargadh, bhíodh blúire páipéir agus é dlúite go docht le chéile chun ná rithfeadh an tine tríd, ansiúd ullamh. Bhíodh leis ag Peig, cos thanaí fhraoigh thriomaithe a thógadh tine go tapaidh, nó má bhí teacht air, ghearrtaí píosa fada caol giúise. Bhíodh cúil bheag acu cois tine, *splinters* a thugtaí orthu, agus dheinidís cúram lasáin. Mhúchtaí na briogadáin (mar a thugtaí ar aon áis lasta luaite thuas, nuair a bhídís dearg) idir na méara nó le satailt orthu. Dhein na háiseanna seo an gnó nuair ba dhaor le daoine lasáin. Gan dabht, bhí an spré dhearg ón tine acu ar an gcéad chostas leis. [...]

Bhaineadh Peig Sayers sásamh as a gal, í sochma sásta suaimhneach ina bhun agus leathadh an tsochmacht, an tsástacht agus an suaimhneas uaithi amach chun na cuideachta uile. 'Is maith an sás gal tobac', a deireadh sí, 'chun brón a mheilt.' Gan fhios dóibh féin, bhí ceird ealaíonta á foghlaim acu siúd a bhí ag faire. [...] Ba mhinic sna blianta caite, páistí ar a stóilín nó ar a gcorra giob, ar leac an tinteáin ag déanamh aithris ar sheanóirí ag deargadh an phíopa, agus nach mó duine againn a chuala guth ón gcathaoir shúgáin ag bagairt orainn agus ag rá: 'Cuir uait na briogadáin.' [...]

Bhí inchinn an-ghéar, an-ghníomhach ag Peig Sayers agus bua na cainte aici, rud nár chás di maíomh as. Bhí slacht ar an méid a deireadh sí i slí is ná raibh mórán duaidh é scríobh cruinn díreach óna beola. Agus toisc go raibh Peig an-mhuiníneach aisti féin, chleacht sí ar uairibh órnáidíocht agus suaithinseacht sa mhéid a scríobhadh uaithi. Ar nós Thomáis Uí Chriomhthain, ní raibh aon chuimse leis an méid scéalta is eachtraí a bhí aici. Ba bhreá le Peig bheith ag eachtraí agus bhíodh eachtra nua éigin aici gach aon lá. Ní fada a bheifeá ina cuideachta nuair a chasfadh a comhrá ar Bhláithín. Bhí cairdeas eatarthu is an-chion aici air; go deimhin d'fhéadfainn a rá go raibh gach éinne ar an mBlascaod lán de ghradam dó.

Bhain Peig féin an-sult as an eachtra seo a leanas. Lá go raibh an doras ar oscailt aici, ghabh an t-asal isteach chuici; níorbh é an chéad uair aige é — peata asail ba ea é. Ó leac an tinteáin, bhagair Peig uaithi síos ar an asal: 'Go maraí an diabhal tú, gabh amach,' ar sí, ag éirí chun an asail. Cé bheadh ag cur an dorais de ar an nóiméad sin ach Bláithín.

'Bhí seans leis nár leag an t-asal é,' arsa Peig. Chuala Bláithín an ghuí a fuair an t-asal ó Pheig agus cheap sé gur chuige féin a bhí sí, nó go bhfaca sé an t-ainmhí! Ach mhínigh Peig dó agus d'iarr a phardún.

'Is breá blasta na heascainí atá agaibh ar an Oileán Tiar,' arsa an fear ó Londain agus é ag gáirí.

'Táid siad againn,' arsa Peig, 'lán mála acu. Ach ní agrann Dia ormsa iad mar nach óm chroí a thagaid. Bíonn siad ar bharr mo theangan agam, sin eile, agus is mór an faoiseamh don gcroí iad a spalpadh uait ar uairibh.'

Gháir Bláithín. 'Má thagann na beannachtaí ón gcroí, a Pheig', ar sé á freagairt, 'nach cuma sa riach cad as a dtagann na mallachtaí.'

Chuireadh an bheirt — Peig is Bláithín — a lán ceisteanna trí chéile. An taibhreamh a bhíodh ag Peig, deireadh sí le Bláithín é agus d'insíodh sé sin a thaibhreamh féin di. Ach bhí an difríocht seo eatarthu — thug Peig géilleadh dá taibhrimh ach dhein Bláithín spior spear dóibh. [...]

Bhí an-chuid Éireann scéalta púcaí ag Peig, agus ar nós na dtaibhrithe, ghéill sí dóibh. Bhí paidir aici — paidir chun duine a chosaint ar na púcaí. Ba chóir é rá, deireadh sí, dá mbeifeá amuigh déanach istoíche. Seo é paidir na bpúcaí:

Aisling a deineadh do Chríost, is gan é ach i mbroinn a mháthar;
cuirimse an aisling sin idir mé is an t-olc,
chun mé a shaoradh, is a shábháil, ar shluaite [is] bearta bruíne.
In ainm an Athar ais an Mhic is an Sprid Naoimh. Amen.

Bean dheisbhéalach ab ea Peig Sayers; guth cainte taitneamhach, suaimhneach aici. D'fhéadfaí a rá go raibh saibhreas ina glór, chomh maith lena saibhreas cainte. B'fhurasta a hintinn a chur ag obair agus chuir sí chun tairbhe na buanna a thug Dia di. Bhí tréithe uaisle iontacha i bPeig, mar bhí i máithreacha is i mná eile i ndúthaí dealbha iargúlta. Chothaigh an dealbhas is an saol crua na tréithe seo iontu, bhíodar lán de nádúr, de dhaonnacht is de thrua; lán de ghrá is den bhfoighne agus lán den bhféile is den bhflaithiúlacht de réir mar bhíodh cóir acu air. [...]

Má bhí Peig Sayers go hábalta an saibhreas cainte is seanchais a bhí aici a úsáid ina gnáthcomhrá, dúirt sí liom gurbh óna hathair a thug sí mianach na scéaltóireachta. Tomás Sayers ab ainm dó. Dúirt Bláithín léi lá gur shloinne Sasanach Sayers. D'aontaigh Peig leis agus thug breis eolais dó: ó Shasana a tháinig a seanmhuintir, a dúirt sí. Protastúnaigh ab ea iad, agus ba é a hathair críonna féin an chéad Shaorsach den dtreibh a d'iompaigh ina Chaitliceach [...]

Seacht mbliana déag a bhí Peig Sayers nuair a phós sí. De réir a briathra féin bhí sí ina cailín ceolmhar meidhreach an uair sin. Go luath tar éis pósta di, thit a fear céile i ndrochshláinte agus fágadh muirear óg le cothú ag Peig nuair a fuair sé bás. Bhí Peig an-mhuiníneach as Dia agus as Máthair Dé. Nuair ba mhó a brón, an t-am a maraíodh a mac go cinniúnach, is ar Mhuire a ghlaoigh sí chun cabhrú léi agus í ar a glúine le hais a choirp. Seo an cuntas a thug Peig dom ar an lá tubaisteach úd: 'Nuair tugadh isteach an corp go lár an tí, chuas ar mo dhá ghlúin is d'iarras ar Mháthair Dé cabhrú liom.' Agus ag tabhairt ainm ceana ar Mháthair Dé, arsa Peig: 'A Mhaighdeanín Mhuire cabhraigh liom,' agus gan cholg, shocraigh sí suas corp a mic le cur fé chlár. Bean ar leithligh ab ea Peig Sayers agus bean mhisnigh [...]

Ó bhéal dorais an tí ar an Oileán Tiar bhí radharc amach ag Peig ar Shliabh an Iolair lastuas de Dhún Chaoin, agus ar an silteán uisce a ghluaiseadh uaidh tar éis báistí. Ba mhó cuairteoir a sheas le Peig ag an doras agus shíneadh sí a méar i dtreo an tseantí faoi bhun an chnoic lasmuigh i nDún Chaoin, agus deireadh sí: 'Siúd é amuigh an tigh inar fhásas suas ann.' Uaireanta cheapfá gur le maoithneachas a deireadh sí an méid seo — nuair a chríonaíonn an duine bíonn a lán den mhaoithneachas sna smaointe a ritheann chuige agus é ag dul siar ar a shaol.

Nuair a bhí clann Pheig go léir imithe ón dtinteán uaithi ach mac amháin, Mícheál, sin é an file, bhí coinne aici an uair úd go n-imeodh sé sin ar deoraíocht leis, agus deireadh Peig le creatheán ina guth: 'Thugas dom' chlann a raibh ar m'acmhainn; níorbh aon drochscoláirí iad, ach ní raibh dul ar shlí bheatha anso in Éirinn acu, is chuadar go Meiriceá.' Agus lean Peig uirthi: 'Más é toil Dé go mbeadsa i m'aonar i ndeireadh mo shaoil, glacfad go foighneach leis an uaigneas.'

Chaith Peig Sayers na blianta deireanacha dá saol in Ospidéal an Daingin, agus fuair sí bás ann in aois a sé bliana agus ceithre fichid. Bhí sí dall ag an am seo agus aicídí na seanaoise á clipeadh, ach d'ainneoin seo, bhí sí suáilceach foighneach agus fáilte aici i gcónaí roimh íseal is uasal a théadh á fiosrú. Níor chaill Peig a cuimhne ghéar le seanaois; bhí sí fós ábalta ar eachtra óna saol pósta i bhfad siar, a thabhairt amach go soiléir. An t-uaigneas a raibh coinne ag Peig leis i ndeireadh a saoil, ní raibh sé aici. Bhí dúil riamh i gcuideachta is i gcomhluadar daoine aici agus níor fágadh aonarach í ar leaba a báis agus fuair sí gach cabhair is cóir san ospidéal.

Cuireadh Peig Sayers sa reilig nua i nDún Chaoin. Ní rachadh a huaigh amú ort, mar go bhfuil leac bhreá ghreanta os a cionn. Ba é an tAthair Ó Murchú ó Chorcaigh, 'An tAthair Tadhg', mar a ghlaotaí go ceanúil sa cheantar air, a léigh Aifreann na Marbh. Ag caint leis an bpobal lá na sochraide i Séipéal Dhún Chaoin, bhí sé le tabhairt faoi deara gur ghoill bás Pheig go mór ar an Athair Tadhg. Dhein sé riamh a lándícheall di agus í ina beathaidh agus anois níor cheil sé a chion is a mheas uirthi agus í marbh. [...]

San ionad ina bhfuil Peig Sayers curtha, tá aghaidh a huaighe ar an mBlascaod Mór. Is féidir liomsa Peig a shamhlú anois, ag glaoch ar na mairbh ina timpeall agus ag síneadh méire i dtreo na dtithe nua uaithi isteach ar an Oileán, í ag cur comhartha ar thigh amháin acu agus ag rá: 'Siúd é istigh an tigh inar chaitheas formhór de mo shaol pósta ann.' Nach mar seo a dhéanfadh sí agus í ina beatha ach an t-am úd amach a bhíodh a súil, amach thar an mBealach farraige, agus í ag cur comhartha ar ionad an tinteáin inar tógadh í i mBaile Bhiocáire. [...]

Tá an tOileán Tiar tréigthe anois. Tá féar glas ag fás ar na cosáin is ar na poirt. Tá na clocha fós ann ag coimeád a ngreama, na clocha sin, beag, cuíosach, is mór, a thug scáth, teannta agus suíocháin do dhaoine. B'ionaid spóirt agus caitheamh aimsire, leaca agus poirt ag páistí an Bhlascaoid, poirt a bhí pasálta agus leaca a bhí mínithe síos ag cosa beaga agus a rian is a lorg fós orthu, gan iontu anois ach mar bheadh leacht cuimhneacháin do na páistí a dhein súgradh orthu. Níl gáire na leanbh níos mó ann ná allagar seanóirí — iad go léir imithe. Na daoine óga a ghabh an cosán laistíos siar ag válcaeireacht go haerach tráthnóna breá — scol amhráin in airde acu agus fo-scread na bhfaoileán ag cur isteach ar an gceol ó am go ham — tá siad go léir scaipthe le fada. [...]

Tá an ré sin thart anois. Tá scaipeadh na mionéan ar an gcomhluadar — fear soir, fear siar, duine sínte san uaigh i ndúiche iasachta, duine eile fé chré i gcóngar a mhuintire. Ach pé acu sa bhaile nó i gcéin, tá an codladh deireanach á dhéanamh acu. Fágaimis ina suan síoraí iad, agus coiglímis a gcuimhne le guí:

> Cros na bhflaitheas ins gach leaba go luíonn sibh,
> bratacha na bhflaitheas go leatar 'bhur dtimpeall;
> braon de ghrásta Dé ó lár a chroí chugaibh,
> a thógfaidh ceo is smúit na bpeacaí dhíbh.

Ó Pheig Sayers a fuaireas an phaidir seo. Tá súil agam go bhfuil gach achainí atá iarrtha ann dulta chun sochar dá hanam féin. [...]

BAILIÚCHÁN BÉALOIDIS

Noda

APD	D. Ó Laoghaire, *Ár bPaidreacha Dúchais*, Baile Átha Cliath 1975.
ATU	H-J Uther, *The Types of International Folktales: a Classification and Bibliography. Based on the system of Antti Aarne and Stith Thompson*, I-III, Folklore Fellows Communications 284-6, Helsinki 2004.
CBÉ	Cnuasach Bhéaloideas Éireann. Lámhscríbhinní an phríomhbhailiúcháin i Lárionad Uí Dhuilearga do Bhéaloideas na hÉireann agus Cnuasach Bhéaloideas Éireann, An Coláiste Ollscoile, Baile Átha Cliath.
HIF	S. Ó Súilleabháin, *A Handbook of Irish Folklore*, Dublin 1942.
MIEIL	T. Peete Cross, *Motif Index of Early Irish Literature*, Bloomington 1952.
MIFL	S. Thompson, *Motif-Index of Folk-Literature*, I-VI, Copenhagen 1955-8.
SOT	T. Ó Criomhthain, *Seanchas ón Oileán Tiar,* S. Ó Duilearga, eag., R. Flower, bail., Baile Átha Cliath 1956.
TIF	S. Ó Súilleabháin agus Reidar Th. Christiansen, *The Types of the Irish Folktale*. Folklore Fellows Communications 188, Helsinki 1963.

Réamhrá

Chuir Nóra Ní Shéaghdha leanaí scoil an Bhlascaoid i mbun béaloideas a bhailiú ag tráth éigin tar éis a ceapacháin ann mar phríomhoide i Meán Fómhair 1927, agus d'fhan roinnt leathanach a bhain leis an mbailiúchán seo i measc a cuid páipéar. Is é 26 Samhain 1929 an dáta is túisce atá luaite le haon mhír a bailíodh agus 20 Iúil 1933 an dáta is déanaí.

Bhí moladh déanta ag Énrí Ó Muirgheasa i 1923 don Roinn Oideachais *that a special blank manuscript book be furnished to each [primary] school in the Saor Stát, so that each teacher might collect and record therein the traditions and folklore of the neighbourhood* ach níor tosaíodh ar an moladh sin a chur i bhfeidhm go dtí 1934.[40] Ó bunaíodh an Cumann le Béaloideas Éireann i 1926 bhí achainíocha á ndéanamh in iris an Chumainn (*Béaloideas*) agus ag cuid dá bhaill go ndéanfaí bailiúcháin bhéaloidis a thionscnamh. Reáchtáil an iris *Ireland's Own* comórtas bailiúchán béaloidis i 1933 agus tá nóta ag Seán Ó Súilleabháin ag tagairt don chomórtas sin in CBÉ 20:1 — *Folklore Competition Ireland's Own closing date Nov 30th 1933*. Ní móide in aon chor, áfach, gur faoi scáth an chomórtais sin a tugadh faoin mbailiúchán i scoil an Bhlascaoid, mar ní hé amháin nach ar na téamaí a bhí sonraithe sa chomórtas atá an bailiúchán dírithe, ach dhealródh ón dáta deiridh atá luaite leis an mbailiúchán go raibh sé thart faoin am ar fógraíodh comórtas *Ireland's Own* in eagrán 21 Deireadh Fómhair 1933 den iris.

[40] M. Briody, *The Irsh Folklore Commission 1935-70: History, Ideology and Methodology,* Helsinki, Studia Fennica Folkloristica, 2007, 260.

Ní fios anois cad é go díreach a thug ar Nóra leanaí scoil an Bhlascaoid a spreagadh chun bailithe, ach cibé rud ba bhun leis, bhí toradh fónta ar an togra. Sheol sí bailiúchán na ndaltaí chuig Institiúid Bhéaloideas Éireann[41] i nDeireadh Fómhair 1933 agus an litir seo a leanas á thionlacan:

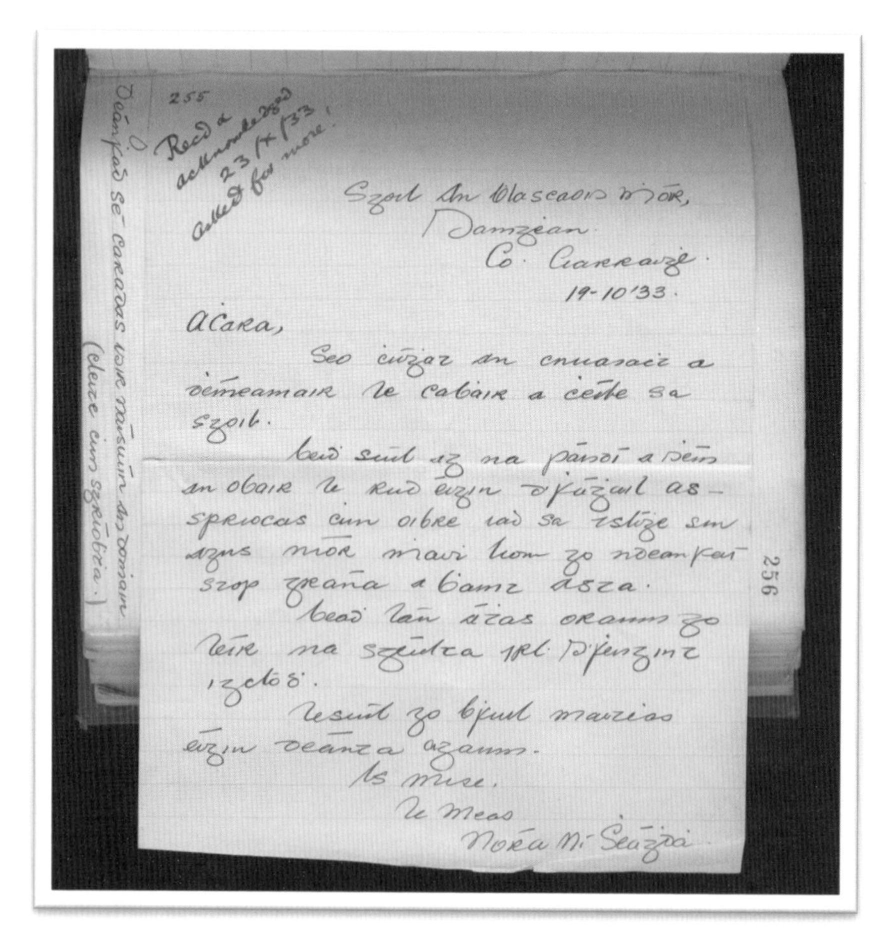

255

Rec'd & acknowledged 23/X/33 asked for more!

Déanfaidh sé caradas idir náisiúin an domhain (cleite chun sgríobhtha.)

Sgoil an Bhlascaoid Mhóir,
Daingean.
Co. Ciarraighe.
19-10'33.

A Chara,

Seo chúghat an cnuasach a dheineamair le cabhair a chéile sa sgoil.

Bhí suim ag na páistí a dhein an obair le rud éigin d'fhághail as- spriocas chun oibre iad sa tslighe sin agus níor mhiste liom go ndeanfaí sgop greanna a bhaint ásta.

Beadh lán áthas orainn go léir na sgéalta srl. d'fheicsint i gclódh.

Le súil go bhfuil maitheas éigin déanta againn.

Is mise,
Le meas
Nóra Ní Shéaghdha.

256

CBÉ 20:255
(*Cnuasachh Bhéaloideas Éireann*)

---

[41] Ba réamhtheachtaí é an foras seo (1930-1935) ar Choimisiún Béaloideasa Éireann a bunaíodh i 1935; féach S. Ó Catháin, 'Institiúid Bhéaloideas Éireann 1930-1935,' *Béaloideas* 73 (2005), 85-110, agus B. Almqvist, 'The Irish Folklore Commission - Achievement and Legacy', *Béaloideas* 45-7 (1977-9), 6-26

Sgoil an Bhlascaoid Mhóir,
Daingean,
Co. Chiarraí.
19 – 10 – '33

A Chara,
Seo chughat an cnuasacht a dhéineamair le cabhair a chéile sa sgoil. Beidh súil ag na páisdí a dhéin an obair le rud éigin d'fháil as — spriocas chun oibre iad sa tslíghe sin agus níor mhaith liom go ndeanfaí stop grána a bhaint asta.

Bheadh lán áthas orainn go léir na sgéalta 7rl. d'fheiscint i gclódh.

Le súil go bhfuil maitheas éigin déanta againn.

Is mise,
Le meas,
Nóra Ní Shéaghdha

Tá an litir sin anois in CBÉ 20:255 agus an nóta seo breactha uirthi ag Stiurthóir Oinigh Institiúid Bhéaloideas Éireann, Séamus Ó Duilearga: *Read and Acknowledged 23/X/33. Called for more*! Tá míreanna den bhailiúchán féin in CBÉ 20:256-338, agus tá an chuid eile den bhailiúchán in CBÉ 34:242-77. Tá nóta ó Sheán Ó Súilleabháin, Cartlannaí na hInstitiúide, ar CBÉ 34:241: *'Siad leanaí scoile an Bhloscaoid Mhóir i gCiarraidhe do dhein an bailiú so de bhéaloideas. Do cuireadh isteach é agus do cuireadh admháil amach air ó sheomraí na hInstitiúide 23.10.1933. 'Excellent' — Séamus Ó Duilearga.*

I bpeannaireacht Nóra Ní Shéaghdha atá na téacsanna in CBÉ 20:256-82, 293-314 agus CBÉ 34:264-5, agus is ó lámh dhaltaí scoile iad siúd in CBÉ 20:283-9, 318-38 agus CBÉ 34: 242-263, 265-77. Tugtar ainmneacha na ndaltaí agus na bhfaisnéiseoirí i nóta le gach mír sna téacsanna thíos nuair a shonraítear iad sna bunscríbhinní.

Trí dhearmad, is *Máire Ní Shéaghdha, O.S., An Blascaod Mór,* a chuir Seán Ó Súilleabháin síos do Nóra i nótaí a bhreac sé in CBÉ 20:293 agus arís in CBÉ 20:318.

Tugtar thíos téacsanna ó dhaltaí scoile a d'fhan i seilbh Nóra Ní Shéaghdha,[42] agus tugtar chomh maith téacsanna eile an bhailiúcháin seo a thionscain sí gur i lsí CBÉ amháin atá fáil anois orthu. Tá na téacsanna ó CBÉ le haithint san eagrán thíos mar tugtar an tagairt do CBÉ le teideal gach ceann díobh. Is ó na bunscríbhinní féin teideal gach míre mura bhfuil a mhalairt tugtha le fios sna nótaí.

Tigh na scoile ar an mBlascaod
(*Ionad Oidhreachta an Bhlascaoid*)

[42] Tá an t-ábhar seo ar fad tugtha ar láimh anois do Chnuasach Bhéaloideas Éireann.

SCÉALTA IONTAIS

Ridire Fiontain Cuain

CBÉ 34:242-50

Bhí ridire ina chónaí ar an gCuan fadó. Ghabh sé amach lá ag siúl ar thráigh Fionntrá agus bhuail bramaichín gioballach leis agus thug sé abhaile é agus chuir sé isteach i stábla é ar feadh seacht mbliana. I gceann an seachtú bliain thóg sé leis amach é ar an dtráigh agus chuaigh sé ag marcaíocht air. Do léim an bramaichín trasna na farraige agus níor stad sé riamh ná choíche nó gur shrois sé an Domhan Thoir. Casadh an ridire isteach i dtigh agus ní raibh istigh ann ach seanbhean agus bean óg agus chaith sé suim aimsire ina measc.

Aon lá amháin dúirt sé leo go gcaithfeadh sé teacht abhaile go dtí a ríocht féin. Dúirt an tseanbhean leis nárbh fhada go mbeadh naíonán sa tigh, agus cén ainm a thabharfaí air?

'Más iníon a bhíonn ann is cuma liom cén ainm a thabharfar uirthi, ach más mac a bhíonn ann tugaigí seo air — Mac Mic Ridire Fiontain Cuain.' Dúirt sé má bheadh lúth agus gaisce ann go mbainfeadh sé a athair amach in aois a dhá bhliain déag.

D'imigh an ridire ag marcaíocht ar an mbramaichín agus níor stad sé riamh is choíche nó gur shrois sé tráigh Fionntrá. Chonaic sé na daoine go léir bailithe timpeall ar a chaisleán féin agus tháinig iontas air. Do tharla seanduine críonna air agus d'fhiafraigh sé de cad é an fáth go raibh an daoine go léir bailithe timpeall an tí sin.

'Tá,' arsa an seanduine, 'mar seacht mbliana agus an lá inniu a d'imigh máistir an tí ag siúl ar an dtráigh agus ní fhacthas ó shin é.

Agus tá a bhean chun a bheith ag pósadh inniu — gruagach aníos ó íochtar na hÉireann.'

Chomh luath agus chuala an fear an chaint sin, d'imigh sé air fé dhéin an tí. Lena linn sin cé bheadh amuigh sa doras ach mac leis agus rith sé isteach go dtína mháthair agus dúirt sé léi go raibh a dhaid ag teacht. Nuair a chuala an bhean é sin rith sí go dtí an ndoras agus nuair a chonaic sí ag teacht é, ní mór ná gur thit an t-anam aisti le huafás. Tháinig an fear isteach agus chuir sí na céadta agus an mílte fáilte roimis agus níor lig sí aon ní uirthi. D'fhiafraigh sé di cad é an fáth go raibh na daoine go léir bailithe ar an dtigh.

'Tá,' a dúirt sí, 'ag déanamh cuimhniú míosa ar na bhféasta a thugtá-sa uait i gceann gach aon seachtú bliain.'

'Ó, an ea? Tá san go maith,' ar seisean.'

D'fhanadar i dteannta a chéile ar feadh seacht mbliana eile agus thug sé féasta uaidh. I gceann cúig bliana eile thug sé an féasta céanna uaidh agus shocraigh sé na daoine amuigh sa chlós. Nuair a bhíodar ag caitheamh an fhéasta chonacadar chucu isteach trí bhéal an chuain báidín beag agus gaiscíoch fir suite istigh inti. Chuir sé an bád fé ancaire ansan agus thug sé aon léim amháin amach aisti agus tháinig sé isteach ar bharra taoide.

Bhí camán óir agus liathróid airgid aige agus bhuail sé lena chamán í agus chuir suas go bun an chlóis í. Ansan thug sé buille di agus chuir sé suas i measc na ndaoine í agus bhí sé féin thuas chomh tapaidh léi. Nuair a chonaic an ridire é chuir sé na céadta fáilte roimis agus thug sé leis chun a thí é agus d'fhanadar i dteannta a chéile ar feadh tamaill. Ceann de na laethanta dúirt an t-athair go raibh a bhean ag faire ar é féin a chur chun báis agus go mbeireodh sé an dinnéar is breátha leis an méid litreacha a bhí tagtha chuici ó fhear a bhí in íochtar na hÉireann. Nuair a chuala an mac é sin bhuail sé air a chulaith éadaigh agus thug sé leis a chlaíomh agus d'imigh sé leis go dtí íochtar na hÉireann agus mhairbh sé an fear, agus thug sé leis a cheann agus chuir se in airde ar spiora é a bhí amuigh ar an ndoras.

Nuair a chonaic an bhean an ceann ní mór ná go dtit an t-anam aisti. Chuaigh sí go dtí an seandraoi ag iarraidh comhairle air conas a d'fhéadfadh sí mac an ridire a chur chun báis. Dúirt an seandraoi léi ligean uirthi a bheith breoite agus ná raibh aon ní chun í a leigheas mura rachadh mac an ridire go dtí an gCoill Bhán ag iarraidh a leithéidí sin d'úlla di. Tháinig sí abhaile ansan agus lig sí uirthi a bheith breoite. D'fhiafraigh an ridire di an raibh aon rud chun í a leigheas. Dúirt sí ná raibh aon rud chun í a leigheas mura rachadh a mhac go dtí an gCoill Bhán ag triall ar úlla di. Dúirt an ridire ná cuirfeadh sé féin a mhac go deo san áit sin. Dúirt sé leis an mac é agus dúirt an mac ná beadh eitiú na leasmháthar go deo aige.

Ansan d'imigh sé leis ag marcaíocht ar an mbramaichín. Níorbh fhada a bhí sé ag imeacht nuair a casadh isteach i dtigh é agus bhí an oíche go maith ann. Ní raibh aon duine sa tigh roimis ach seanduine críonna agus chuir sé na céadta agus na mílte fáilte roimis.

Ansan d'fhiafraigh an seanduine de cá raibh sé ag dul agus dúirt sé go raibh sé ag dul go dtí an gCoill Bhán. Dúirt an seanduine leis gur mhór an trua é mar nár tháinig éinne riamh slán as an gcoill sin. Thug an seanduine lacha dó agus dúirt nuair a bheadh sé ag teacht ón gcoill í a scaoileadh uaidh. Ansan d'fhág sé slán ag an seanduine agus bhailibh sé leis agus an lacha aige. Casadh isteach i dtigh eile é i gcóir na hoíche agus ní raibh istigh roimis ach seanduine críonna caite agus thug sé sin cú dó. D'imigh sé leis arís agus casadh isteach go dí seanduine eile é an tríú hoíche agus thug sé sin seabhac dó.

Bhailibh sé leis ansan fé dhéin na coille agus nuair a chuaigh sé isteach chuala sé na hainmhithe fiaine ag teacht agus scaoil sé uaidh an lacha agus ansan an chú. Ansan thosaigh sé ar na húlla a bhailiú. Do chuala sé na hainmhithe ag teacht arís agus scaoil sé uaidh an seabhac. Nuair a bhí na húlla bailithe aige thug sé trí léim amach as an gcoill agus chuaigh sé ag marcaíocht ar an mbramaichín.

Ansan bhí sé ag imeacht leis agus casadh isteach go dtí ceann de na seandaoine é agus thug sé ceann de na húlla dó. Agus d'ith sé é agus d'imigh cló an tseanduine de agus dhein slataire breá óg de. Chuaigh sé go dtí an dá sheanduine eile agus thug sé úll do gach duine [acu] agus dhein dhá shlataire óg díobh.

Bhí sé ag imeacht leis agus casadh isteach i gcaisleán é agus ní raibh éinne istigh roimis ach ógbhean agus tuigeadh dó gurbh í an cailín ba bhreátha dá bhfaca sé riamh ina shúile í. Thug sí bia agus deoch don ngaiscíoch. Chonaic sé an cailín ag imeacht amach agus isteach ar feadh an lae agus d'fhiafraigh sé di cad é an fáth go raibh sí ag imeacht amach agus isteach ar feadh an lae? Dúirt sí leis gurbh fhurasta a aithint nach ón áit sin é. Ansan thosnaigh sí ar a scéal a insint agus dúirt sí go raibh seanchailleach ina cónaí san áit agus go mbíonn sí ag troid gach aon lá agus go raibh a tríú deartháir féin imithe ag troid léi. Nuair a bhíodh deireadh leis an dtroid gach aon tráthnóna go seinneadh sí suas ceol agus gach aon duine go mbéarfadh an ceol san amuigh air, go dtiteadh an t-anam as. An méid a mharaítí uaithi féin go dtógadh sí arís iad.

Tháinig na deartháireacha abhaile. Bhíodar ag comhrá le chéile. Ar maidin amáireach bhuail an gaiscíoch air a chulaith catha agus d'imigh sé leis fé dhéin an chatha. Bhí sé ag marú agus ag leagadh daoine ar feadh an lae agus ansan do chaith sé é féin i measc na marbh. Do sheinn an tseanchailleach ceol sí agus níor mhothaigh sé é. Ansan fuair an tseanchailleach buidéal agus scuab agus thosaigh sí ag tógaint an méid daoine a bhí marbh uirthi. Ach ní raibh puinn tógtha aici nuair a léim an gaiscíoch chuici agus dúirt sé léi ná faca sé féin éinne riamh á thógaint ó mhairbh. Ansan do chuir sí troid air agus do bhíodar ag troid ar feadh lae agus oíche ach sa deireadh mhairbh sé í. Ach sula dtit an t-anam aisti dúirt sí leis go raibh sí ag cur mar bhreith agus mar chleasa troma draíochta air dul go dtí piscín Chúl na gCip agus a rá leis gur maraíodh an tAon Chailleach agus a ríocht. D'fhiafraigh sé di cá raibh sé agus dúirt sí leis a shrón a leanúint.

D'imigh sé leis agus casadh botháinín beag ar thaobh an bhóthair leis agus chuaigh sé isteach ann ag deargadh a phípe. Ní raibh éinne istigh roimis ach piscín beag mílítheach. Nuair a bhí a phíp deargtha aige bhailibh sé leis arís. Níorbh fhada a bhí sé ón dtigh nuair a chuimhnigh sé air féin agus dúirt sé go mb'fhéidir gurb é piscín Chúl na nGip a d'fhág sé ina dhiaidh.

Chas sé thar n-ais ar an dtigh agus d'fhiafraigh sé den bpiscín arbh é piscín Chúl na gCip é.

'Is mé cheana,' arsa an piscín .

'Táim á insint duit,' arsa an fear, 'gur mharaíos an tAon Chailleach agus an ríocht.'

'An ligfeá domsa iompó naoi n-uaire ar dtuathal san oileán so?' arsa an piscín.

'Ligfead agus fáilte ,' arsa an fear.

Ansan d'iompaigh an piscín aon uair amháin agus do bhí sé chomh mór le capall, agus an dara huair bhí sé chomh mór le coca féir. Ansan dúirt an fear leis ná ligfeadh sé dó iompó a thuilleadh. Dúirt an piscín leis dá ligfeadh sé dó iompó naoi n-uaire ar dtuathal san oileán so ná beadh aon áit aige chun dul ach in airde ar a dhrom.

Thosnaíodar ag troid ansan ach mhairbh an gaiscíoch an piscín. Ach sula dtit an t-anam as dúirt sé: 'Táimse á chur mar chleasa troma draíochta ort dul go dtí cat an Leasa Ghlais agus a rá leis gur mharaís piscín Chúl na gCip agus an tAon Chailleach agus a ríocht.'

'Cá bhfaigheadsa an áit sin?' arsa an fear.

'Ó, lean do shrón,' arsa an piscín.

D'imigh sé leis agus casadh ar lios mór é. Bhí an lios seacht míle ar leithead. Bhí ceann cait amach trí thaobh di agus a eireaball amach trí thaobh eile di. Do labhair an fear leis agus dúirt sé: 'An tusa cat an Leasa Ghlais?'

'Is mé cheana,' arsa an cat.

Ansan chuadar ag troid agus mharaigh sé an cat. Ach sula dtit an t-anam as dúirt sé: 'Táimse á chur mar gheasa agus mar chleasa troma draíochta ort dul go dtí an mBullán Úr agus a rá leis gur mharaís cat an Leasa Ghlais, piscín Chúl na gCip agus an tAon Chailleach agus a ríocht.'

Ansan d'imigh an gaiscíoch leis agus tháinig sé go dtí an gleann ina raibh an Bullán Úr. Bhí an bullán thíos i mbun an ghleanna agus bhí fear ar gach taobh de. Bhí súil i gclár a éadain agus an té go bhféachfadh sí sin air do mharódh sí é. Bhí liathróid ina láimh ag an ngaiscíoch agus thug sé fén mbullán léi. Agus do bhuail sé i gclár an éadain é agus thit an t-anam as. Ach sula dtit an t-anam as d'fhéach sé suas agus do thit an t-anam as an ngaiscíoch chomh maith.

Ansan bhí an cailín agus a deartháireacha á lorg agus chuadar go dtí páirc an chatha agus fuaireadar an tseanchailleach marbh. Thógadar leo an buidéal agus an scuaibín agus thángadar go dtí piscín Chúl na gCip agus fuaireadar marbh é. Ansan d'fhágadar an áit sin agus chuadar go dtí cat an Leasa Ghlais agus fuaireadar é sin marbh chomh maith. Ansan dúradar leo féin go mb'fhéidir gur go dtí an mBullán Úr a cuireadh é.

Chuadar go dtí an mBullán Úr agus fuaireadar an gaiscíoch marbh in airde ar bharra an ghleanna. Agus chuimlíodar an scuab trí n-uaire dá bhéal agus bhí sé chomh maith is a bhí sé riamh. Dúirt an gaiscíoch ansan go raibh a fhios aige féin cén saghas an Bullán Úr agus bhíodar ag tathant air gan dul.

Ansan thug sé leis a chlaíomh, an buidéal agus an scuab, agus d'imigh sé síos go dtí an mbullán. Chuimil sé an scuab den mbeirt fhear a bhí marbh in aice leis agus d'éiríodar san ina mbeatha sláinte arís. Ansan chuimil sé den mbullán an scuab agus d'éirigh triúr fear amach as a bhí fé dhraíocht ag an seanchailleach.

Ansan dúirt an gaiscíoch go raibh sé in am aige féin dul abhaile go dtí a mhuintir. Chuaigh sé isteach ina bhád agus níor stad sé riamh is choíche nó gur shrois sé cuan Fionntrá. D'imigh sé leis fé dhéin an tí agus bhí a leasmháthair amuigh sa chlós roimis. Nuair a chonaic sí chuici é do thit sí i bhfantaisí.

Níor dhein sé aon rud ach buille dá chlaíomh a thabhairt sa cheann di mar bhí a fhios aige gur á chur féin chun báis a bhí sí. Ansan do roinn sé an saibhreas a bhí ag a athair idir na leanaí eile. Dúirt sé lena athair dul go dtí a mháthair féin a bhí ina cónaí sa Domhan Thoir. D'imigh a athair go dtí an Domhan Thoir agus chuaigh sé féin go dtí an tOileán Bán agus phós sé an cailín a thóg leis an scuab é ó na mairbh. Agus deineadh rí ar an Oileán Bán de agus mhair sé go soilbh sásta ann é féin agus a mhnaoi go dtí gur cailleadh iad.

Tá nóta i bpeannaireacht Nóra Ní Shéaghdha ag deireadh an scéil, ag tagairt is dócha don scéalaí: *Pádraig Ó Guithín 60 bl.* ach níl bailitheoir luaite le téacs an scéil. Tá cuid den scéal seo ar cheithre lch de chóipleabhar scoile (i bpeannaireacht eile seachas é sin in CBÉ 34: 242-50) i measc pháipéir Nóra Ní Shéaghdha.

Scéal iontais é seo ach ní léir aon tíopa faoi leith a choimsíonn go beacht é; cf ATU 530-359, *Animals as Helpers* agus ATU 531, *The Faithless Wife*. Maidir leis an gcailleach a athbeonn gaiscígh mharbha féach, G. Murphy, *Duanaire Finn* III, Cumann an Scríbheann nGaedhilge 43, Dublin 1953, liii, n. 2, agus A. Bruford, *Gaelic Folktales and Medieval Romances* [= *Béaloideas* 34], Dublin 1969, 4, 15-7.

****

Scéal Sheáin an Bhaile Uachtaraigh

CBÉ 20:318-38

Fadó riamh bhí rí darbh ainm Seán ina chónaí sa Bhaile Uachtarach. Bhí triúr mac aige agus aon iníon amháin agus cailín an-álainn ba ea í. Lá breá samhraidh bhí sí féin agus a triúr dearthár ag siúl in aice an Dúna agus chonacadar ag teacht aniar tríd an bhfarraige curachán agus aon fhathach amháin ar bord inti. Nuair a bhí sé in aice leis an dtalamh chuir sé an curachán fé ancaire agus thug sé léim amach aisti agus thuirling sé ar an bpaiste go rabhadar suite agus níor bheannaigh sé dóibh. Bhí claíomh ar sileadh lena láimh dheis. Thug sé aon tseáp amháin fén mbean óg agus bhuail sé féna ascaill í agus chuir sé isteach sa churachán í agus bhailibh leis tríd an bhfarraige siar arís.

Tháinig an-bhrón ar na deartháireacha nuair a chonacadar an deirfiúr imithe. Chuadar abhaile agus d'insíodar an scéal dá n-athair agus dá máthair agus bhíodar san an-bhrónach leis. Chuadar a chodladh an oíche sin agus bhíodar an–chráite agus nuair a d'éiríodar ar maidin dúradar lena muintir go mbeidís ag imeacht go deo nó go bhfaighdís amach a ndeirfiúr.

Ansan d'imíodar orthu agus siar chun Dún Chaoin a thugadar a n-aghaidh ar dtús. Ní bhíodh aon tslí chun dul síos sa bhfaill an uair sin san áit go bhfuil an caladh anois. Ní bhíodh ann ach slabhra agus dhá bhosca. D'fhanadh fear ar bharra na haille agus scaoileadh sé sin síos an chuid eile agus ansan théadh sé féin síos ina ndiaidh.

Chuadar síos sa bhfaill agus bhuail báidín beag leo agus chuadar isteach inti agus bhailíodar leo tríd an bhfarraige siar. Ansan thángadar i dtír ar oileáinín beag a bhí i bhfad siar sa bhfarraige. Chonacadar tamall uathu caisleán an-álainn agus é ag taitneamh fé sholas na gréine. D'imíodar orthu fe dhéin an chaisleáin agus ní raibh istigh rompu ach a ndeirfiúr. Nuair a chonaic sí iad tháinig an-áthas uirthi agus thug sí trí póga do gach duine acu.

Ansan d'fhiafraíodar di cá raibh an fathach agus dúirt sí go raibh sé imithe ag fiach. Ansan thug sí bia agus deoch dóibh agus an fhaid a bhíodar ag ithe bhí sí féin ag bailiú chucu gach aon rud luachmhar a bhí sa chaisleán. Nuair a bhí gach aon rud curtha i bhfearas acu do léimeadar isteach sa bhád arís agus an cailín ina dteannta agus níor dheineadar stad ná staonadh nó gur shroiseadar Faill Cliath i nDún Chaoin arís.

Ansan thángadar amach ar an gcaladh agus chuireadar gach aon rud dá raibh acu suas ar barra. Ansan chuaigh an mac ba shine ar barra agus an dara mac ina dhiaidh. Ansan dúradar leis an mac óg an t-airgead agus na rudaí luachmhara a chur isteach i seanbhoscaí. Nuair a bhíodar san curtha ar barra ligeadar anuas na boscaí arís chun an deirfiúr a thabhairt ar barra. Ach sula gcuaigh sí ar barra, dúirt sí leis an bhfear thíos:

'Chomh siúrálta agus tánn tú ansan, fágfaidh an bheirt thíos tú, agus seo duit fáinne agus pé rud a loirgeoir, gheobhair é.'

Ansan chuir sé an deirfiúr isteach sa bhosca agus tarraingíodh in airde í. Chomh luath is a bhí an deirfiúr ar barra, fáscadh ar a chéile na boscaí agus fágadh thíos an mac óg. Ansan chuireadar díobh abhaile agus iad go lántsásta.

Bhí an buachaill a bhí sa bhfaill chomh mór sin trína chéile nár chuimhnigh sé riamh ar an bhfáinne nuair a chonaic sé na boscaí fágtha ar barra. Chaith sé lá agus bliain sa bhfaill agus é ag maireachtaint ar an ndileasc agus ar bhairnigh. Aon lá amháin bhí sé ag iarraidh bairneach a bhí istigh idir dhá chloch a bhaint agus scríob an fáinne den gcloch agus dúirt sé:

'A mháistir, is mithid duit labhairt liom.'

Sin é an uair díreach a chuimhnigh sé ar an bhfáinne agus dúirt sé:

'Ta sé in am agam cuimhneamh ort.'

Ansan chas sé an fáinne ar a mhéar agus dúirt sé gur mhaith leis a bheith ar barra agus ní raibh ach an focal as a bhéal nuair a bhí sé in airde ar bharra na haille.

'Is ea anois,' ar sé, 'ba mhaith liom dá mbeinn bearrtha,' agus ní raibh ach an focal as a bhéal nuair a bhí sé glanbhearrtha, agus do theastaigh sé uaidh mar bhí féasóg bliana air.

Bhailibh sé leis agus bhain sé de a chuid éadaigh nua agus chuir sé air a sheanéadach. Bhí sé ag iarraidh tí a athar a bhaint amach ar a dhícheall. Ansan chuimhnigh sé ar an aoire a bhí ag a athair agus dúirt sé go rachadh sé chuige sin ar dtúis. Bhailibh sé leis fé dhéin an tí agus nuair a chuaigh sé isteach ann lig sé air gur fear siúil é. Agus dúirt sé le lánú an tí an bhfágfaidís istigh go maidin é, agus dúradar san leis go bhfágfaidís agus fáilte, ach ná raibh an áit rómhaith aige ach gur bhfearr é ná a bheith amuigh fé spéir na hoíche.

Bhíodar ansan ag caitheamh na hoíche i dteannta a chéile agus ní raibh aon chló bídh ar an dtigh agus bhí na leanaí ag gol le hocras. Ghlac trua é dóibh agus dúirt sé istigh ina aigne: 'Tá sé chomh maith agam béile maith bídh a thabhairt daoibhse, a leanaí bochta, i dtaobh go bhfuil an fáinne agam.'

Ansan dúirt sé le bean an tí an t-urlár a scuabadh. Nuair a bhí sé déanta aici do labhair sé leis an bhfáinne agus dúirt sé leis béile maith bídh a chur amach go dtí na leanaí. Agus ní raibh ach an focal as a bhéal nuair a bhí éadach boird i lár an urláir agus gach aon tsaghas bídh air. Ansan do shuíodar go léir chun boird agus d'itheadar a ndóthain den mbia. Nuair a bhí na leanaí sásta go maith chuadar a chodladh agus i gcaitheamh na hoíche dóibh bhí fear an tí agus an fear siúil ag caint le chéile. Agus dúirt fear an tí go mbeadh an-lá seoigh anso amáireach:

'Tá iníon an rí le pósadh fé cheann dhá lá agus seanrá a bheidh acu amáireach air, is é sin, 'fiach ar ghiorria' — agus an té is fearr a thiocfadh suas leis. Agus tá an-mhuinín ag gach aon duine as cliamhain an rí, gurb é is fearr, é féin is a chapall, sa bhfiach.'

'Tá go maith,' arsa an fear siúil.

Chuadar a chodladh dóibh féin go dtí an lá amáireach agus d'éiríodar ar maidin agus arsa fear an tí:

'An rachair ag féachaint ar an bhfiach so inniu?'

Bhailíodar leo, an fear siúil agus é féin, is nuair a chuadar fé dhéin na háite ina raibh an fiach, scaipeadar féin óna chéile.

Agus chuaigh an buachaill leis féin agus dúirt sé leis an bhfáinne culaith bhreá éadaigh agus capall maith fiaigh a thabhairt dó. Ní fheadair éinne cad as an gaiscíoch féna chulaith bhreá, an gaiscíoch a ghabh trí lár na trá.

D'imigh an fiach sa tsiúl agus is é ba thapúla a tháinig suas leis an ngiorria. Nuair a tháinig sé trasna ar chliamhin an rí, ní dhein sé aon rud ach breith ar dhá chois deiridh an ghiorria agus é smiotadh sa phus air agus é a chaitheamh chuige. Bhí san go maith. Tháinig ceann síos ar chliamhain an rí, air féin, nuair a chonaic sé cad a dhein an gaiscíoch leis.

Agus d'imigh an gaiscíoch leis agus níor stad sé gur chuaigh sé san áit chéanna agus dhein suas lena sheanbhalcaisí céanna é féin agus bhí sé sa bhaile roimh fhear an tí. D'fhiafraigh fear an tí de conas a thaitin an lá leis agus dúirt sé go dtaitin go diail leis.

'Is ea anois,' arsa é sin leis an mbean, 'scuab síos an tigh.'

Bhí ocras orthu tar éis an lae. Dúirt sé leis an bhfáinne bia breá a chur amach chuige féin, go dtí an mbean agus an fear, agus chun na bpáistí. Tháinig comhra[43] breá agus é lán de gach aon saghas bídh agus d'itheadar a ndóthain de.

'Is ea anois, ' arsa fear an tí, nuair a bhí sé ag druidim lena hocht a chlog, 'tá sé chomh maith againn tabhairt fé thigh an phósta. Beidh an lánú so le pósadh ar a dódhéag anocht.'

'Má bhíonn féin,' arsa an fear eile, 'ní stracaire mar mise a rachadh ar phósadh.'

'Rí é,' arsa fear an tí. 'Beimid caite i measc na mbocht agus buailfidh bolgam éigin sinn ina measc.'

Bhailíodar leo go dtí an gcóisir. Is ea, chaitheadar i measc na mbocht iad féin agus bhí na huaisle sna parlúis. Bhí an suipéar á chaitheamh ann roimis an bpósadh. Cuireadh gach duine, idir bhocht is saibhir chun bídh. Ghabh deoch amach fé cheann tamaill agus nuair a fuair an stracaire seo gloine, d'ól sé smut di agus d'fhág sé braon eile sa ghloine, is ní dhein sé aon rud ach an fáinne a chaitheamh síos sa ghloine agus a rá: 'Abair le bean an rí mo shláinte a ól.'

---

[43] *sgóraith* sa ls.

'Nach údarásach ataoi,' arsa an fear a bhí ag roinnt an óil, 'go n-ólfadh bean an rí do shláinte-se.'

Thug sé chuici é agus thug sé di an gloine agus dúirt go n-iarr buachaill ansan thíos uirthi a shláinte a ól. Dúirt sí go ndéanfadh. Bheir sí ar an ngloine agus nuair a d'ardaigh sí an gloine uirthi féin, léim an fáinne agus chuaigh sé ar a srón. Bhí gach aon scread ansan aici mar bhí an fáinne ag fáscadh ar a srón agus glaodh go tapaidh ar an bhfear a thug an gloine uaidh chun a shláinte a ól. Agus nuair a chuaigh sé i láthair na banríona bhí gach aon scread aici.

'Bog, bog, a fháinne,' arsa é sin, 'agus téir ar mhéar mo mháthar.'

Léim an fáinne agus chuaigh ar a méar.

'Fáisc, fáisc, a fháinne ar mhéar mo mháthar,' ar sé. 'Cé leis an mac críonna, a mháthair?' arsa é sin.

'Leis an rí, a ghrá gil,' a dúirt sí.

'Fáisc, fáisc, a fháinne ar mhéar mo mháthar,' ar sé arís.

'Cé leis an mac críonna, a mháthair?'

'Leis an mbuitléaraí, a ghrá gil,' ar sí.

'Fáisc, fáisc, a fháinne ar mhéar mo mháthar. Cé leis an dara mac?'

'Leis an rí, a ghrá gil,' ar sí.

'Fáisc, fáisc, a fháinne ar mhéar mo mháthar. Cé leis an dara mac?' arsa an fear arís.

'Leis an ngairneoir, a ghrá gil,' ar sí.

'Fáisc, fáisc, a fháinne ar mhéar mo mháthar. Cé leis an tríú mac?' ar sé.

'Leis an rí, a ghrá gil,' ar sí.

'Fáisc, fáisc, a fháinne ar mhéar [mo mháthar]. Cé leis iníon an rí?'

'Ó, leis an rí, a ghrá gil,' ar sí.

'Is fíor san, a mháthair, mar dá mba leis an rí iad ní fhágfaidís sa bhfaill mise ina ndiaidh féin.'

Nuair a chonaic an rí tagtha abhaile an mac óg, bí áthas is lúcháir air. Pósadh iníon an rí agus an fear le chéile, agus más ea, nach fada a fuair an bheirt mhac eile sa tigh nuair a tugadh an bhróg amach dóibh. Thit an ríocht go léir ar an mac óg agus mhair sé gan mhairg as san amach.

Tá an nóta seo i bpeannaireacht Nóra Ní Shéaghdha ag deireadh an scéil in CBÉ 20:338: *Cáit Ní Ghuithín a fuair óna seanathair, Dómhnall Ó Cinnéide 75 bl.*

Leagan é an scéal seo de TIF 301A, *Quest for a Vanquished Princess,* agus tá 193 leagan de áirithe in TIF faoin tíopa sin, an ceann seo ina measc. Coimsítear na leaganacha seo go léir mar aon le go leor leaganacha eile faoin tíopa leasaithe ATU 301, *The Three Stolen Princesses*.

Nóra Ní Shéaghdha ag dáileadh bainne ar leanaí na scoile
(Cnuasach Bhéaloideas Éireann; Thomas Waddicor a thóg, 1932)

SCÉALTA RÓMÁNSACHA

An Fear Dubh agus an Fear ó Dhún Chaoin

Fadó riamh bhí fear ag dul ó Dhún Chaoin go Corcaigh ag díol ime. San am san bhíodh robálaithe timpeall na háite, agus nuair a d'fhaighidís aon fhear ag siúl ar an mbóthar go mbíodh aon phingin airgid aige, do bhainidís de é. Ní bhíodh aon chartacha ann an t-am san agus mar gheall ar sin, is ag marcaíocht ar na capaill a théidís nuair a theastódh uathu dul ó áit go háit.

Ach go háirithe, d'fhág an fear so a thigh féin ar a cúig a chlog ar maidin. Do ghléas sé an capall agus do chuir sé an feircín ime a bhí aige ar a dhrom. Do bhí an mhaidin go breá agus do bhí sé ag cur an bhóthair de go maith ach i gceann tamaill nuair a d'fhéach sé ina dhiaidh, cad a chífeadh sé ach fear dubh ag siúl ina dhiaidh. Do tháinig crith cos is lámh ar an bhfear bocht mar cheap sé gur robálaí a bhí ann agus go raibh a phort seinnte. Do labhair an fear dubh go deas leis agus dúirt sé leis gan aon eagla a bheith air mar go raibh sé féin ag dul go Corcaigh leis, agus go gciorróidís an bóthar i dteannta a chéile.

Do bhíodar ag imeacht leo ansan go dtí go dtáinig an oíche, agus b'fhearr le fear Dhún Chaoin dul ar aghaidh ach dúirt an fear dubh leis go rachaidís suas sa tigh a bhí ansan thuas is go mb'fhéidir go bhfaighdís lóistín na hoíche ann. Do chuadar suas agus do cheanglaíodar an capall taobh claí agus do chuireadar an feircín ime isteach i seomra a bhí taobh an tí. Chuadar isteach sa tigh agus ní raibh istigh rompu ach bean phósta. Fuaireadar bia agus deoch uaithi agus seomra chun codlata.

Is é an áit a chuadar chun codlata ná in airde ar lochta a bhí sa tigh agus ní raibh aon staighre ag dul in airde chuige ach dréimire. Nuair a chuadar a chodladh dúirt an fear dubh le fear Dhún Chaoin mar bhraithfeadh sé aon tóir ag teacht, glaoch air féin. I gcaitheamh na hoíche do chuala fear Dhún Chaoin an fothrom ag teacht. Do baineadh sceit as. Do bhí an fear dubh an uair sin ina chnap codlata. Do dhúisigh fear Dhún Chaoin go tapaidh é agus ansan do tháinig triúr robálaithe isteach. Nuair a fuaireadar amach go raibh an bheirt ina gcodladh, do chuaigh duine acu in airde chucu agus scian coise duibhe aige. Ní túisce sin ná tharraing an fear dubh amach a scian féin. Nuair a tháinig an robálaí go barr an dréimire, do tharraing an fear dubh sa cheann air leis an scian agus bhain sé an ceann de.

Do chuaigh an dara robálaí in airde agus d'imigh an cleas céanna air agus ba mheasa ná san a d'imigh ar an dtríú robálaí. Nuair a bhí an méid sin déanta acu do thángadar anuas go sásta agus do chuireadar iachall ar bhean an tí an bia a ullmhú dóibh agus do dhein sí é gan puinn righnis. Nuair a bhí an bricfeast ite acu, d'ullmhaíodar iad féin chun bóthair. Do ghléasadar an capall agus do chuireadar an feircín ime ar a dhrom. Do thugadar leo na trí cinn róbálaí mar do bhí trí chéad punt le fáil an uair sin ar cheann robálaí.

Nuair a shroiseadar cathair Chorcaí do dhíol fear Dhún Chaoin an t-im agus do thug an fear dubh na cinn robálaí do na póilíní agus do fuair sé roinnt mhaith airgid dá mbarr. Do thug sé leath den airgead d'fhear Dhún Chaoin, ní nárbh ionadh. D'fhan an fear dubh i gCorcaigh mar do bhí sé chun dul ar bhord loinge lá arna mháireach. Do ghléas fear Dhún Chaoin a chapall agus do ghluais sé chun bóthair, agus do shrois sé a bhean is a pháistí féin go sásta.

Tá an síniú, *Cáit Ní Chonchúbhair 26-11-1929*, ag deireadh an scéil seo.

Scéal gaolmhar é seo do ATU 956, *Robbers' Heads Cut Off One by One as They Enter House*. Cailín óg a bhaineann an ceann de na robálaithe sa dá leagan ó Chiarraí den tíopa sin a áiriítear in TIF 956 (CBÉ 469:164-70; CBÉ 24:74-81), agus arís in 'The Girl and the Robber' ag J. Curtin, *Tales of the Fairies and of the Ghost World*, [1895], Dublin 1974, 72-80. Chuir Bo Almqvist in iúl dom go luath roimh a bhás gur thóg sé an scéal mar atá sé thuas ó Mhícheál Ó Gaoithín agus go ndúirt Mícheál leis gur ó Eoghan Ó Súilleabháin a fuair sé é agus gur 'Fear Dhún Chaoin agus an *Black*' an teideal a bhí ag Mícheál air.

****

An Seantháilliúir

CBÉ 20:272-82

Sa tseanshaol fadó bhíodh an-thrácht á fháil ag táilliúirí sa Bhlascaod Mór mar treabhsair bhréide a bhíodh á chaitheamh an uair sin. Níorbh é gach aon táilliúir a thaitníodh leis na hOileánaigh sa ghnó so mar nárbh é gach táilliúir a dheineadh fé mar ba mhaith leo é. Bhí táilliúir speisialta ann a d'oir go maith do mhuintir an Oileáin, ach tá sé ráite riamh go leanann a lochtaí féin gach n-aon. Ba é an scéal céanna ag an bhfear so é — bhí ard-dhúil san ól aige.

Níorbh aon áit d'fhear óil an tOileán. Bhí a fhios san ag ár nduine agus bhíodh an-leisce air teacht chun fanúint sa Bhlascaod mar ba theanntaithe leis a bhíodh sé ó thigh an tábhairne. Ach is é an uair ba mhinicí a thagadh sé chucu[44] ná an uair a bhíodh sé ar a mheisce. Lá áirithe bhí an táilliúir agus duine muinteartha dó istigh i dtigh an óil. Bhí an bheirt acu bogtha go maith. Ghabh fear uasal isteach chucu agus d'fhiafraigh sé díobh an dtógfaidís leathchoróin. Ghlac an dúil san airgead iad, dar ndóigh, agus thógadar an

44 *leo* atá sa ls.

leathchoróin; rud eile, níor thuigeadar cad é an bhrí a bhí léi in aon chor.

Ba é críoch agus deireadh an mbeart gur óladar an t-airgead a fuaireadar. Nuair a bhí luach an airgid ina mbolg, cháisíodar iad féin leis an bhfear uasal arís. Thug sé a thuilleadh dóibh. Tráthnóna thiar agus mo bheirt ar stealladh na ngrást, tháinig an fear uasal chucu. Ba é an duine é ná captaen na saighdiúirí agus is é cúram a bhí air ná ag mealladh fearaibh chun dul san arm. Bhí an cogadh mór ann lena linn seo. Nuair a tháinig sé go dtí an mbeirt dúirt sé leo bheith ag bogadh ina theannta anois.

'Tóg bog go fóill é,' arsa páirtí an táilliúra, agus ar seisean le leathchos maide a bhí fé: *'Come on Bess.'*

'Cuir uait do chuid Bessana anois,' arsa an captaen, ag féachaint i dtreo na coise. [Ach] ceart go leor cos mhaide do ba ea í agus bhí an captaen lán d'fhearg nuair a chonaic sé go raibh a chuid airgid imithe agus ná féadfadh sé é a thabhairt leis. Chaith sé fear na leathchoise a fhágaint ina dhiaidh mar dá dtabharfadh sé leis é, dhéanfaí seó de — déarfaí gurbh é féin a bhí ar meisce agus nárbh é fear na máchaile.

Do ghluais an táilliúir i dteannta an chaptaen agus níor mhaíte an bóthar air mar bhí an captaen ar buile i dtaobh an bhob a bhí buailte air. Aon fhaoiseamh ní bhfuair an táilliúir bocht nó gur ropadh isteach i mbeairic é. Ar maidin amáireach nuair a bhí an meisce imithe den dtáilliúir agus nuair a chonaic sé an áit ina raibh sé, cheanglófaí fear do b'fhearr céille ná é. Bhí sé ansan ar feadh cúpla mí agus gan é roshásta leis féin mar bhí an iomad smachta air agus gan aon dul ar an mbraon aige, agus rud ba mheasa ná san, eagla air ó lá go lá go nglaofaí sa troid air.

Sa deireadh thiar chuimhnigh sé ar phlean. Lig sé air a bheith beagán ait. Aon duine a d'fhéachfhadh in aon chor air, d'imíodh an táilliúir ina dhiaidh, mar dhea, as san go rithfeadh sé i ndiaidh na gcuileanna, bheireadh orthu agus d'itheadh go sásta iad.

'Seo siúd ormsa,' arsa ceann de na saighdiúirí lá, 'go bhfuil an stróinséir ar bheagán céille.'

Tháinig an scéala go cluasa an oifigigh: 'Is ea,' arsa an t-oifigeach, 'beadsa ag féachaint ina dhiaidh anocht agus de réir mar a bheidh sé ag caitheamh, féachfad chuige.'

Fé mar a bheadh an nimh ar an aithne ag an dtáilliúir, an oíche sin d'éirigh air ar fad. Níor fhág sé rud amadánta ar an saol nár dhein sé. Cheistigh an t-oifigeach ina thaobh go géar ar maidin. Bhí an táilliúir ann feadh na haimsire agus cuma an amadáin go maith air. Níor lig sé air go rabhadar ag caint air chuige. Beireadh air tar éis tamaill agus cuireadh isteach i seomra beag é ná raibh faic ann ach gráta beag. Cuireadh an glas air.

Ní díomhaoin a bhí an táilliúir an fhaid a bhí sé istigh. Bhí sé ag cuimhneamh ar cad ba cheart dó a bheith á dhéanamh aige nuair a thiocfaidís isteach arís. Tháinig smaoineamh chuige; bhain sé a sheanhata dá cheann, agus cad a dhein sé ná an mullach a bhaint as agus an deil a bhí timpeall ar a hata a choimeád. Do dhóigh sé an hata sa ghráta agus nuair a chuala sé ag teacht arís an t-oifigeach agus a lucht leanúna, níor dhein sé ach an blúire den ndeil a bhí aige a chur siar ina bhéal agus ligint air a bheith á ithe. Mar sin a fuair an t-oifigeach é. Chuir sé lorg ar an gcuid eile den hata ach tásc ná tuairisc ní raibh de ann. Dúradh, siúrálta, gurb amhlaidh a d'ith sé é, agus ar ndóigh, nár ghá a thuilleadh a iarraidh chun admháil go raibh sé ar mire.

D'ordaíodh an dochtúir dó. Chuala an táilliúir iad á rá lena chéile go bhfaigheadh an dochtúir amach óna chuisleanna má bhí aon easpa céille air. Dealraíonn an scéal ná raibh aon an-iontaoibh as. Chuala an táilliúir an chaint ar na cuisleanna:

'Cuirfeadsa mo chuisleanna ar mire go maith san am is go dtiocfaidh an dochtúir,' ar sé, ag bualadh gach re peilt dá uilleanna i gcoinne an fhalla. Chuir san na huilleanna ag crith go maith aige. Bheir an dochtúir ar chuisleanna ar an dtáilliúir agus láithreach bonn d'ordaigh sé é a chur go Gleann na nGealt. Cuireadh ann é ach ní fada a bhí sé ann nuair a scaoileadh leis. Tháinig sé abhaile agus ba bheag an easpa meabhrach a bhí air.

Luigh sé leis an dtáilliúireacht arís agus d'éirigh sé as an ól. Fuair sé bean agus ba mhór an formad a bhíodh leis an mnaoi a phós an táilliúir. Ba ghearr, áfach, gur bhuaigh an dúil ar an ngrá ag an dtáilliúir agus thosaigh sé ar an ól arís. D'óladh sé a dtuilleadh sé go dtí sa deireadh gur tharraing an t-ólachán chun drochshláinte é. 'Beag an mhaith' an leasainm a bhíodh ag mná an Bhlascaoid air anois mar thuigeadar gur bheag an mhaitheas a dheineadh an méid a thuilleadh sé dó. Tháinig an bás ar an dtáilliúir roimh am agus d'fhág sé a bhean go beo bocht ina dhiaidh.

Ní luaitear ainm bailitheora ná faisnéiseora.

Cf. MIFL móitíf K523.1 *Escape by shamming madness.*

****

Conall Gulban

CBÉ 34: 265-9

Bhí fear mór tábhachtach in Éirinn fadó i gContae Chiarraí. Bhí beirt mhac aige gurbh ainm dóibh Seán agus Conall — Seán ar an bhfear críonna agus Conall ar an bhfear óg. Bhí an-chuma fir ar Chonall agus dúirt a athair leis gurbh ábhar gaiscígh é. Buaileadh isteach i dtigh leis féin ansan é, thuas ar thaobh cnoic, áit go raibh aer breá folláin aige. Ba é an bia a bhí á fháil aige ná bainne cí lárach agus cruithneacht dhearg. Do bhí sé ansan ar feadh bliana agus an fear a bhí ag friotháil an bhídh air, dúirt sé leis go raibh a dheartháir Seán ag pósadh.

'Beidh an féasta anocht acu. Nach mór an obair ná fuairis cead chun dul ann,' arsa an fear friothála.

'Ó, ná fuil an cead anois agam,' arsa Conall, 'agus féach cé a stopfaidh mé? Imigh ort,' ar sé leis an bhfear friothála, 'agus tabhair chugam an capall is fearr más féidir leat é.'

D'imigh an fear go dtí an stábla agus do thug sé leis an láirín ghlas, mar is í is mó go raibh meas aige uirthi, féna srian agus féna hiallait. Chuaigh Conall ag marcaíocht uirthi is do b'sheo leis fé dhéin tí a athar, an áit go raibh an féasta. Do mháirseáil sé lasmuigh den ngeata — na cúirte — agus do chuaigh an geatóir isteach is dúirt sé le fear an tí go raibh fear uasal éigin amuigh.

'Imigh ort amach,' arsa fear an tí, 'agus abair leis teacht isteach, más é a thoil é.'

Do chuaigh an geatóir amach agus dúirt sé leis teacht isteach mar go dtug fear an tí cuireadh dó, má ba é a thoil teacht.

'Ní rachadsa isteach nó go dtiocfaidh an bhean óg amach ag glaoch orm,' arsa Conall. Do chuaigh an geatóir isteach agus d'inis sé an scéal fé mar a dúirt an fear amuigh.

Ansan do chuir an bhean óg i gcead mhuintir an tí an rachadh sí amach ag glaoch air, agus dúradar léi dul, mar bhí a fhios acu gurbh é Conall a bhí amuigh. Do chuaigh sí amach, agus dúirt sí leis teacht isteach má ba é a thoil é, ar an bpósadh, mar go raibh sí féin agus a dheartháir ag pósadh amáireach.

Do shín sé anuas a lámh chuici, do bheir sé ar láimh uirthi, agus do thug sé aon stracadh amháin di is bhuail sé ar an dtaobh thiar de í sa chapall. Agus níor stad sé go dtí go dtáinig sé go dtí ceann an Dúin Mhóir, an pointe is sia siar in Éirinn. Do stad sé ansan agus dúirt sé léi go raibh codladh air agus do bhuail sé a cheann ina hucht — codladh gaiscígh a bhí air, is é sin, codladh seacht lá is seacht n-oíche.

'Má thagann aon duine fé do bhráid faid a bheadsa i mo chodladh, abair leis trí stracadh nimhe a bhaint as mo chluasa sula dtabharfaidh sé leis tú.'

Mar sin do bhí. Do thit a chodladh air agus nuair a bhí sé ina chodladh is gearr go bhfaca sí chuici aniar ón Sceilg, fear mór ná raibh an t-uisce ag dul go dtí a ghlúine agus ná rachadh pláta péatair idir é agus an spéir, is cliabh mór thiar air. Nuair a bhí sé ag gabháil thairsti ó thuaidh trí lár an Bhealaigh, d'fhéach sé isteach agus chonaic sé bean álainn istigh ar an nDún. Dúirt sé leis féin go raibh sí sin chomh breá leis an mbean go raibh sé féin a dul ag triall uirthi. D'iompaigh sé isteach chuici agus d'fhiafraigh sé di cá bhfuair sí an truán san.

'Ní thabharfá truán air sin dá mbeadh sé ina dhúiseacht,' ar sí.

Do bheir sé ar an mbean ar láimh is dúirt sé léi gluaiseacht leis. Dúirt sí leis trí stracadh a bhaint as a chluasa san sula dtabharfadh sé leis í, má ba é a thoil é. Do thóg sé in airde Conall trí huaire is níor dhúisigh sé. Do bhuail sé thiar sa chléibh an bhean agus do bhailibh sé leis ó thuaidh agus an breac do thaitníodh leis do mharaíodh sé le hordóg coise é is do chaitheadh sé thiar sa chléibh é, is d'fhiafraíodh sé di an dtaitníodh sé sin léi.

Do ghabh árthach trí chrann an Fiach aduaidh ina choinne. Do leath sé a dhá chos óna chéile is scaoil sé ó dheas trína dhá chois í. Bhí gaiscíoch inti darbh ainm Gaiscíoch an Ruanaigh. Nuair do ghabh an t-árthach tharais do sciob an captaen a bhí uirthi an bhean ón bhfear mór. Do bhailibh an fear mór leis mar ná raibh a fhios aige go raibh sí imithe uaidh ach gach aon bhreac mór do thaitníodh leis do chaitheadh sé thiar sa chléibh é agus d'fhiafraíodh sé den mbean: 'An dtaitníonn sé sin leat?' B'fhada leis go raibh sí ag tabhairt aon toradh air. Do leag sé chuige aniar an cliabh agus do chonaic sé ná raibh aon bhean sa chléibh. Bhí iontas mór air cár imigh sí, ní nárbh ionadh. D'fhéach sé i ndiaidh na loinge. Bhí sí an Sceilg ó dheas. B'sheo ina diaidh é agus ba ghearr an mhoill air teacht suas léi. Do thóg sé aisti an bhean is do bhuail sé thiar sa chliabh í. Do bheir sé ar chlár deiridh an loinge agus do thug sé aon stracadh amháin di is dhein sé dhá lomleath di ó thosach go deireadh.

Ba é Gaiscíoch an Ruanaigh an fear a bhí ar bord san árthach. Do cheangail an fear mór den gcrann é agus d'imigh sé féin ó thuaidh. Níor stad sé is níor rómhair sé nó gur bhain sé amach Ríocht na bFear Gorm, mar b'shin é an áit gurb as é. Chuir sé an bhean isteach i gcaisleán mór agus chuir sí mar bhreith agus mar chleasa droma draíochta air gan aon bhaint a bheith aige léi féin go ceann lae is bliana nó go dtiocfadh Conall Óg agus go bhfuasclódh sé í.

Nuair a dhúisigh Conall ansan, ní raibh an bhean le feiscint aige. Do chuardaigh sé gach áit di agus ní bhfuair sé í. Do chuimhnigh sé ansan gur namhaid éigin a ghabh chuici do ghoid uaidh í. Bhí sé go dubhach brónach. Do bhuail sé suas agus do chonaic sé aoire bó is chuaigh sé chun cainte leis agus d'eachtraigh sé sin dó mar gheall ar an bhfear mór agus ar a bhean. D'fhiafraigh sé den aoire an mbeadh aon tseanchurachán árthaigh ansan timpeall go n-imeodh sé chun farraige ina diaidh. Dúirt an t-aoire leis go raibh ceann anso ar an dtráigh. Do chuaigh Conall ag triall uirthi is do bhain sé crothadh nimhe aisti is níor fhág sé rian gainmhí ná meirge uirthi.

Do thiomáin sé an t-aoire go dtí an mbaile mór ag triall ar sheolta agus ar gach fearas eile a bhaineas le long dó. Do bhuail sé amach ar snámh í is do léim sé isteach inti. Do tharraing sé in airde a sheolta bochóga bána gan barrchleite isteach ná barrchleite amach ach aon chleite amháin a bhí ag déanamh ceol sí don laoch a bhí ar bord. Nuair a théadh as den ngaoth do tharraingíodh sé amach a dhá mhaide binne buana den bhfuinseog cheart nó den ndéil dhearg a thagadh ón Domhan Thoir. Gach aon stracadh dá dtugadh sé dóibh, théidís seacht léig den bhfarraige. Chuireadh sé íochtar na farraige in uachtar agus uachtar na farraige in íochtar, riamh is choíche nó gur shrois sé an Tráigh Bháin a bhí sa Ghaillimh. Do chaith amach a ancaire agus chuir sé feisteas lae is bliana ar an long sa chás ná beadh sé uaithi ach uair an chloig. Do bhuail sé barr a chlaímh ar a deireadh is do chuaigh sé suas ar an dtráigh.

Bhí mórán daoine ansan cruinnithe roimis mar bhí báire le beith acu — camáin agus liathróid, aon fhear amháin ag dul leis an mathshlua go léir. Do ba é sin mac rí na Trá Báine agus do chuir sé fáilte roimh Chonall agus dúirt Conall leis camán eile a fháil dó féin is go rachadh sé féin i gcoinne an mhathshlua go léir agus mac rí na Trá Báine ina theannta. Do fuair Conall go tapaidh an camán agus buaileadh go tapaidh an liathróid. Do tháinig Conall i gceann den dtráigh is do tháinig an chuid eile sa cheann eile. Do bhuail Conall an liathróid agus níor fhéad éinne í a staonadh go dtí gur chuaigh sí i mbéal báire.

Do thug mac rí na Trá Báine cuireadh do Chonall chun a thí féin. D'ullmhaíodh an dinnéar dóibh agus buaileadh chucu mias mhór feola. An fhaid a bhíodar ag ithe do tháinig an crann ar an dtráigh agus Gaiscíoch an Ruanaigh ceangailte de. Do scaoil na daoine é agus nuair a scaoileadh é, b'sheo chun tí an rí é, gan cead, mar do bhí an t-ocras thar barr air. Nuair a tháinig sé isteach chonaic sé an mhias ar an mbord agus do sciob sé leis í. Tháinig an-náire ar Chonall i dtaobh a rá gur thug éinne an mhias uaidh. Nuair a bhí an mhias ite ag an bhfear mór, do tháinig sé thar n-ais agus do sciob sé leis an dara mias. Le linn dó a bheith ag imeacht leis an dara mias do bheir Conall ar láimh air agus dúirt sé leis suí síos agus a dhóthain a ithe. Do shuigh sé síos agus d'ith sé a dhóthain den bhfeoil agus d'eachtraigh sé do Chonall mar gheall ar an bhfear mór. Do chuaigh Conall agus mac rí na Trá Báine agus gaiscíoch an Ruanaigh ar thóir na mná go Ríocht an bhFear Gorm.

Do mháirseáladar leo tríd an áit is do chonacadar in airde i mbarr an ghrianáin an bhean, agus d'aithin Conall go maith í. Do labhair sé léi uaidh suas. Dúirt sí leo an áit sin a fhágaint ar eagla go dtiocfadh an ollphiast mór úd is go maródh sé iad. D'imíodar leo ansan is chuadar ar lóistín fén mbaile. Do tháinig an fear mór abhaile tráthnóna is do bhí sí á thabhairt fé ndeara go maith, is do chonaic sí ball searc ina bhrollach, is dúirt gur ansan a bhí an marú air. Chomh luath is gheal an lá amáireach ar an bhfear mór d'imigh sé leis ag fiach. Do tháinig Conall amáireach fé dhéin an chaisleáin agus do labhair sé leis an mnaoi arís. Dúirt sí le Conall go raibh ball searc sa bhfear mór agus dá ráineodh sé leis é a bhualadh ansan go raibh sé marbh aige.

Do bhuail Conall buille ar an gcuaille comhraic a bhí lasmuigh den gcúirt. Ba chomhchlos ar fud na tíre é agus do chuala an fear mór é is b'sheo chun siúil fé dhéin an chaisleáin é mar d'aithin sé go raibh namhaid éigin tagtha. Do tháinig sé is do chonaic sé Conall gafa ina chulaith airm roimis is d'fhiafraigh sé de Chonall cad a bhí uaidh agus dúirt Conall leis go raibh comhrac aonair uaidh ar son na mná. B'sheo ar a chéile iad agus bhíodar mar sin ar feadh lá is seacht n-oíche gan bia gan deoch agus gan sos. Sa deireadh bhuail Conall sa bhall searc é agus do mhairbh sé é.

'Mo ghrá do ghéaga, a Chonaill,' arsa an bhean. 'D'aithníos féin go bhfuasclófá mo chás.'

Do bhailíodar leo gach ollmhaitheas dá raibh sa chaisleán. Tháinig Conall agus a bhean, Gaiscíoch an Ruanaigh agus mac rí na Trá Báine go hÉirinn. Do bhuail a dheartháir Seán le Conall agus níor aithníodar féin a chéile. Dúirt Seán le Conall cá bhfuair sé an bhean bhreá a bhí aige.

'Má bheireann tú ar bharr baithise orm,' arsa Conall, 'neosfad duit é.'

Do sháigh sé chun Conall agus do leag sé é.

'Má mhairim beo, is tú mo dheartháir Seán go mbíodh an leagadh agat agus an t-éirí agamsa,' arsa Conall.

'Cérbh é d'athair?' arsa Seán.

'Is é m'athair Cam Golb,' arsa Conall.

'Dé do bheatha, i do shaol is i do shláinte,' arsa Seán. 'Is mise do dheartháir, agus do phógadar araon a chéile agus níor dheineadar stad ná staonadh nó gur bhaineadar amach tigh a n-athar. Do chuir a n-athair míle fáilte roimh Chonall. Bhí Seán pósta thar n-ais i dtigh a n-athar. Do phós Conall an bhean óg agus mhaireadar go lánsásta as san amach.

Tá nóta a thagraíonn don fhaisnéiseoir ag deireadh an scéil i lámh Nóra Ní Shéaghdha: *Muiris Ó Catháin 58 bl.* ach níl ainm bailitheora luaite. 'Comharthaí Catha' atá mar theideal ar an scéal seo sa ls.

Leagan é seo den scéal 'Conall Gulban' atá pléite in A. Bruford, 'Eachtra Chonaill Gulban', *Béaloideas* (1963) 31, 1-50, agus in A. Bruford, *Gaelic Folk-Tales and Mediaeval Romances = Béaloideas* 34 (1966), 72-9.

****

Muireann na Foighne

Bhí lánú ann fadó. Ní raibh aon chlann acu ach ar deireadh bhí gearrchaile beag acu. Bhíodar ina gcónaí in áit ná raibh puinn Caitlicigh ann a rachadh chun baistí leis na leanbh. Dúirt an sagart go mbeadh sé féin mar athair baistí ag an leanbh. Ní raibh aon mháthair baistí le fáil ach chonacadar chucu cóiste dearg agus aon bhean amháin ann. Dúirt sí go rachadh sí féin mar mháthair baistí leis an leanbh ach go gcaithfí a hainm féin a thabhairt uirthi. Is é an ainm a thug sí uirthi ná Muireann na Foighne agus thug sí cuid mhór airgid don leanbh. Dúirt sí ná tiocfadh sí go mbeadh an leanbh seacht mbliana d'aois.

Tháinig sí nuair a bhí na seacht mbliana imithe agus thug sí cuid mhór rudaí deasa go dtí Muireann. Dúirt sí go dtiocfadh sí arís i gceann seacht mbliana eile. Bhí Muireann ceithre bliana déag d'aois nuair a tháinig sí. Bhí trí leabhar aici chuici, Ná Feic A bhFeicfir a bhí sa chéad leabhar. Ná Clois A gCloisfir a bhí sa dara leabhar. Sa tríú leabhar bhí Ná hAbair Ach An Rud Is Maith Leat Féin. D'imigh sí ansan agus dúirt sí ná tiocfadh sí go ceann seacht mbliana eile. Tháinig sí fé cheann na seacht mbliana agus bhí Muireann bliain is fiche d'aois an t-am san.

Dúirt an mháthair baistí lena hathair go gcaithfeadh sé Muireann a ligean ina teannta féin ar feadh tamaill. D'imíodar leo go dtángadar go dtí an chúirt. D'itheadar an bia agus chuadar a chodladh. Nuair a d'éiríodar ar maidin d'itheadar an bia. Thug an mháthair baistí léi Muireann in airde go barr na cúirte. Dúirt sí léi suí ar an bhfuinneoig. Thug sí péire biorán di agus ceirtlín síoda. Dúirt sí léi bheith ag cniotáil ansan di féin. Ní fada a bhí sí ansan nuair a thit an ceirtlín síoda as a láimh. Nuair a tháinig Muireann anuas chonaic sí an mháthair baistí ag imeacht ina muileann gaoithe.

Thóg sí an ceirtlín síoda agus chuaigh sí in airde arís. Ní fada a bhí sí in airde nuair a tháinig an mháthair baistí chuici. Dúirt sí le Muireann cad a chonaic sí nuair a thit an ceirtlín síoda as a láimh.

'Ní fhaca faic, a mháthair baistí.'

D'oscail sí an doras agus chuir sí Muireann amach. Bhí sí ag imeacht ar feadh cúpla lá. Casadh isteach i dtigh feirmeora í agus fuair sí bheith ag cur na luaithe amach. Fé dheireadh fuair sí bheith ina cócaire. Phós mac an rí í agus i gceann bliana bhí garsún óg aici. I lár na hoíche tháinig an mháthair baistí chuici agus ghoid sí an leanbh uaithi. Nuair a d'éirigh mac an rí ar maidin ní raibh aon bhlúire le fáil.

I gceann bliana ina dhiaidh sin bhí mac eile acu, agus i lár na hoíche tháinig an mháthair baistí agus ghoid sí an leanbh. I gceann bliana ina dhiaidh sin bhí mac eile aici, agus i lár na hoíche tháinig an mháthair baistí agus mhairbh sí an leanbh, agus chuimil sí an fhuil do bhéal Mhuireann. Nuair a d'éirigh mac an rí ar maidin dúirt sé gur ith sí an leanbh. Tháinig fearg air. Fuair sé soitheach mór agus chuir sé isteach sa tsoitheach Muireann agus cuid mhór bídh ina teannta agus beagán airgid.

Scaoil sé an soitheach amach ar an bhfarraige. Tháinig aithreachas air i dtaobh an rud a dhein sé. Thit an fear breoite. Chuir sé a pictiúir amach i ngach aon áit. Dúirt sé go dtabharfadh sé trí chéad punt don duine a gheobhadh í. Bhí sí ag imeacht ar an bhfarraige. Tháinig an soitheach isteach ar an dtráigh lá agus fuair fear é. Cheap sé gur soitheach mór feola a bhí aige. Thosnaigh sé ar é a oscailt.

'Seachain,' a dúirt an bhean istigh, 'agus ná mairbh mé.'

Bhain sé an ceann den soitheach agus tháinig an bhean amach as. Chuir sí isteach sa bhaile mór é ag triall ar chulaith bráthar. Thug sé chuici an chulaith agus chuir Muireann uirthi í.

D'fhéach Muireann go hiontach i gculaith an bhráthar. Chuaigh sí sna bráithre. Ní fada a bhí sí iontu nuair a thit rud éigin amach sa mhainistir agus ar an mbráthair seo a cuireadh é.

Bhí an bráthair seo le dó. Bhí mórán daoine bailithe an lá san. Cuireadh tine mhór mhór amuigh i lár páirce. Ní raibh uaithi ach deich neomaití chun í a dhó. Chonacadar chucu cóiste dearg. Nuair a tháinig an cóiste chucu ní raibh ann ach aon bhean amháin agus triúr leanbh. Dúirt an bhean leo cead a thabhairt di cúpla focal cainte a labhairt leis an mbráthair sin.

'Is ea, a Mhuireann na Foighne, cad a chonaicís nuair a thit an ceirtlín síoda as do láimh?'

'Ní fhaca faic, a mháthair baistí.'

'Tánn tú le dó sa tine sin.'

'Is cuma liom,' arsa Muireann, 'mar táim cortha cráite agatsa agus ba chóir go ligfeá dom feasta.'

'Is maith an bhail ormsa,' arsa an mháthair baistí, 'ná faca tú faic.' Ansan d'iompaigh sí ar na daoine agus dúirt sí leo gur bhean í sin. 'Draíocht atá ormsa,' ar sise. 'Fuaireas seasamh le seachtar leanbh chun baistí agus ní bheinn saor go ndéanfadh duine éigin acu rud ar an gcéad leabhar a thugainn do gach éinne acu. Dhein Muireann anso rud air. Táimse saor ón ndraíocht anois. Is léi na leanaí sin sa chóiste agamsa.'

Beireadh ar chailín na mbráithre agus cuireadh isteach sa chóiste í. Tháinig sí abhaile go dtí a fear, í féin is a triúr leanbh. Mhair sí féin is a fear go lán sásta as san amach.

Cáit Ní Ghuithín an scríobhaí. Ní luaitear faisnéiseoir ach is eol ó mhíreanna eile gur thóg Cáit scéalta óna hathair críonna, Domhnall Ó Cinnéide, ar an mBlascaod. Tá leasaithe i bpeannaireacht Nóra Ní Shéaghdha tríd an téacs.

Tá an scéal seo gaolmhar don tíopa ATU 887, *Griselda,* agus tá roinnt móitífeanna an-choitianta léirithe ann, e.g., K2116.1.1 *Innocent woman accused* *of killing her new-born children*; K2116.1.1.1 *Innocent woman accused of eating her new-born children*; K2155.1 *Blood smeared on innocent person brings accusation of murder*; H461 *Test of wife's patience*; *Griselda. Children stolen etc. ;* S141 *Exposure in a boat;* S431 *Cast-off wife exposed in boat* in MIFL, agus K1801.1* *Disguise by putting on clothes of certain persons* in MIEIL. Níl ach leagan aonair (ó Cho. Mhaigh Eo) áirithe faoin tíopa 887 in TIF, rud a léiríonn gur gann é a dháileadh i scéalaíocht na tíre seo.

I bhfianaise a bhfuil tugtha chun solais faoi leaganacha de scéalta Boccaccio a bheith ar eolas ar an mBlascaod — féach J. Stewart, *Boccaccio in the Blaskets*, Galway 1988, agus B. Almqvist, 'The Mysterious Mícheál Ó Gaoithín, Boccaccio and the Blasket Tradtion,' *Béaloideas* 58 (1990), 75-140 — b'fhéidir nárbh amas iomraill a mheas go bhféadfadh anáil a bheith ag scéal dá chuid siúd ar scéal Mhuireann na Foighne freisin. I scéal a Deich, Lá a Naoi in *Decamerone*, tráchtann Boccaccio ar bhanlaoch, Griselda, a d'fhulaing go leor spídiúlachta nuair a bheartaigh a fear céile ar a foighne a thástáil. D'fhéadfadh gur macalla áirithe den scéal sin faoi deara 'Muireann na Foighne' a bheith tugtha ar bhanlaoch an scéil thuas — ainm nach bhfuil luaite i measc na mbancharachtar i scéalaíocht bhéil na hÉireann in HIF 610. Ag teacht le scéal Boccaccio freisin, buailtear bob ar an mbanlaoch faoi bhás a leanaí, díbríonn a fear céile ón dtigh í, cuireann sí suas leis an drochíde seo agus athaontaítear ar deireadh í lena fear agus a clann. Ba ghá, ar ndóigh, tuilleadh fiosraithe a dhéanamh agus míreanna den scéal nach dtagann le plota Boccaccio a scagadh sular féidir gaol Griselda le Muireann na Foighne a ríomh go beacht.

****

SCÉALTA GRINN

Eachtra an Scoláire

Do bhí an tír seo lán de mhic léinn tamall maith ó shin. Is é an ainm a ghlaoití orthu ná scoláirí bochta. Is é an fáth go raibh an ainm sin orthu — ní raibh ach beagán scoileanna sa tír an t-am san; do bhíodh daoine saibhre ag díol tuarastail leo as a bheith ag múineadh a gclann mar níorbh fhéidir leo dul go dtí scoileanna a bhíodh i bhfad uathu. Dá bhrí sin d'fhaigheadh mórán de na mic léinn obair le déanamh.

Do tharla aon lá amháin go raibh mac léinn ag taisteal na slí. Do bhí bóthar fada curtha aige de agus do bhí an tráthnóna déanach ag teacht air. Do dhein sé amach ná buailfeadh tigh ná treabh leis is go mbeadh air a bheith fé scáth na dtor an oíche sin. Do luathaigh sé sa tsiúl agus is gairid go bhfaca sé tigh beag tamall uaidh agus tigh maith dealraitheach tamall eile uaidh sin.

'Cabhair Dé chugainn,' ar seisean leis féin. 'Mura ligfear isteach i gceann acu sinn, b'fhéidir go ligfí isteach sa cheann eile mé.'

Do dhein sé fé dhéin an tí mhóir. Bhí fear an tí ina sheasamh sa doras roimis.

'Dia is Muire dhuit, a fhir chóir,' arsa fear an tí.

'Dia is Muire agus Pádraig duit,' arsa an mac léinn.

'Aithním ort,' arsa fear an tí, 'go bhfuil siúl fada déanta agat. Tá tú ag féachaint suaite.'

'Mhuise go deimhin, tá,' arsa an mac léinn, 'ach tá an scéala go maith más é do thoil lóistin na hoíche anocht a thabhairt dom.'

'Gheobhair agus míle fáilte,' arsa fear an tí. 'Suigh síos. Is dócha go bhfuil ocras ort.'

'Tá ocras agus tuirse orm,' arsa an mac léinn. 'Is ná cuireadh Dia ceal tí ná lóin go deo ort, a fhir mhaith,' ar seisean.

Nuair a bhí a dhóthain ite agus ólta ag an mac léinn do thosnaíodar ar a bheith ag caint agus ag cur an tsaoil trí chéile.

'Nach uafásach an scéal é,' arsa an mac léinn, 'go bhfuil na tithe chomh fada óna chéile san áit seo. Do bheartaíos i m'aigne ar dhul go dtí an tigh beag úd thall ach b'fhearr liom rogha a thabhairt don dtigh mór.'

'Mo thrua do cheann!' arsa fear an tí. 'Níorbh aon mhaith duit dul ansan. Níl ann ach seanbhean chruaidh chruinn chiapánta nár thug óstaíocht na hoíche d'aon duine riamh.'

'Cad é an geall a chuirfeá liomsa,' arsa an mac léinn, 'ná bainfinn óstaíocht na hoíche anocht amach dá rachainn ag triall uirthi?'

Dhaingníodar síos geall.

'Tá an geall thíos, a fhir an tí,' arsa an mac léinn, 'agus beidh orm é a dhíol; ach mar sin féin, geall dom go ligfir isteach mé más dán dom casadh.'

'Ná bíodh eagla ort, a mhic ó,' arsa fear an tí.

Do rug an mac léinn ar a mhála leabhar agus do ghéaraigh gach cóngar fé dhéin tí na seanmhnaoi. Nuair a shrois sé an tigh, bhí an doras ar leathoscailt is do shleamhnaigh sé isteach go réidh. Bhí am doircheachta ann is níor bhraith an tseanbhean ag teacht é mar bhí sí ar a corraghiob ag socrú na tine i gcóir béile na hoíche a ullmhú. Nuair a thóg sí a ceann chonaic sí an mac léinn ina sheasamh laistigh, suas le taobh an dorais. Do labhair sí:

Bean an tí (BT): Mhuise, cad as an gandal?

Mac léinn (ML): Anso as na ceantair.

BT: Ní heolach dom ann tú.

ML: Mhuise, ní minic a bhím ann leis.

BT: Cár ghabhais isteach?

ML: Trí thaobh an tí isteach.

BT: Cad is ainm duit?

ML: Seán bí i do shuí.

BT: Seán bí i do shuí!

ML: Ó bead cheana féin, le toil mnaoi an tí.

BT: Ní hé sin a deirim.

ML: Mo chreach, is tú a chreidim.

BT: Cad as go ngluaisis?

ML: Ón Mí a ghluaiseas.

BT: Más ón Mí a ghluaisis, ba dhual duit a bheith doicheallach.

ML: Cuirim feasta suas díot. Níl aon bhuanaíocht agat orm.

BT: Cad é an bia a bhíonn ansan acu?

ML: Cruithneacht dhearg is eorna, póire agus barrthoisc[45] is gach arbhar den tsórt san; ní hea a ndóthain gan prátaí.

BT: Cruithneacht dhearg is eorna, póire agus barrthoisc is gach arbhar den tsórt san; ní hea a ndóthain gan prátaí!

ML: Dhá léan ort má bhíonn tú chomh glórach san i gcónaí. Is maith an clog teampaill a dhéanfadh do cheann is do theanga.

BT: Crá cráite chugat, a scoláire, dá mhéid é do mhála is tú ag foghlaim le fada, is olc iad do labhartha is níor fhoghlaimís *manners*.

Nuair a chuala an scoláire é á cháineadh sna *manners*, d'ardaigh sé an dearnan le mála na leabhar agus do thug sé fén tseanmhnaoi trasna poll na cluaise ag cur míobhán agus mearthall uirthi. D'éirigh an tseanbhean agus do fuair sí tuairgín a bhíodh ag tuargaint lín aici agus do thug sí pléasc don mac léinn i maoil ard na stuaice,[46] do chuir cnapán[47] air. Do bhíodar ar aon ag tuargaint a chéile go raibh an tseanbhean traochta. Ansan do stad sí agus dhein sí machnamh ar feadh tamaill bhig.

'Is ea, a mhic léinn,' ar sise, 'ós tusa an scoláire is mó trácht sa tír, cé acu den dá arm is fearr seasamh sa choscairt?'

'Mhuise ar m'anam,' arsa an mac léinn, 'go bhfuil a fhios ag an gcnapán so i mbéal ard mo stuaice gurb é an ceann ramhar den taobhán an smaichtín is crua.'

[Críoch]

---

[45] 'Póire agus báruisc' a scríobh Seosamh Ó Dálaigh do seo i leagan eile den scéal a thóg sé ó Pheig Sayers in CBÉ 934:46, agus tá nóta aige leis ag rá nárbh eol do Pheig cad a chiallaigh 'báruisc'.

[46] 'i mbuil ard na stuaice' atá sa ls; ach is 'i maoil-ard mo stuaice' agus 'i maoil aird na stuaice' a scríobh Seosamh Ó Dálaigh i leaganacha eile den sceal ó Pheig Sayers (CBÉ 985:16; CBÉ 834:443).

[47] 'fadhbán' in CBÉ 834:443.

Níl ainm bailitheora ná faisnéiseora luaite leis an scéal seo.

Leagan é seo den scéal atá áirithe in TIF mar thíopa 1544, *The Man Who Got a Night's Lodging* a thuairiscítear mar seo: *A beggar, when asked what his name is replies 'John Sit Down'; the miserly owner of the house repeats this in surprise, so the beggar sits down and eats his fill*. Is minic, áfach, eachtra eile mar chríoch leis an scéal seo —eachtra chasadh an tsúgáin — eachtra atá ar iarraidh ón téacs thuas, agus a mhíníonn, b'fhéidir, an deireadh míchríochnúil atá leis. San eachtra sin buaileann máthair bob ar fhear atá tagtha ar cuairt chun a hiníne nuair a thugann sí air súgán a chasadh agus é ag siúl i ndiaidh a chúil, go dtí sa deireadh, go mbíonn sé lasmuigh den doras. Tá leaganacha den scéal ó Pheig Sayers agus eachtra chasadh an tsúgáin iontu in CBÉ 834:439:45; CBÉ 934:42-50 agus CBÉ 985:12-7.

****

Tadhg Ó Cuáin

CBÉ 34:273-7

Fadó riamh sa tseanaimsir bhí beirt dearthár ina gcónaí in aice leis an Leamhain. Fíodóir ba ea duine acu agus iascaire do ba ea an duine eile agus ba é an ainm a bhí air ná Tadhg Ó Cuáin. Ní raibh puinn oibre le fáil ag an bhfíodóir cois na Leamhna agus dúirt sé le Tadhg go bhfágfadh sé an áit agus go rachadh sé go dtí an taobh thiar d'Uíbh Ráthach — é féin is a bhean is a chlann.

Bhailibh sé leis agus chaith sé tamall maith ann ag maireachtaint go sásta, é féin is a mhuirear. Ach dála gach éinne eile, tháinig galar air agus cailleadh é. Ach sular cailleadh é chuir sé fear aniar ag glaoch ar Thadhg mar ba mhaith leis é a fheiscint sula bhfaigheadh sé bás. Bhí an fear ag imeacht leis riamh is choíche nó gur shrois sé an Leamhain. Ansan chonaic sé fear ag iascach roimis ann agus bheannaíodar go béasach dá chéile. Ansan d'fhiafraigh sé den bhfear cá raibh tigh Thaidhg Uí Chuáin.

'Muise, más é Tadhg Ó Cuáin atá uait,' arsa an fear, 'is mise é; nó cad é an cúram atá agat díom?'

'A leithéid seo,' arsa an stróinséir, 'do dheartháir, Seán, atá ag fáil bháis agus chuir sé mise aniar ag glaoch ort.'

'Ara,' arsa Tadhg, 'tá sé rófhada chun dul abhaile anois chun mo chuid éadaigh nua a chur orm.'

'Muise, ní gá duit é,' arsa an stróinséir. 'Tabharfadsa mo chuid éadaigh féin duit agus fanfadsa anso ag iascach go dtí go dtiocfaidh tusa thar n-ais.'

'Tá go maith,' arsa Tadhg. 'B'fhéidir ná tiocfainnse abhaile anocht, agus mura dtiocfad, téirse go dtí mo thigh agus inis dóibh an scéal.'

Ansan chuir sé air an t-éadach nua agus bhailibh sé leis. Ansan bhí an oíche ag teacht agus ní raibh Tadhg ag teacht abhaile. Chuadar ag lorg Thaidhg agus fuaireadar báite san abhainn é — ach cé a bhí báite in ionad Thaidhg ach an stróinséir, agus cheap a bhean gurb é Tadhg féin a bhí ann. Tógadh amach as an uisce é, agus dúirt duine nárbh é Tadhg chuige é, agus dúirt duine eile gurb é ach gurb é an t-uisce a d'athraigh é. Ansan tugadh abhaile é agus cuireadh é.

Ansan tráthnóna thiar agus na fóid curtha ar Thadhg, bhí a bhean ag gol is ag caoineadh anuas ar an uaigh, ach cé a chífeadh í ach seanbhaintreach go raibh a bhean féin caillte le tamall. Tháinig sé anall chuici agus dúirt sé léi an áit a fhágaint agus éirí suas den uaigh mar nár cheart di a bheith ag gol mar sin mar go mbrisfeadh sé a croí. Dúirt sé léi go bpósfadh sé féin í agus go mbeathódh sé na leanaí di.

'Ara,' arsa an bhean, 'ná bí ag magadh fúm.'

'Ó mhuise,' arsa an fear arís, 'croith suas tú féin is téanam i mo theannta.'

Bhí sé ag gabháil di riamh is choíche go dtí sa deireadh gur thoiligh sí é a phósadh. D'imíodar orthu ansan agus chuadar go dtí an sagart agus nuair a chonaic an sagart cé a bhí ag pósadh, tháinig an-iontas air agus dúirt sé:

'An bhean san ag pósadh tar éis a fear a chur ar maidin! Agus an bhfuil aon náire uirthi?'

'Ara, an bhean bhocht,' arsa an bhaintreach, 'cad a choimeádfadh suas í féin is na leanaí?'

'Tá an ceart agat,' arsa an sagart. 'Ach cad a thabharfaidh sibh domsa as sibh a phósadh?'

'Níl faic agamsa a thabharfainn duit,' arsa an fear, 'ach nuair a thuillfead é, gheobhair é agus fáilte.'

'Tá banbh agamsa,' arsa an bhean, 'agus gheobhair é.'

'Táim sásta,' arsa an sagart.

Ansan pósadh iad agus thángadar abhaile. Nuair a bhí sé in am codlata chuaigh gach éinne a chodladh.

Nuair a bí a dheartháir curtha ag Tadhg tháinig sé abhaile agus chnag sé ar an ndoras agus ní bhfuair sé aon toradh. Ansan d'imigh sé leis go dtína uncail agus bhuail sé ar an ndoras.

'An tú Tadhg?'arsa an t-uncail. 'Agus pé ní atá ar d'anam réiteodsa duit é.'

'Ara cad tá oraibh ó d'fhágas an baile,' arsa Tadhg, 'nó an as bhur meabhair atánn sibh?'

'Ambasa,' arsa an t-uncail, 'tánn tusa curtha le dhá lá agus dá chomhartha san féin, tá do bhean pósta leis an seanbhaintreach atá ansan ar an mbaile. Agus an bainbhín atá agat, sin é a chaithfidh díol as an bpósadh.'

Ansan d'oscail an t-uncail an doras agus chuaigh Tadhg isteach agus d'inis sé an scéal dó.

'Am briathar féin, mhuise,' arsa Tadhg, 'ná beidh mo bhanbhsa ag an sagart.'

D'fhág sé slán ag an uncail aguis d'imigh sé leis go bothán na muc agus bata mór ina láimh aige.

I lár na hoíche ghlaoigh an sagart ar a bhuachaill agus dúirt sé leis dul ag triall ar an mbanbh. D'imigh an buachaill leis go dtí an mbothán agus bhí sé ag iarraidh an mhuc a chur amach nuair a buaileadh leis an maide thiar sa drom é. Do chuir an buachaill scread as agus do rith amach an doras agus gan an mhuc aige.

Nuair a tháinig an buachaill abhaile d'fhiafraigh an sagart de cá raibh an mhuc, agus dúirt an buachaill leis gur fhág sé ina dhiaidh í mar go raibh an diabhal sa tseomra agus gur bhuail sé trasna an droma é lena adharca.

'Ara, a bhreallsúin,' arsa an sagart, 'téir ag triall ar an muic agus rachad féin i do theannta go dtí an ndoras.'

D'imíodar orthu go dtí an mbothán: 'Téir isteach anois,' arsa an sagart leis an mbuachaill.

'Am briathar féin ná rachadsa isteach,' arsa an buachaill, 'ach téirse isteach má theastaíonn uait.'

'Cad ina thaobh ná rachainn?' arsa an sagart.

D'imigh an sagart isteach agus bhí sé ag tiomáint na muice amach agus pé tiomáint a fuair an buachaill do fuair an sagart a sheacht n-oiread. Ansan do rith an sagart amach an doras, agus má rith, do lean an fear é agus gach aon stiall den mhaide aige air go dtí gur chuaigh sé abhaile.

D'fhan Tadhg sa bhothán nó go bhfaca sé an doras oscailte ar maidin. Ansan chuaigh sé isteach abhaile agus shuigh sé cois na tine. Chonaic ceann de na leanaí é agus dúirt sé lena mháthair go raibh a athair tagtha abhaile. Sháigh an bhean a ceann suas agus chonaic sí thuas é agus bhuail sí féin agus a baintreach a gcuid éadaigh orthu go tapaidh, agus ní fhaca Dia ná duine cois na Leamhna iad ó shin.

Mhair Tadhg agus a leanaí go lánsásta as san amach.

Tá nóta ó Nóra Ní Shéaghdha ag tagairt don fhaisnéiseoir ag deireadh an scéil: *Gobnait Ní Ghuithín 55bl.* ach ní luaitear ainm an bhailitheora.

Leagan é seo de TIF 1792A, *The Priest's Pig*, agus tá 254 leagan den scéal seo áirithe faoin tíopa sin, an leagan thuas ina measc. Coimsítear na leaganacha seo go léir faoin tíopa leasaithe ATU 1792, *The Stingy Clergyman and the Slaughtered Pig*.

FINSCÉALTA STAIRIÚLA

An Cúigear a Shiúlaigh ó Bhéal Feirste

Bhí cúigear ón mBlascaod ag fiach ar an gcnoc lá. Do chonacadar long ag gabháil an Bealach ó thuaidh agus bratach in airde aici á thaispeáint go raibh sí as eolas. Bhain an cúigear an caladh amach agus chuireadar síos bád. Siúd leo fé dhéin na loinge agus thángadar suas léi fé dheireadh agus chuadar ar bord inti fé mar is gnách. Cheanglaíodar an bád don loing ach an téad a bhí ag ceangal an bháid don long, bhris sí agus scaoil an captaen uaidh í mar nárbh fhearr leis aige í.

B'éigean do lucht an bháid fanacht sa loing go dtí gur shroiseadar Béal Feirste, is é sin an áit go raibh an long le stad. Do chuir an captaen ar lóistín lucht an bháid i dtigh agus thug sé ordú maith do bhean an tí gan ligean leo go dtí go dtiocfadh sé féin arís. Do bhí an bhean comhairlithe ag an gcaptaen má bheadh lucht an bháid ag imeacht, scaoileadh leo.

Do theith duine acu ón ndream eile agus shiúlaigh sé ó Bhéal Feirste go dtí an Daingean. D'fhan an chuid eile thíos agus cuireadh cúirt orthu mar bhí an captaen ag déanamh amach gur robálaithe iad. Nuair a bhí an chúirt ar siúl do ghabh duine uasal an treo agus do chuaigh sé isteach go tigh na cúirte. Do bhí an captaen ag dearbhú ina gcoinne coitianta. Do labhair an duine uasal go maith i bpáirt mhuintir an Oileáin agus fear den gcriú leis.

Fiafraíodh de dhuine de chriú an bháid go raibh seanCheárnaí mar ainm air, an raibh aon bhratach in airde ag an loing. Dúirt sé go raibh. Fiafraíodh de cad é an dath a bhí air agus d'inis sé dóibh. Dúirt an mairnéalach le lucht na cúirte go raibh an ceart ag muintir an Oileáin. Dá dheascaibh sin fuair muintir an Oileáin an fear maith ar an gcaptaen — mura mbeadh san, chuirfí i bpríosún iad. Ní mór an t-airgead a moladh do mhuintir an Oileáin mar ní raibh éinne acu a phléifeadh a gcúis.

Thug an ceathrar a n-aghaidh ar an dtigh sa deireadh agus ar a slí dóibh bhuail cabhansailéir dlí leo. D'aithin an fear go maith iad. B'ait leis cad a thug sa treo iad. Do bhí fearg ar an gcabhansailéir chucu i dtaobh nár chuireadar fios air féin sular thosnaigh an dlí. D'fhiafraigh sé díobh ar shocraíodar leis an gcaptaen. Mura mbeadh gur shocraigh muintir an Oileáin leis an gcaptaen, chuirfeadh an cabhansailéir an dlí ar siúl thar n-ais. Bhainfeadh sé cúpla céad punt de lucht na loinge agus fiacha an bháid a lig an captaen uaidh.

B'éigean do lucht an Oileáin a n-aghaidh a thabhairt ar an dtigh. San am gur shroiseadar an Daingean, bhí an fear a shiúlaigh aníos ann rompu. Do roinneadar leis na pinginí a fuaireadar. Do bhí scéal nua acu do mhuintir an Oileáin nuair a thángadar. Níl aon duine acu siúd ina mbeathaidh inniu ach tá a dtreabhchas san Oileán fós.

Tá síniú an bhailitheora, *Dómhnall Ó Conchúbhair,* ag deireadh an scéil ach ní luaitear faisnéiseoir.

Maidir leis an eachtra seo, féach SOT, 251.

****

Beirt Iascairí

Lá áirithe bhí bád ag dul ag iascach ón Oileán go hInis Tuaisceart. Bhí fear den gcriú ná toileodh le dul don bhád in aon chor. Ghluais an fear seo abhaile agus do chuaigh sé abhaile agus do chuaigh sé ag obair sa ghort mar bhí sé ag teastáil uaidh.

D'imigh an bád léi. Bhí sí míle amach ón gcaladh nuair a theastaigh uathu an seol a chur in airde. Bhí an crann dearmadta acu ar an gcaladh. Theastaigh ó chuid den gcriú dul ag rámhaíocht siar. Bhí a thuilleadh acu ná beadh sásta leis. Dúirt duine eile den gcriú gurbh ait an rud a bheith ag rámhaíocht siar agus cóir thar barr acu. Sa deireadh ba é an socrú a dheineadar ná teacht ag triall ar an gcrann.

Chuireadar fear isteach i dTráigh an Ghrin ag triall ar an gcrann. Tháinig sé go dtí an gcaladh agus thug sé leis an crann. Ar an slí dó ag dul thar n-ais go dtí an bád chonaic sé an fear ná rachadh ag iascach ag obair sa ghort. Do bhí sé ag tathant air agus ag tathant go dtí gur thóg sé leis amach as an ngort é, agus do chuaigh sé don bhád in éineacht leis.

Nuair a shroiseadar an bád chuireadar an seol fúithi agus bhailíodar leo siar. Tharla go raibh beirt dearthár de mhuintir Shé sa bhád. An fear a d'fhág an gort, ní raibh aon mhaith chun iascaigh ann. Bhí an deartháir eile chun dul ag iascach ar an gcloich i dteannta fir eile, ach ní bheadh an deartháir a d'fhág an gort sásta gan é féin agus a dheartháir a chur amach in éineacht. Cuireadh amach an bheirt, pé scéal é. Cloch thráite ba ea an chloch agus thagadh an taoide i gcónaí uirthi. D'fhág lucht an bháid ansan an bheirt agus d'imigh sí ag cur na coda eile amach ar chloich mar is ar chlocha a théadh formhór na ndaoine ag iascach an t-am san.

Nuair a tháinig criú an bháid ag triall ar an mbeirt dearthár thar n-ais, bhí an taoide tagtha ar an gcloich agus gan an bheirt le fáil. B'éigean do lucht an bháid teacht abhaile ceal na beirte agus ní bhfuaireadh beo ná marbh ó shin éinne don mbeirt. Dá mb'áil le criú an bháid teacht go dtí an gcloich in am bheadh an bheirt sábhálta ach fé mar a deirtear, 'Is tar éis gach beart a thuigtear.'

Tá síniú an bhailitheora: *Dómhnall Ó Conchúbhair* ag deireadh an scéil.

Tá an téacs seo i bpeannaireacht Dhómhnaill Uí Chonchúbhair (le mionleasaithe, iad sin a mharcáil Nóra Ní Shéaghdha ar an mbunscríbhinn ina measc) in CBÉ 34:261-2, agus ag a dheireadh i bpeannaireacht Nóra Ní Shéaghdha tá scríofa: *Muiris Ó Conchúbhair 56 bl.*

****

Gé an Oileáin agus Muiris an Túir

CBÉ 20:265-71

Fadó riamh bhí saighdiúirí ina gcónaí sa túr atá sa Bhlascaod Mór agus duine acu ba ea Muiris an Túir. Bhíodh fear bocht ón Oileán ag tindeáil air — Micil ab ainm dó. Aon lá amháin thit sé gairid i bhfeoil agus ghabh Micil chuige. Nuair a bhí a chúram déanta aige, d'fhiafraigh Muiris de an raibh aon ghéanna aige, agus má bhí, ceann acu a thabhairt chuige, pé airgead a chosnódh sí chun go mbeadh sí aige i gcóir a dhinnéir.

Tháinig Micil abhaile tráthnóna agus níor labhair sé aon fhocal. Ar maidin amáireach d'éirigh sé agus níor lig sé aon rud air agus bhí a fhios aige go raibh cúig nó sé de ghéanna ag a mhnaoi. Do bhuail sé suas chun na Leacain agus bheir sé ar cheann de na géanna agus chuir sé síos i bpaca é. D'imigh sé leis go dtí Muiris an Túir agus d'fhiafraigh Muiris de an raibh an ghé aige, agus dúirt Micil go raibh. Ansan do mharaíodar agus phriocadar an ghé agus chuireadar ag beiriú í agus d'itheadar í. Bhíodar an-shásta an lá san sa túr mar bhí na saighdiúirí eile imithe ar a laethanta saoire.

Nuair a bhí Micil ag teacht abhaile tráthnóna do shín Muiris fiacha na gé chuige. Dúirt Micil ná tógfadh sé pingin ná leathphingin uaidh mar nach chuige sin a thug sé féin leis í ach chun bronntanas a bhronnadh air. Do tháinig Micil abhaile go sásta tráthnóna agus bhí bean de na comharsain istigh roimis.

'Ta an lá tugtha go maith agat leat, a Mhicil,' arsa an bhean.

'Tá,' arsa Micil.

'Tá ambaiste, agus ar bhithiúntaíocht leis, ag goid mo ghé-se leat ar maidin go dtí Muiris an Túir.'

'Faighim pardún agat, a bhean mhaith,' arsa Micil. 'Níor ghoideas do ghé ach gé mo mhná féin a ghoideas.'

'Am briathar féin, mhuise,' arsa an bhean, 'bailíodh Cáit a cuid géanna isteach agus chífir go bhfuil siad ann, agus gurb í mo ghé-se atá imithe.'

Ansan do bhailibh Cáit a cuid géanna isteach agus bhíodar ar fad ann.

'Is ea,' arsa Micil léi, 'cad tá uait ach fiacha na gé?'

'Ní dhíolfaidh fiacha na gé mise,' arsa an bhean, 'mar caithfidh sibh díol go daor aisti.'

Chuaigh Micil a chodladh an oíche sin agus níor thit néall air ach ag cuimhneamh ar an ngé. Ar maidin amáireach d'éirigh sé agus d'imigh sé go dtí Muiris agus é go tromchroíoch.

'Tá cuma shuaite inniu ort, a Mhicil,' arsa Muiris.

'Arae, tá,' arsa Micil, 'agus ní haon iontas dom, mar is é príosún Luimnigh a chífeadsa mar gheall ar an ngé.'

'Arae, conas san, a dhuine?' arsa Muiris.

'Tá, a dhuine,' arsa Micil, 'mar gé ó bhean de na comharsain a thugas chugat in ionad mo ghé féin, agus dúirt an bhean go ndíolfaimis go daor as.'

'Is ea,' arsa Muiris, 'ní foláir nó go ndíolfaidh punt í.'

Nuair a bhí Micil ag teacht abhaile tráthnóna do shín Muiris fiacha na gé chuige agus dúirt sé leis é a thabhairt di. Do bheir Micil ar an bpunt agus tháinig sé abhaile agus thug sé don mbean é. Dúirt sí leis ná déanfadh an punt í féin agus go gcaithfidís díol go daor aisti. Bhíodar mar sin ar feadh trí lá, ach sa deireadh thug Muiris sé púint dó agus dúirt sé mura sásódh an méid sin í, ná sásódh Éire í. Tháinig Micil abhaile agus bhí sí istigh roimis agus shín sé chuici na sé púint agus bheir sí orthu agus dúirt sí ansan: 'Seo,' ar sise, 'cúig púint duit agus coimeádfad féin an punt eile agus déanfaidh siad bia duit féin agus do do leanaí ar feadh tamaill.'

Ní raibh aon trua aici do Mhuiris an Teamhair mar bhí Micil dealbh. An fhaid a mhair Muiris an Túir san Oileán, ní loirg sé aon ghé as san amach.

Tá leagan eile den téacs thuas ar cheithre lch de chóipleabhar i bpeannaireacht dhalta scoile i measc pháipéir Nóra Ní Shéaghdha.

Maidir leis an eachtra seo, féach SOT, 144-8.

OSNÁDÚR

An Mhaighdean Mhara

Bhí buachaill ina chónaí aon uair amháin le hais na farraige. Bhí feirm mhór thalún aige. Do tharla go raibh tráigh fé bhun na háite. Aon mhaidin amháin d'éirigh an buachaill go han-mhoch agus chuaigh sé síos ar an dtráigh. Chonaic sé thíos an bhean ina suí ar chloich ag cíoradh a cuid gruaige agus brat síoda buailte ar chloich taobh thiar di. D'éalaigh an buachaill síos agus thug sé leis an brat i ngan fhios don mnaoi. Nuair a d'éirigh an bhean agus nuair a chonaic sí an brat imithe, lean sí an buachaill an slí [ar fad] go dtí go dtáinig sí go dtí an dtigh.

Thug sí tamall sa tigh ansan agus bhíodh sí ag obair ann ar nós aon chailín aimsire, ach aon locht amháin a bhí uirthi — ní raibh aon fhocal cainte aici á labhairt. Ní raibh aon chuimhneamh aici ar imeacht ón dtigh go dtí go bhfaigheadh sí an brat. Bhí an buachaill trína chéile, ní nárbh ionadh, mar bhí sé ag faire ar í a phósadh.

Lá dá raibh an buachaill ag siúl amach bhuail seanóir leis agus d'inis sé a chás dó. Dúirt an seanduine leis go leigheasfadh sé féin an scéal sin.

'Gheobhadsa siar go dtí an dtigh tráthnóna,' arsa an seanduine, 'agus nuair a thiocfad, imíodh gach duine agaibh amach as an dtigh ach an bhean.'

'Tá go maith,' arsa an buachaill.

I meánlae siar, bhuail an seanduine isteach go tigh an bhuachalla agus nuair a tháinig sé d'imigh fear soir agus fear siar agus ní fhan éinne istigh ach an bhean. Tharraing an seanduine a chathaoir cois na tine agus shuigh mar a raibh an bhean óg sa chúinne. Bhí sé ag brú suas agus ag brú suas go dtí go mbrúigh sé go maith i gcoinne an chúinne an bhean, ach ní raibh focal aici á labhairt. Sa deireadh nuair a bhí sí brúite aige do thosnaigh sé ar a bheith ag baisteachán uirthi agus ag cur a muintire síos. D'éirigh an fhuil uasal in uachtar ina hucht ag an mnaoi agus dúirt sí:

> 'Ní mar sin atá tigh m'atharsa ach fáilteach straoilleach (stráilleach) cliarach fuinneogach;
> Ní tigh daire ná caorthainn ach tigh den adhmad fhada ghléigeal,
> Is bíonn an Nollaig gach lá den tseachtain ann.'

'Tar slán beo,' arsa an seanduine ag baint crothadh as a láimh. 'Tánn tú agam anois.'

Phós an buachaill an bhean ansan agus mhaireadar go lántsásta as san amach.

Tá a ainm agus a sheoladh curtha síos ag an mbailitheoir ag deireadh an scéil:
Dómhnall Ó Conchúbhair
An Blascaod Mór
Dún Chaoin
Daingean. 20-7-1933
Tá leagan den scéal seo le mionleasuithe in CBÉ 34:263-4, a thús i bpeannaireacht Nóra Ní Shéaghdha agus a chríoch i lámh eile. Ag deireadh an scéil i bpeannaireacht Nóra Ní Shéaghdha, tá an tagairt seo don fhaisnéiseoir: *Muiris Ó Conchúbhair 56 bl.*

Is leagan é seo den fhinscéal idirnáisiúnta a áirítear mar uimhir 4080, *The Seal Woman*, in R. Th. Christiansen, *The Migratory Legends*, Helsinki 1958. Ba scéal an-choitianta i gCorca Dhuibhne é agus tá plé iomadúil déanta ar an bplota; féach mar shampla, B. Almqvist, 'Of Mermaids and Marriages', *Béaloideas* 58

(1990), 1-74, agus na tagairtí ansin. Ba chuid dhílis den scéal seo mar a bhí sé ag Peig Sayers agus a mac Mícheál Ó Gaoithín go mbaintear caint as an maighdean mhara trína muintir a mhaslú (*ibid*., 29-30).

****

Ceol Mí-ámharach
CBÉ 20:293-8

Stáir mhór aimsire ó shin bhí bean nuaphósta ina cónaí i bparóiste Fionntrá. Bean bhreá láidir shlachtmhar ba ea í. Ba é a hainm é, agus bhí a fear céile ina fhear breá grámhar leis, ábalta gach ní a dhéanamh — fear deaslámhach ba ea é, fé mar a déarfá.

Is ea, ní raibh an lánú seo bun os cionn; bhíodar ceanúil ar a chéile, mar is gnách le gach lánú a bheith an chéad bhliain a phósann siad. Ach faraoir, ní raibh an compord ná an sólás i bhfochair a chéile i bhfad i ndán dóibh. Deirtear go bhfuil paróiste Fionntrá aerach agus go mbíonn an slua sí á fheiscint ann go minic. Agus más fíor gur sna liosanna a chónaíonn siad, tá an paróiste lán díobh. In aice leis an dtigh go raibh an bheirt nuaphósta ina gcónaí bhí lios mór, ach chás dóibh aon tsuim a chur ann ná a chreidiúint go raibh na daoine maithe ann in aon chor!

Nuair a tháinig an t-am, tháinig an chlann, agus fé dheireadh na bliana bhí breis tagtha ar mo bheirt — mac óg a saolaíodh dóibh agus bhí áthas agus lúcháir orthu, ní nárbh ionadh. Dúirt an fear lena mhnaoi go rabhadar an–shásta an-chompordach ó phósadar agus go raibh súil aige go mbeidís mar sin go deo i bhfochair a chéile. Do chuir an bhean smiota gáire aisti.

Tar éis beagán aimsire, do bhí an bhean go maith agus ceann de na hoícheanta bhí sí ina suí cois na tine agus a leanbh mic sa chliabhán aici lena haice. Bhí a céile ann leis, agus má bhí, ba ghearr gur chualadar leanbh ag béicigh thíos i dtóin an tí. Níorbh é a leanbh féin é ach páiste sí go raibh ocras air. Bhí a leanbh féin sa chliabhán ina chnap codlata. D'fhéachadar mo bheirt ar a chéile. Ní raibh aon an-iontaoibh acu as an mbéic. Is gearr gur chualadar an guth ag rá:

'A bhean an tí, tar anuas is tabhair deoch dom leanbh.'

Níor thug bean an tí aon toradh ar an gcaint agus ba dhóigh leat go dtitfeadh an t-anam as an leanbh ag béicigh. Bhí an greim ag breith ar an leanbh bocht. Do labhair an guth arís agus dúirt:

'A bhean an tí, tar anuas is tabhair deoch dom leanbh.'

Níor lig bean an tí uirthi gur chuala sí aon rud. Do glaodh an tríú turas ach bheadh sé chomh maith a bheith ag scríobadh do mhéire do chloich is a bheith ag glaoch ar an máthair. Bhí an leanbh ag scréachaigh is ag béicigh i gcónaí. Tar éis an t-eiteach a bheith fachta ag guth an tseomra an tríú huair, do seinneadh suas an ceol ba bhreátha dár chuala éinne riamh ar an dtalamh so. Do ba é an ceol sí é. D'éirigh bean an tí agus chuaigh síos go tóin an tí ag tabhairt bainne cí don leanbh. D'fhéach an fear ina diaidh agus b'ait leis cad a bhí ann.

Níor labhair an bhean focal an oíche sin tar éis an cheoil a imeacht, ach ba é críoch agus deireadh na mbeart gur bhuail sí breoite lá arna mháireach, agus i gceann na seachtaine, bhí a céile bocht ina bhaintrigh agus is é a bhí go brónach trioblóideach ina diaidh, é féin agus a leainbhín.

Leannán sí a theastaigh ón ndream aerach agus d'ardaíodar leo an bhean an oíche a seinneadh an ceol sí. Tá sé ráite, a chroí, go meallfadh an ceol san éinne — nár lige Dia go gcloisfeadh ár gcluasa é ná aon ní eile a dhéanfadh díobháil ná dochar dúinn.

Ní luaitear bailitheoir ná faisnéiseoir.

Is minic banaltraí á bhfuadach i síscéalta; féach e.g., HIF 473-4 agus na móitífeanna F320, *Fairies carry people away to fairyland*; F322 *Fairies steal man's wife and carry her to fairyland*.

Maidir le ceol sí, féach R. uí Ógáin, 'Music Learned from the Fairies', *Béaloideas* 60-1 (1992-3), 197-214. agus R uí Ógáin & Tom Sherlock, eag., *The Otherworld: Music and Song from Irish Tradition*. Dublin 2012.

****

Dónall Óg Feirtéar

CBÉ 20:299-306

Treibh Normannach ba ea na Feirtéaraigh a chónaigh i nDún Urlann i mBaile an Fheirtéaraigh. Bhí duine acu ann gurbh ainm dó Dónall Óg. Fear láidir acmhainneach neamheaglach ba ea é. Ag an nDónall Óg so bhí fíorláir — láir go mbíonn seacht gcinn de bhramaigh aici, fíorláir a thugtar ar an seachtú ceann. Capall an-mhaith chun ráis agus chun léimrigh do ba ea í.

Aon lá amháin chuaigh Dónall Óg don Daingean ag marcaíocht ar an bhfíorláir agus d'fhan sé sa Daingean go dtí timpeall a dódhéag a chlog istoíche. Is é ag fágaint an bhaile mhóir, cheannaigh sé luach scillinge aráin bháin agus bhuail sé féna ascaill é in airde ar an gcapall. Ar an mbóthar dó, siar ó Bhaile an Mhuilinn, tharla seanchailleacha leis agus dúradar:

'Mhuise, a Dhónaill Óig, an dtabharfá cuid den arán bán san dúinn?'

'Mhuise go mbeire an diabhal uaim sibh chun a bheith ag tabhairt aráin bháin daoibh, mura mór a theastaíonn sé ó bhur gcairb.'

Do thiomáin sé leis agus nuair a bhí sé ag gabháil tríd an dtráigh, do chonaic sé mórán garsún ag imirt liathróide. Do labharadar leis agus dúradar:

'An dtabharfá cuid den arán bán san dúinn?' arsa na garsúin.

'Tabharfad agus fáilte,' arsa Dónall, 'mar is agaibh atá sé tuillte agus ní ag na diabhail seanchailleacha a tharla liom ar an mbóthar.'

Do thug sé dóibh é agus roinneadar ar a chéile é. Nuair a bhí san déanta do tháinig an slataire ba mhó acu suas lena ais agus dúirt sé:

'Is ea anois, a Dhónaill Óig, beidh do dhóthain de *mhatch* istigh anocht leat. Ach pé rud a dhéanfaidh tú, coimeád an barrrataoide mar beidh sé ag iarraidh tú a theanntach síos go dtí an bhfarraige agus tú féin is do chapall a bhá. Ach deirimse leat an barrataoide a choimeád más féidir leat é.'

'Go gcuire Dia an rath ort,' arsa Dónall Óg. 'Is maith an chomhairle í sin ó shlataire óg mar tú.'

Do thiomáin sé an tráigh siar ach ní fada a bhí sé nuair a tháinig capall agus marcach suas leis. Do thosnaigh an dá mharcach ag comhrac agus ag stealladh a chéile leis na crapanna, agus fé mar a bhíodh na marcaigh ag bualadh a chéile, bhíodh an dá chapall ag ithe a chéile, agus an marcach stróinséartha ag iarraidh Dónall a theanntach síos go dtí an bhfarraige. Ach sa deireadh, bhog Dónall Óg é féin as agus do thiomáin sé a chapall an tráigh siar chomh tapaidh agus b'fhéidir leis é, agus an marcach eile tamall maith ina dhiaidh.

Do bhí gleann mór ard idir é agus a thigh agus nuair a bhí sé ag déanamh ar an ngleann labhair sé lena chapall agus dúirt sé:

'Anois, a chailín, is ortsa atá mo sheasamh. Má léimeann tú an gleann san rachaidh mé slán abhaile, ach mura léimfir, ní rachaidh mé slán go deo.'

Lena linn sin do thug an capall fén ngleann agus do léim go glan ar an dtaobh eile. Ansan nuair a tháinig an capall eile go dtí an ngleann níorbh fhéidir leis é a léimeadh, agus an fhaid a bhí sé ag gabháil an bhóthair timpeall, bhí Dónall Óg ag déanamh ar a thigh féin ar bhabhta ráis. Do chuala a mhuintir é ag teacht agus fothram an domhain aige agus d'osclaíodar an doras mar cheapadar gur ar meisce a bhí sé. Nuair a bhí sé ag déanamh ar an dtigh, dúirt sé leo an doras a dhúnadh mar bhí eagla air go rithfeadh an capall isteach tríd an ndoras agus go marófaí é. Dúnadh an doras agus phreab sé dena chapall agus dúirt sé leis an ndream istigh an doras a oscailt go tapaidh. Do deineadh, agus chuaigh sé féin is a chapall isteach agus cuireadh an bolta go daingean ar an ndoras ina ndiaidh. Is é an rud a dhein an capall ná a thóin a thabhairt suas ar an dtine agus a haghaidh ar an ndoras agus í ar ballchrith le scanradh.

D'eachtraigh an Feirtéarach a scéal dá mhuintir. Domhnach ansan do ba ea an lá amáireach agus chuaigh Donall go dtí an aifreann ag marcaíocht ar a chapall agus bhí an pobal ag féachaint air féin agus ar an bhfíorláir. Dath dubh a bhí ar an gcapall le ceart, agus an Domhnach san, is é an dath a bhí uirthi féin agus ar Dhónall Óg ná dath chomh bán le sneachta. Liaigh an scanradh Dónall Óg agus a chapall in aon oíche amháin. Seo scéal fíor mar chonaic mórán é.

I bpeannaireacht Nóra Ní Shéaghdha atá an scéal seo agus ní luaitear bailitheoir ná faisnéiseoir.

Maidir leis an bhfíorláir, féach D. Ó hÓgáin, 'An Capall i mBéaloideas na hÉireann', *Béaloideas* 45-7 (1977-9), 199-243; 210-4. Tá móitíf dhúnadh dhoras an dúna ar chapall dainséarach, luaite leis in 'Creach Phiarais nó Léim an Treantaigh' in eagar ag P. Ó Siochfhradha (An Seabhac), *Béaloideas* 1 (1928), 73-7.

****

Scéal ar Bhean Leighis

Bhí bean leighis fadó sa tseanaimsir ann. Nuair a bhíodh aon ghalar ar éinne théidís chuici ag lorg leighis. Théadh sí amach sa pháirc agus do bhaineadh sí lusraí agus thugadh sí léi abhaile iad agus bheiríodh sí iad agus dheineadh sí leigheas díobh. Deiridís gach éinne a théadh chuici go mbeadh an galar a bheadh air leigheasta. Deiridís go mbíodh sí ag imeacht gach oíche i dteannta na sióg agus is uathu san a d'fhaigheadh sí an leigheas.

Do bhí sí mar sin ar feadh tamaill mhaith agus deireadh na daoine, éinne a bhíodh chun bás a fháil, go mbíodh a fhios aici. Tá sí tar éis bháis le tamall mór aimsire agus tá an leigheas imithe ó cailleadh í.

[Peannaireacht Nóra Ní Shéaghdha i bpeann luaidhe:] Bhí mac aici — buaileadh isteach ina croí go gcaillfí é — í ag guí chun Dé ná himeodh sé uaithi. Ní raibh Dia sásta. [Bhí] máchail ar an mac. Dá mbeadh an bhean ag lorg luibheanna go deo dó, ní dhéanfadh aon cheann maitheas. D'fhan sé ina ainniseoir sa chúinne aici. Cailleadh í is tá an leigheas imithe ó d'éag sí.

Níl ainm bailitheora ná faisnéiseora luaite leis seo. Tá cóip eile den téacs thuas, gan an giota i bpeannaireacht Nóra Ní Shéaghdha in CBÉ 34:259. Níl ainm bailitheora tugtha ansin ach oiread, ach ag bun an leathanaigh a leanann é (ón scríobhaí ainaithnid céanna), tá scríofa i bpeannaireacht Nóra Ní Shéaghdha: *Máire Ní Ghuithín 50 bl.*

Is minic friotal curtha i bhfoinsí béaloidis ar an tuiscint gur ó na sí a fhaightear bua leighis; féach, e.g., HIF 386 agus na móitífeanna F340 *Gifts from fairies*; D1723, *Magic power from fairy* agus F344 *Fairies heal mortals* in MIFL.

Is gnáth-théama i síscéalta é an teannas idir na sí agus an Chríostaíocht, féach e.g., R. Th. Christiansen, *The Migratory Legends*, FFC 175, Helsinki 1958, uimh 5055; MIFL, F382.1 *Fairies fear the cross*; F382.2 *Holy water breaks fairy spell*; F382.3 *Use of God's name nullifies fairy power,* agus P. Ó Héalaí, 'The Priest in Irish Fairy Legends' in L. Petzholdt, eag., *Folk Narrative and World View,* I-II, Frankfort am Main 1996, 609-21.

****

Scéal ar Bhean Sí

Bhí fear agus bean ann fadó. Súilleabhánaigh ba shloinne dóibh. Bhí cogadh ar siúl agus chuaigh an fear ann. Aon oíche fhada gheimhridh amháin bhí an bhean istigh agus a deirfiúr ina teannta. Chualathas an caoine uaibhreach lasmuigh, agus arsa Bean Uí Shúilleabháin lena deirfiúr:

'Chomh deimhnitheach agus tá an ghrian ar an spéir, tá m'fhear tar éis bháis sa chogadh.'

'Cad ina thaobh go ndeireann tú é sin?' arsa a deirfiúr.

'Tá a fhios agam go maith,' arsa an bhean eile, 'mar is bean sí de mhuintir Shúilleabháin atá ag caoineadh lasmuigh.'

Ba é an chéad rud a chualadar ar maidin ná tuairisc ar bhás an fhir. Sa tslí sin duit, go raibh rud éigin sna mná sí a bhíodh ag gluaiseacht an uair sin.

Níl ainm bailitheora leis seo. Tá leagan eile den téacs thuas i bpeannaireacht dhalta scoile in CBÉ 34:260 agus ag bun an leathanaigh i bpeannaireacht Nóra Ní Shéaghdha tá tagairt don fhaisnéiseoir: *Máire Ní Ghuithín 50 bl.*

Bhí an bhean sí luaite le muintir Shúilleabháin i mbéaloideas an Bhlascaoid; féach P. Ó Héalaí agus L. Ó Tuairisc, *Tobar an Dúchais, Béaloideas as Conamara agus Corca Dhuibhne*, An Daingean 2007, 227. Móitíf choitianta i scéalta faoin mbean sí is ea í a bheith le clos ar bhás duine a bhí i bhfad ó bhaile; féach Patricia Lysaght, *The Banshee. The Irish supernatural death-messenger*, Dublin 1986, 66.

****

Fear na hOrdóige Móire
CBÉ 20:283-6

Bhí fear ina chónaí sa Trian Riabhach fadó. Bhí sé an-neamheaglach. Aon lá amháin chuaigh sé go Daingean Uí Chúis agus thit an lá chun báistí agus chaith sé fanacht go dtí an oíche. Bhí sé an-dhéanach nuair a bhí sé ag teacht abhaile agus aníos chun Leataoibh tharlaigh an sprid leis. Do rith an sprid ina dhiaidh agus bhain sé amach an abhainn uirthi agus tá sé ráite riamh ná féadfadh sprid dul thar abhainn.

Ansan chuaigh sé abhaile agus bhí sé ag déanamh ar a dó dheág a chlog. Dúirt a bhean leis go raibh a chapall i bpóna Bhaile Bhoithín: 'Ní bheidh mo chapallsa i bpóna Bhaile Bhoithín,' a dúirt sé. D'imigh sé leis agus chuaigh sé go dtí an bpóna agus labhair fear an phóna leis agus dúirt sé: 'Nach mairg duit nár fhan ag baile; do thabharfainnse aire do do chapall go dtí an mhaidean.'

Nuair a bhí sé ag teacht abhaile do scaoil sé uaidh an capall mar bóithrín cúng ba ea an bóthar agus d'fhan sé féin ina dhiaidh. Ní fada go bhfaca sé ceathrar fear agus comhra ar a ndrom acu agus lig sé tharais iad. Ansan tháinig sé abhaile agus amáireach a bhí an t-aithreachas air mar chuala sé go raibh cailín scioptha ón mbaile agus dá mbuailfeadh sé a lámh uirthi, bheadh sí aige.

Ansan chuaigh sé a chodladh agus ní fada a bhí sé ina chodladh nuair a chuala sé na ba ag búirigh. D'éirigh sé agus ní fhaca sé aon rud. Chuaigh sé a chodladh arís agus chuala sé arís iad. Ansan d'éirigh sé arís agus las sé cipín solais agus chonaic sé ina shuí sa chúinne fear go raibh ordóg mhór air. Níor dhein sé aon rud ach an tlú a chur sa tine agus é fhágaint ann go raibh sé breá dearg aige. Ansan bheir sé ar an ordóig mhór leis an dtlú agus d'imigh an fear ag screadaigh in airde tríd an siminé. Chuaigh an fear a chodladh agus chodail sé go sásta.

Tamall ina dhiaidh sin do chonaic sé fear na hordóige móire ag tarrac cailín leis trí pholl gáitéir agus bhain sé de í. As san amach níor chuir an fear mór isteach air.

Níl 'Fear na hOrdóige Móire' luaite i measc na *Male characters in folktales* in TIF 607-9, rud a chiallaíonn nach móide go raibh dáileadh fairsing ar an scéal seo. Ba chuid den sísheanchas é go bhfuasclódh cleasanna áirithe an té a bhí á fhuadach, féach na móitífeanna F225* *Rescue from fairyland* in MIEIL agus F322.2 *Man rescues wife from fairyland in* MIFL.

****

Sochraid Sí

Daichead bliain ó shin bhí fear de mhuintir Mhainín ina chónaí i mBaile an Fheirtéaraigh. Tar éis aifrinn Dé Domhnaigh dúirt sé go rachadh sé ag triall ar phíosa bréide a bhí á ramhrú aige i muileann Chnoc na hAbha. D'ullmhaigh sé é féin agus d'imigh sé fé dhéin an mhuilinn. Ní raibh an plainín ullamh roimis.

Bhailibh sé leis aníos arís an bóthar agus chonaic sé na sluaite daoine ina choinne agus culaitheanna gorma orthu agus hataí crua ar a gceann agus bhí píp bhán i mbéal gach duine acu. Bhíodar ag imeacht leo go dtí go dtángadar go dtí crosaire a bhí ann agus chuadar go léir ar a nglúine agus dúradar paidir agus ansan d'éiríodar agus bhailíodar leo bóthar an Daingin síos.

Tamall aníos uathu bhí triúr ban agus a mbrait caite aniar ar a gceann acu agus iad ag gol go dubhach, agus ní labhair sé focal chucu.

Bhí sé ag imeacht leis go dtí go dtáinig sé go dtí Ceathrúin an Phúca agus chonaic sé seanduine meánaosta go maith agus hata olla air agus casóg bhréide air agus maide ina láimh aige agus é ag briseadh a chroí ag gol.

'Más miste dom a fhiafraí díot,' arsa an Mainíneach leis an bhfear, 'cén tsochraid í sin amach?'

'Ní miste, go deimhin,' arsa an fear. 'Sin í sochraid Liam Uí Chorráin agus b'fhearr liom ná Contae Chiarraí go mbeinn ina shochraid.'

Ansan lig sé thairis an seanduine agus tháinig sé abhaile. Bhí fear ina chónaí ar an gCathair Ard darbh ainm Liam Ó Corráin agus cheap sé gur b'shin é a cailleadh. Ansan d'inis sé dá mhuintir gur cailleadh Liam Ó Corráin agus go raibh sochraid an-bhreá aige.

'Ara, éist do bhéal,' arsa fear éigin a bhí istigh, 'nach inné a bhí sé sin ag ól pint i mo theannta-sa sa Daingean agus conas a bheadh sé á chur inné?'

Cúpla lá ina dhiaidh sin chualadar gur cailleadh fear de mhuintir Chorráin ó Bhaile Móir i Meiriceá. Agus *Yankies* ba ea an dream sí á thabhairt go dtí a theampall dúchais féin, mar ní raibh a leithéid de chulaitheanna á gcaitheamh in Éirinn chuige, an uair sin.

Níl ainm bailitheora ná faisnéiseora leis seo. Tá an téacs céanna le cúpla mionathrú bídeach i bpeannaireacht dhifriúil, ach arís gan bailitheoir ná faisnéiseoir luaite leis in CBÉ 20:286-9.

Feiniméan aitheanta sa bhéaloideas í an tsochraid neamhshaolta; féach mar shampla, HIF 236 agus tá scéal ó Pheig Sayers in CBÉ 858:518-20 faoi fhear ó Cheann Trá a cailleadh thíos i gCo. Aontroma ach gur chuir a dhaoine muinteartha ón saol eile a chorp ina theampall dúchais i gCeann Trá.

****

Taibhse na bhFiacha

Timpeall leathchéad bliain ó shin bhí feirmeoir gustalach ina chónaí in aice an Daingin. Thóg sé tigh breá fairsing dó féin, ach má thóg, ní fhéadfadh sé maireachtaint ann mar gach oíche bhíodh gleotháil is fothrom an domhain le cloisint. Tugadh sagart chun an tí ach níor dhein sé aon mhaith. Bhíodh an feirmeoir gan néal codlata gach oíche agus a aigne go suaite ag na púcaí, dar leis, a bhí sa tigh.

'Ní chuirfead suas leis a thuilleadh,' ar sé, agus thóg sé tigh eile i lár na feirme.

Lá is é féin is a chuid buachaillí ag obair ar an bhfeirm, ghabh stracaire d'fhear chucu.

'Cé leis an tigh breá sin thall?' arsa an stracaire.

'Pé duine gur leis é, is beag an mhaith dó é,' arsa an fermeoir, agus mhínigh sé don stracaire conas ná féadfadh sé féin ná éinne eile fanacht ann toisc na taibhsí a bhí sa tigh.

'Fanfadsa ann anocht,' arsa an stracaire, 'ach tabhair dom píp is mo dhóthain tobac is mála maith móna.'

'Beir marbh ar maidin,' arsa an feirmeoir, 'má fhanann tú ann.'

'Mhuise, is cuma liom má bhím féin,' arsa an stracaire. 'Tá aois mhaith agam anois agus is cuma beo nó marbh mé.'

Thoiligh an feirmeoir agus scaoil sé an stracaire isteach i dtigh na dtaibhsí lena phíp, tobac is a mhála móna. D'fhadaigh an stracaire tine bhreá agus chaith sé an mhóin go léir ar an dtinteán. Chuir sé tuí sa mhála i gcomhair leapan agus shuigh sa chúinne.

Siar san oíche chuala sé an fothram. Tharraing sé chuige a phíp is dhearg sé í. Osclaíodh go mall doras an tseomra a bhí thíos agus chonaic an stracaire uaidh síos an aghaidh ba ghráinne a bhí ar dhuine riamh. Bhí fear an tseomra ag cur scaimheanna an domhain air féin agus gach cuma ba ghráiniúla ná a chéile. Labhair an stracaire:

'Ná bac do scaimheanna ná do chumaí mar ní chuirfir aon eagla ormsa. Tar aníos is suigh cois na tine.'

Níor bhog fear an tseomra ach lean sé ar na cumaí gránna arís. Dúirt an stracaire athuair leis teacht aníos agus shiúlaigh an duine gránna aníos is shuigh cois na tine agus lean de na scaimheanna is cumaí.

'Seo gal duit,' arsa an stracaire, ag síneadh na pípe chuige. D'ól an fear gránna a dhóthain agus tar éis tamaill labhair sé is dúirt:

'Is dócha go bhfuil aithne agat orm.'

'Níl mhuis,' arsa an stracaire, 'mar stróinséir san áit is ea mise.'

'Tá aithne mhaith ag fear an tí orm,' arsa an taibhse, 'mar is mise a athair. Is fada mé ag teacht anso gach oíche ó cailleadh mé, ach níor chuir éinne aon chaint orm go dtí anocht. Níl m'anam chun suaimhnis mar bhí pinginí fiacha orm, agus abair le mo mhac dul go dtí a leithéid seo de shiopa is na fiacha d'fhágas ann a dhíol dom.

Níl ainm bailitheora, faisnéiseora ná teideal leis an mír seo sa ls.

Tá cosúlachtaí áirithe ag an scéal seo le leaganacha den tíopa ATU 326, *The Youth Who Wanted to Learn What Fear Is*, go háirithe an insint de in TIF 326*, *Soul Released from Torment*. Is móitíf choitianta i scéalta faoi thaibhsí, an marbh a bheith ag iarraidh fiacha a bhí air a ghlanadh, féach E351, *Dead returns to repay money debt* in MIFL.

CRÁIFEACHT

An Croí Rónaofa

Ar fhéachaint dom ar an bpictúir seo os mo chomhair amach, líonann mo chroí le grá agus le gradam d'Íosa Críost, céad moladh go deo leis. Ba dhóigh leat ag féachaint air go bhfuil a chroí ar lasadh le creideamh agus le grá do Dhia, agus fé mar a dúirt sé féin, sin í an tine dhomhúchta a theastaigh uaidh a lasadh i gcroí gach éinne againne. Bhí a chroí siúd ar lasadh le grá do Dhia agus thaispeáin sé é sin.

Do chuir an tAthair Síoraí a bhí sna flaithis
Scéala go dtí an Aon Mhac teacht agus an pháis a ghlacadh;
Dúirt go humhal go rachadh go tapaidh
Dá bhfaigheadh sé beannacht a Athar a bhí sna flaithis.

An Croí Rónaofa

Tá an chros aníos as an gcroí agus chuimhneofa nuair a chífeá í gurb amhlaidh a fuair sé oiread trioblóide á hiompar is go raibh a chuimhne ina chroí fós. Ní haon ionadh go gcuimhneodh sé air. Maidir le pian, fuair sé é gan puinn trua. Is mó pian agus masla a fuair sé ó na Giúdaigh.

Chuireadar púcáin ar a shúile agus culaith an amadáin air;
Cheanglaíodar suas le cordaí crua cnáibe é;
Chaitheadar a seilí air agus dheineadar fé gáire;
Bhí buille ó gach éinne air, ar Aon Mhac Mháire.

Chuadar don gharraí is bhaineadar an crann ba mhó a bhí ag fás ann;
Chuireadar ar an gcrois é ag fulaing na daorpháise;
Chuireadar na tairní géara gan truamhéile dó trína dhearna;
D'ardaíodar suas ar a ghuailne go hard í,
Agus chaitheadar anuas ar chlocha fuara na sráide é.

Tá dhá cheann déag de ghatha nó de chosa as an gcroí. Is minic a chífeá a leithéidí de ghatha as an ngréin. Tá siad go léir tarraingte go láidir go dtí aon cheann amháin. Ar fhéachaint dom orthu, cuireann siad an dá aspal déag i gcuimhne dom. An t-aon duine déag a ghráigh ár dTiarna agus a d'fhan dílis dó, is iad san na gatha go bhfuil an chuma láidir orthu, agus an ceann a ghráigh ár dTiarna agus a thréig arís é, sin é an ceann go bhfuil an chuma lag air. Nuair a bhíonn duine marbh, bíonn aon cheann déag de choinnle lasta air agus bíonn an ceann eile múchta.

Chím go bhfuil coróin spíne timpeall ar chroí Íosa. Is ón gcoróin sin a d'fhulaing Íosa an phian nach féidir a áireamh. Bhí an fhuil ansúd ina slaoda ag sileadh lena cheann agus lena chroí. Dá mhéid é a phian agus a thinneas, níor ghoil ná níor scréach sé riamh. Má liúigh sé féin, dheineadh sé gáire ina dhiaidh. Is breá é a shaol inniu suite ar dheisláimh Dé. Nuair a fhéachaim ar an bpictiúir ní fhéadaim gan mo ghuí a chur chuige. Cuimhním ar an bhfilíocht san a d'fhoghlaimíos, tá roinnt blianta ó shin:

Achnaím go cruaidh ar Uan na Banaltran breá,
Do bhí ag bualadh a chruabhos is é ceangailte i gcruabhás;
Go maithir gach dualgas duairc dom anam i dtráth
Is ar maidin Dé Luain go bhfuasclaír mo cheasna is mo ghá.

A Íosa a d'fhulaing íobairt is easmailt ar chrois,
Thug na Trí Muire i do thimpeall go hatuirseach fliuch,
A Rí dhil déan díon dom is maith dom gach coir,
Is Dé hAoine tabhair scaoileadh is scaipeadh ar mo bhroid.

Tá nóta ón mbailitheoir ag deireadh na míre:
Eibhlín Ní Chearna
Scoil an Bhlascaoid Mhóir
Aos = 14 bliana

Is geall le machnamh os comhair íomhá den Chroí Rónaofa é seo. Bhí deabhóid mhór ag Peig Sayers don Chroí Rónaofa (féach. m.sh., *Peig. A Scéal Féin*, eag., M. ní Mhainnín agus L. P. Ó Murchú, An Daingean 1998, 160) agus tharlódh gur uaithi a fuarthas an píosa seo. Tá anáil 'Caoineadh na dTrí Muire' le brath ar chuid de na rannta.

****

Paidreacha

(i)
CBÉ 20:263-4

Ghabh Muire amach ar maidin go moch roimh lá.
Do tharla uirthi Naomh Iób,
an fear beannaithe ón Róimh.
Do bhronn sé uirthi brat,
an brat a bhí beannaithe le bandaí óir.
Go mbeannaítear daoibh, a lucht an bhrait;
ná tugaigí faillí in bhur ngnó,
ná hithigí feoil Dé Céadaoin
is ná tugaigí faillí sa troscadh.
Umhlaigí síos don gcléir
is don chúig Lá 'le Muire;
umhlaigí síos do Mhac Dé
is bígí comhaois do na linbh.
Ná hinsigí bréag do Mhuire
is beidh sí mar bhean chabhartha agaibh ar uair bhur mbáis.

An té a déarfaidh an duain seo trí huaire gach maidin Luain,
gheobhaidh sé flaithis Dé mar dhuais is radharc ar an
Mhaighdean Mhuire trí n-uaire roimh báis.

Níl ainm bailitheora ná faisnéiseora luaite. Bhí an phaidir seo ag Peig Sayers mar atá ráite thuas in Aguisíní 8, 'Na Leanaí Scoile'.

Cf. 'Paidreacha an scabaill' in APD, uimh. 503-5. Tagraíonn an t-ordú gan feoil a ithe Dé Céadaoin do chleachtadh na luatheaglaise troscadh a dhéanamh ar an gCéadaoin agus ar an Aoine; féach L. Gougaud, *Christianity in Christian Lands*, aistr. M. Joynt, London 1932, 97.

(ii)
CBÉ 34:259

Dia dhuit, a mháithrín!
Dia is Muire dhuit, a ghrá gil!
An i do chodladh ataoi, a mháithrín?
Ní hea, a ghrá gil
ach ag aisling atáimse [ar mharcach]
ar each chaol donn dearg
agus sleá ina láimh aige;
le sá trí chroí rónaofa an Tiarna.

'Sí seo an fhírinne agus ní hí an bhréag:
an té a déarfaidh an duain seo
trí huaire ina luí ar leabaidh suain dó
flaitheas Dé do gheobhaidh mar dhuais ar uair a bháis.

Níl ainm bailitheora tugtha ach ag bun an leathanaigh a leanann é (ón scríobhaí anaithnid céanna) tá scríofa i bpeannaireacht Nóra Ní Shéaghdha: *Máire Ní Ghuithín 50 bl.*

Leagan é an téacs seo de 'Aisling Mhuire'; féach P. Ó Héalaí agus L. Ó Tuairisc, *Tobar an Dúchais. Béaloideas as Conamara agus Corca Dhibhne*, An Daingean 2007, 178-9, 279.

(iii)
CBÉ 34:260

'Athair Mhic do thalmhaigh grian agus muir,
Tá na peacaí seo ceangailte orainn fós riamh go dtí inniu;

Scaoil eadrainn do bheannacht agus go bhfana sí againn;
Is le taitneamh duit is ea do ghlacas-sa mo Thiarna inniu.

Níl ainm bailitheora leis seo ach ag a dheireadh i bpeannaireacht Nóra Ní Shéaghdha tá scríofa: *Máire Ní Ghuithín 50 bl.*

Féach SOT, 243 (= APD uimh. 113).

(iv)

A Íosa Mhilis Dhílis

A Íosa mhilis dhílis, tar taoibh liom ar uair mo bháis;
Díbir uaim drochsmaointe atá tar éis mo chroí a chrá;
Bí liom idir lá is oíche im choimhdeacht, a mhíle grá;
Líon le gean do chroí mé, is soilsigh mo shlí de ghnáth.

Mo ghrá-sa Máthair Íosa a fuair fíormheas ar neamh go hard;
Is geanúil tláth a bhíonn sí le fíorbhoicht a bhíonn á crá;
Ochón ó mo sceimhle, is nuair a leagfar insa gcill sinn,
A Mháthair mhilis mhíonla, glac sinn ar láimh.

Bímse amuigh san oíche in anaithe na scríbe,
An fharaige mhór im thimpeall ar intinn mé a bhá;
Níl cara agam níos dílse ná tusa féin, a Íosa,
Bíonn tú os comhair mo chroí-se de shíor is de ghnáth.

Ná scaradh mé leatsa choíche le claonbhearta an tsaoil seo;
Dlúthaigh mé led chroí isteach is beidh mé tréan go brách;
Las an solas fíorcheart go buan i lár mo chaoinscairt,
Cuir do bheannacht orm, a Íosa, is beidh an t-anam slán.

Tá ainm an bhailitheora, Muiris Ó Catháin, leis seo ach ní luaitear faisnéiseoir.

(v)
Paidir na Reilige

Beannaím daoibh, a fhíréanaibh Dé
atá ag feitheamh ansan leis an aiséirí ghlórmhar;
Agus an té a d'fhulaing bás ar bhur son,
go dtuga sé daoibh an bheatha shíoraí.

Tá an mhír seo i gceann de scríbhinní Nóra Ní Shéaghdha agus an nóta seo léi: *Sa Bhlascaod a fuaireas é seo agus deirim é do m'iarscoláirí i reiligí an cheantair nuair a bhím iontu nó ag dul tharstu.*

Féach APD, uimh. 200 agus B. Almqvist & R. Ó Cathasaigh, *Coiglimis an Tine. Cnuasach Seanchais agus Scéalta ó Bhab Feiritéar,* Baile an Fheirtéaraigh 2010, 178.

****

Faoistin Cheallacháin

Fadó riamh sa tseanaimsir bhí fear ina chónaí istigh i gcom cnoic agus an-dhrochfhear ba ea é. Ní raibh cuimhneamh ar Dhia ná duine aige agus bhíodh sé ag goid agus ag fuadach ó na bochtaibh. Ansan i ndeireadh a shaoil bhí sé trom críonna agus chaith sé buachaill a thógaint. Ansan aon lá amháin bhí an buachaill istigh agus bí an seanduine ag dul chun deiridh.

'Rachadsa ag triall ar an sagart duit, más maith leat é,' arsa an buachaill.

'Go bhfóire Dia ormsa!' arsa an fear. 'Ní haon mhaitheas domsa sagart ná bráthair anois, mar nuair a bhí sé in am agam cuimhneamh orthu, ní orthu a bhíos ag cuimhneamh.'

'Is ea, mhuise,' arsa an buachaill, 'rachad ag glaoch air.'

D'imigh sé leis fé dhéin tí an tsagairt. Chuaigh sé leis féna dhéin isteach agus bhí an sagart istigh roimis agus d'inis sé an scéal go léir dó.

'Ó téir abhaile,' arsa an sagart, 'mar is fada roimis seo gur chuir an fear san fios ormsa, agus dá bhrí sin, is fada a bheidh sé ann sula rachadsa chuige.'

D'imigh an buachaill abhaile agus d'inis sé an scéal do Cheallachán.

'Ó Dia go deo le m'anam!' ar seisean. Ansan shín sé siar sa leabaidh agus dhein sé aithrí agus is í seo í:

Is mór mar ritheas gur thréigh mo chlú;
Gan traochadh do bhrisinnse dlithe Mhic Dé na gcumhacht ,
Spéis ní chuirinn i nduine dá naofacht cló
Ach a Dhia claoigh feasta mé, gan aon phioc stóir.
Is Dia an tAthair do shealbhaigh na flaithis naofa,
Is Dia an Mac d'fhulaing páis ar son an chine daonna,
Is Dia an Spioraid Bheannaithe a thug solas dá aspalaibh naofa,
Gach ciach is dochma a bheidh orainn go dtuga sibh réiteach.

Réiteach [is] fuascailt orainn féin ó Chathair na nGrást,
Agus leigheas gach géibhinn a bheidh orainn go brách
Led shaorthoil, a Aonmhic, a greadadh sa pháis,

Tabhair saor ón uile bhaol sinn is ó mhearthall smáilc.

A chaoinbhanaltra Íosa is áille scéimh,
Is tú caoinbhanaltra Íosa is Máthair Dé,
Bí im choimhdeacht, déan díon [dom/dúinn] i mbearnan bhaol,
Is ó dhíomas ár naimhde go brách beam saor.

An fhaid a bhí Ceallachán ag déanamh na faoistine bhí an sagart tagtha agus é ag éisteach leis. Ansan chuaigh an sagart isteach agus dúirt sé le Ceallachán:

'Is ea anois, an roinnfeá cuid de do ghrásta liomsa?'

'Ná bí ag magadh fúm,' arsa Ceallachán, 'mar go bhfóire Dia ormsa, níl grásta ná aon rud eile agamsa.'

Is ea. Bhíodar ag gabháil dona chéile, go dtí sa deireadh go ndúirt Ceallachán go roinnfeadh sé leis. Ansan cailleadh an sagart agus é féin agus d'imíodar ina ndá cholúr bhána suas ar neamh.

Tá nóta i bpeannaireacht Nóra Ní Shéaghdha ag deireadh na míre a deireann *Cáit Ní Ghuithín a fuair óna máthair, Gobnait Ní Ghuithín (55 bl).*

Tá leagan eile den Fhaoistin seo mar aon le cúlra a cumtha tughta in S. Ó Dubhda, eag., *Duanaire Duibhneach*, Baile Átha Cliath 1933, 100-2.

****

Comórtas na nIontas
CBÉ 34: 255-8

Fadó riamh sa tseanshaol chuaigh buachaill bocht in aimsir go dtí feirmeoir. Chaith sé seacht mbliana ag obair dó agus tar éis a sheacht mbliana ag obair ní bhfuair sé aon phingin dá chuid airgid óna mháistir. D'imigh sé leis ar bord árthaigh agus chaith sé tréimhse fada ann. Aon lá amháin do rith muintir an árthaigh gearr in uisce. Chonacadar oileán uathu tamall isteach agus dúirt an captaen dul isteach agus a ndóthain uisce a thabhairt leo.

D'imíodar orthu isteach agus an buachaill seo ina measc. Do bhuail tobar breá uisce leo. Do líonadar na ceaigeanna d'uisce breá. Nuair a thógadar a gceannaibh do chonacadar uathu capall bán agus cairt air agus seachtar fear ag líonadh adhmaid air. [D'fhiafraigh an buachaill cad ina thaobh] … 'ualach chomh trom san agaibh ar an gcapall bocht?'

Is é an capall a d'fhreagair ar dtús agus dúirt an capall:

'Mar gheall ortsa é seo. Mise an máistir a bhí ortsa gur choimeádas do thuarastal uait, agus is é seo an phurgadóireacht a cuireadh orm. Agus bead anso go dtí Lá Dheireadh an tSaoil mura maithfidh tusa dom.'

Nuair a chuala an buachaill é sin chuaigh sé ar a dhá ghlúin agus dúirt sé: 'maithimse óm chroí agus óm chorp duit é.'

Nuair a chuala an máistir é sin chaith sé de an teaicleáil agus dúirt sé le criú an árthaigh cur díobh chomh tapaidh is d'fhéadfaidís é mar gurbh é seo Oileán na Purgadóireachta. Chuireadar díobh chomh tapaidh agus d'fhéadadar é, ach ní rabhadar ach istigh san árthach nuair a líon ar an oileán agus ní fhacadar as san amach é.

Nuair a bhí a théarma caite ar an bhfarraige ag an mbuachaill, tháinig sé abhaile. Nuair a bhí sé ag taisteal abhaile do casadh isteach i dtigh ósta é. Bhíodh sé féin is fear an tí ag argóint féachaint cé acu is mó a chonaic iontaisí. Dúirt an buachaill go bhfaca sé féin iontas mór agus go gcuirfeadh sé dhá chéad punt síos ná faca éinne riamh a leithéid d'iontas, agus chuir fear an tí dhá chéad eile ina choinne. D'inis an fear a bhí ar bord an árthaigh ar an iontas a chonaic sé féin ar an oileán.

Ansan thosnaigh fear an tí ar a iontas a aithris. Dúirt sé go raibh athair agus máthair aige féin sa tigh agus go raibh a athair chomh macánta le haon fhear a chuir cos i mbróig riamh agus ná bainfeadh an diabhal féin aon cheart dá mháthair. Dúirt sé go gcailleadh a athair agus go gcuireadh é chomh galánta agus a cuireadh aon fhear eile. Tamall ina dhiaidh sin cailleadh a mháthair. I lár na hoíche siar agus í fé chlár agus na daoine muinteartha go léir bailithe, do bhuail an doras isteach strapaire d'fhear mór dubh agus fuip ina láimh aige. Dúirt sé go n-imigh sé sall go dtí an mbord agus go mbuail sé sleais den bhfuip ar a mháthair agus go n-éirigh sí aniar agus go dtosnaigh sí ag caint leis. Ansan dúirt sé, tar éis tamaill gur bhuail sé buille eile den tslait uirthi agus gur shín sí siar.

Ansan amáireach dúirt na daoine leis gan í a chur chuige, agus go rachaidís féin ag caint leis an stróinséir. Fágadh istigh an oíche sin leis í agus dúirt sé go dtáinig an fear céanna an oíche sin arís agus gur thit gach aon rud amach mar a thit an oíche roimhe sin. Ansan dúirt sé an tríú hoíche go dtáinig sé arís agus fuip agus iallait aige agus gur thóg sé aniar an corpán agus gur dhein sé capall di. Ansan do chuir sé an iallait ar an gcapall agus d'imigh sé amach an doras agus é ag marcaíocht air.

'Níl aon fhios agam,' ar seisean, 'cár imigh mo mháthair, agus anois,' ar seisean, 'tá do dhá chéad punt buaite ort.'

Nuair a chuala an buachaill é sin, bhí sé an-chráite agus an-bhuartha. D'aithin an fear air é agus dúirt sé: 'I dtaobh gur buachaill tú agus gur thuillis do bheatha go cruaidh, fágfad agat do dhá chéad punt agus táim ag tabhairt comhairle duit anois, ná déan margadh go deo arís le héinne go mbeidh a fhios agat go mbuafaidh sé ort. Fuair an buachaill an t-airgead agus tháinig sé abhaile agus mhair sé go sona sásta an fhaid eile dá shaol.

'Scéal' atá mar theideal ar an mír seo sa ls. Tá nóta ag deireadh an scéil i bpeannaireacht Nóra Ní Shéaghdha: *Cáit Ní Ghuithín a fuair óna máthair Gobnait Ní Ghuithín (55 bl.).* Tá cóip eile de chuid den scéal seo ar dhá thaobh de leathanach de chóipleabhar scoile i bpeannaireacht éagsúil uaidh sin in CBÉ 34:255-8 i measc pháipéir Nóra Ní Shéaghdha.

Maidir leis an scéal féin, féach S. Ó Súilleabháin, *Scéalta Cráibhtheacha* [= *Béaloideas* 21], Baile Átha Cliath 1952, 150-3, mar a bhfuil leagan de a bhailigh Seosamh Ó Dálaigh ó Thadhg Ó Guithín, Baile na hAbha, Dún Chaoin i 1936, agus nótaí ar lch 293.

****

Seán Bráthair Ó Conchúir

CBE 20:307-14

Fadó riamh sa tseanaimsir bhí bráthair ina chónaí i ndúthaigh áirithe. Ba é an ainm a bhí air ná Seán Bráthair Conchúir. Dhein an duine seo peaca éigin agus ní bhfuair sé aon mhaithiúnachas ann. Sa deireadh thiar thall chuaigh sé go dtí an bPápa ag lorg maithiúnachais. Thug an Pápa trí n-achainí dó agus dúirt sé leis mura ndéanfadh sé na rudaí seo ná geobhadh sé aon mhaithiúnachas go deo. Seo iad na rudaí: an lánú ba chríonna sa domhan a ullmhú chun báis, faoistin a thabhairt do chailín an leanna, agus mainistir a thógaint i nGoirtín an Chrú. D'fhiafraigh Seán Bráthair den bPápa cá bhfaigheadh sé iad ach dúirt an Pápa leis a shrón a leanúint.

D'imigh sé leis agus é go tromchroíoch. Tar éis a lán aistir casadh isteach i dtigh é agus bhí lánú an tí an-ghnóthach ar fad. Bhí cailín ann agus í ag tarrac leanna isteach agus nuair a ghabadh sí isteach bhíodh deora ag titim óna súile, agus nuair a ghabhadh sí amach bhíodh sí ag gáirí. Ansan labhair an cailín le lánú an tí agus dúirt sí ná mairfeadh an bheirt a bhí ag fáil bháis in aon chor anocht.

'Go deimhin, ní haon náire dóibh na cosa a chroitheadh anois,' a deiridís sin. Bhí cluas ar an mbráthair agus d'fhiafraigh sé díobh cé a bhí i gceist acu.

'Tá,' arsa fear an tí, 'an lánú is críonna ar dhrom an domhain, tá siad ar bhruach an bháis anocht. Tá duine acu,' ar seisean, 'ar cheann an chliabháin agus an duine eile acu i mbun an chliabháin. Níl acu ach an t-aon mhac agus tá sé sin chomh haosta leo féin.'

D'éirigh croí Sheáin Bráthair Conchúir le háthas ar chloisint an chaint seo dó. D'imigh sé den stáir sin fé dhéin an tí tar éis eolas a bheith fachta aige ar cén aird inar luigh sé. Nuair a chuir sé an tairseach de, tháinig an-iontas air nuair a chonaic sé an bheirt istigh sa chliabhán agus an mac lasmuigh dóibh agus é chomh haosta leo. Ansan d'fhiafraigh an bráthair den mac ar mhaith leis go gcuirfí an ola orthu. Dúirt an mac gur mhaith.

D'ullmhaigh an bráthair suas chun báis iad agus cailleadh iad.

'Muise, má ba é do thoil é,' arsa an mac, 'an ola a chur ormsa leis mar táim chomh haosta leo.'

'Ó, ní chuirfead,' arsa an bráthair, 'mar níl sé ordaithe dom.'

D'imigh sé ansan go dtí cailín an leanna.

'An tú a leithéid seo de chailín?' ar seisean léi.

'Is mé go deimhin,' ar sí.

D'fhiafraigh an bráthair di cad é an chúis go mbíonn sí ag gáirí nuair a ghabhann sí amach agus ag gol nuair a thagann sí isteach.

'Nuair a ghabhaimse amach,' ar sí, 'bíonn fáthadh an gháire ar mo bhéal, tagaim go dtí an soitheach agus bainim an corc as. Ritheann an lionn amach. An bhfuil a fhios agat cad a ritheann i mo cheann an uair sin? Chím ár Slánaitheoir agus na saighdiúirí ag sá an tsleá trína chliathán, chím an fhuil ar rith amach agus cuireann san ag gol mé.'

Thug an bráthair faoistin di.

'Tá an méid sin déanta anois,' ar seisean, 'dá mbeadh an mainisitr curtha suas agam anois, bheadh mo choir maite go deo dom.'

Chuir sé de arís agus breis mhór mhisnigh air an t-am seo. Casadh isteach i dtigh eile é. Ní raibh caonaí istigh roimis ach fear agus garsún agus chuireadar na mílte fáilte roimis. Ráinig comhrá sa tsiúl. I lár na cainte istigh, d'fhiafraigh an fear den ngarsún ar cheangail sé an capall i nGoirtín an Chrú. Dúirt an garsún gur dhein.

'Cad ina thaobh go bhfuil sé tagtha abhaile mar sin?' arsa an fear. 'Téir anois arís agus ceangail ann é.'

'Am briathar féin ná rachad mar bheadh mo dhá dhóthain d'uaigneas orm,' arsa an garsún.

'Ná bíodh aon uaigneas ort,' arsa an bráthair, 'rachadsa i do theannta.'

'Tá go maith,' arsa an garsún.

D'imigh mo bheirt agus cheanglaíodar an capall agus thángadar abhaile. Ba mhór an t-ionadh agus an lúcháir a bhí orthusan agus ar an gcomharsanacht go léir nuair a chonacadar ar maidin mainistir mhór álainn tógtha i nGoirtín an Chrú.

Chuaigh Seán Bráthair Conchúir chun cónaí sa mhainistir, é féin agus a chuid manaigh. Bhí a chuid taistil críochnaithe anois agus mhair sé ann go lántsásta nó gur ghlaoigh Dia air.

Níl ainm bailitheora ná faisnéiseora luaite leis an mír seo.

Leagan é seo de TIF 756D, *Other Tales of Severe Penances*, agus tá 294 leagan de scéalta den chineál seo áirithe faoin tíopa sin. Coimsítear na leaganacha seo go léir faoin tíopa leasaithe ATU 756C, *The Two Sinners* (previously) *The Greater Sinner*. Tá leagan den scéal ó Pheig Sayers in K. Jackson, eag. *Scéalta ón mBlascaod*, Baile Átha Cliath 1938, 79-81, agus leagan ó Uíbh Ráthach in An Seabhac, eag., *An Seanchaidhe Muimhneach .i. Meascra de Bhéaloideas Ilchineálach ó 'An Lóchrann' (1907-13),* Baile Átha Cliath 1932, 92-3.

Nóra Ní Shéaghdha agus leanaí scoil an Bhlascaoid
(*Ionad Oidhreachta an Bhlascaoid*)

TOMHAIS, COMHARTHAÍ AIMSIRE, FOCAIL

Tomhais

CBÉ 20:256

(i) Cad é an bóthar gur shaighneáil an ghrian air agus nár shaighneáil sé riamh ó shin air?

An bóthar a dhein Maois tríd an bhfarraige.

(ii) Chuardaíos agus do fuaireas
rud ab fhurasta dom a fháil;
rud ná fuair Dia
is nárbh fhéidir leis a fháil.

Máistir.

(iii) Ní fuil, ní feoil, ní cnámh é;
as fuil is as feoil a d'fhás sé;
baintear an ceann de;
dhéanfadh sé caradas idir náisiúin an domhain.

Cleite chun scríofa.

(iv) Cá raibh Dia an fhaid ná raibh sé ar neamh ná ar talamh?

Ina lampa solais i dtobar na diagachta.

Níl ainm bailitheora ná faisnéiseora luaite leo seo.

Tá (i), (ii), (iii) thuas áirithe in V. Hull, A. Taylor, *A Collection of Irish Riddles*, Folklore Studies 6, Berkeley 1955 faoi na huimhreacha (i) 625, (ii) 461a, (iii) 396a.

Comharthaí aimsir bhreá sa Bhlascaod
CBÉ 20:259

Na talúintí a bheith ag taibhseamh i bhfad uait ar maidin.
Ceo bán ag rith trí thaobh na gcnoc ach gan é a bheith ag dul go barr na gcnoc.
An drúcht gan leá ar maidin dhá uair a chloig tar éis éirí na gréine.
Faoileáin ag stad ar thaobh trá nó ar thaobh cuain.
An chircín stearracach ag amhrán.
Na caoirigh éirithe suas go mullach an chnoic.
An oíche a bheith an-mharbh.
Na géanna fiaine le clos san oíche.
Spéir dhearg thiar.
Bearradh na gcaorach sa spéir.
Na réiltíní i bhfad ón ngealaigh.
Nuair a éiríonn an ghealach go breá dearg réidh de dhroim na gcnoc.
An ghaoth ag teacht ó gach talamh.

Nóra Ní Shéaghdha agus leanaí scoil an Bhlascaoid
(*Ionad Oidhreachta an Bhlascaoid*)

Comharthaí drochaimsire

CBÉ 20:260

An féar ag corraí agus copóga á gcrith ar maidin.
An ghrian múchta isteach ar maidin.
Nuair a rithfeadh do radharc i bhfad uait agus chífeá áiteanna an-shoiléir.
Léas a bheith ar gach taobh den ngréin agus í ag dul faoi.
Mórán éisc ag ráthaíocht ar bharr an uisce.
Na toibreacha a bheith súite tapaidh.
Snáithíní snasaithe ag imeacht ar an dtalamh.
An madra ag ithe an fhéir agus ag titim ina chodladh.
An rón i mbéal na trá.
An fiach dubh ag léimeadh an-ard sa spéir.
An cat agus a dhrom leis an dtine.
Boghaisín ar an ngealaigh.
Lasair ghorm sa tine.
Scamaill ag imeacht an-thapaidh.
Roilleoga ag scréachaigh.
Réiltíní ag lasadh sa spéir.
Cearca á bpriocadh féin.
Éanlaithe na mara ag teacht isteach ar an dtalamh.
Bóithre bána ag imeacht tríd an bhfarraige.
Cnámha na seandaoine lán de phianta agus iad trom ainnis.
An faoileán á ní féin (gála mór).
Tochas i lúidíní na seanmhná (aimsir thais fhliuch).
Mórán cosa as an ngréin.

Níl ainm bailitheora ná faisnéiseora luaite leis na comharthaí aimsire seo.

Tá plé ar chomharthaí aimsire in M. Ó Cinnéide, 'Tuartha Aimsire i mBéaloideas na hÉireann', *Béaloideas* 52 (1984), 35-69.

Focail
CBÉ 20:257

Saotrún brothaill: socrú an bhrothaill; nuair a bhíonn ceo smúite ag éirí ón mbóthar bíonn a thuilleadh brothaill air.
D'fheá, sí d'fhaid í: do dhá ghéag sínte amach, sin feá, agus pé faid a bhíonn sa bhfeá san, sin é an fhaid a bhíonn ionat ó mhullach talamh.
Sceannairt: dríodar prátaí fágtha tar éis bídh (iad beirithe).
Sceolmhairtí: dríodar an bprátaí fágtha tar eis scioltáin a scoltadh.
Maighdean bhuaile: sin bean a bheadh pósta is ná beadh aon chlann titithe uirthi.[48]
Ní fiú mágáine é: mágáine — sin é an sórt stuif a bhíonn istigh i gcleite. Ní fiú faic é.
Sodóg luaithe: císte a bhíodh ag na daoine fadó — an taos a chur anuas ar leac na tine agus an luaith a chaitheamh anuas air.

Níl ainm bailitheora ná faisnéiseora luaite leo seo.

[48] Brí thánaisteach le 'maighdean bhuaile ' é seo; féach N. Ó Dónaill, *Foclóir Gaeilge-Béarla*, Baile Átha Cliath 1077, *s.v.* 'maighdean' 4.